ARTURO CUYAS ARMENGOL

# HACE FALTA
# UN MUCHACHO

LIBRO DE ORIENTACION EN LA VIDA,
PARA LOS ADOLESCENTES

EDITORIAL EPOCA, S. A.
Emperadores 185         México 13, D. F.

# INTRODUCCIÓN
## en que el autor explica el motivo y la finalidad de esta obra

En un libro muy antiguo, *El Victorial*, que en el año 1435 escribió Gutierre Díaz de Gámez, recomienda éste que, al comenzar la lectura de una obra, inquiera y examine el lector la causa material y la eficiente que la han motivado, y el objeto formal y la finalidad para que se ha escrito, buscando y preguntando quién es el autor, de qué asunto trata, cómo entiende que hay que tratarlo, y a qué fin y para qué provecho (1).

Preguntas son éstas que ninguno puede contestar con más competencia que el autor mismo. Así, pues, lector curioso, voy a salirte al paso y evitarte, con una breve explanación, la tarea de hacer por ti mismo esas indagaciones.

## 1. ¿QUIÉN ES EL AUTOR?

Lo que más te interesa saber de él es con qué títulos ha compuesto esta obra y te brinda su lectura. Fácil le fuera buscar un valedor que hiciese su presentación y te ensalzase los méritos de este libro; pero antes que distraer de sus valiosas ocupaciones a algún prestigioso amigo, prefiere ser su propio

_____

(1) El original manuscrito que se halla en la Biblioteca de la Real Academia de la Historia, dice literalmente así: «*En comienço de cualquier obra quatro Cosas son ynquerir e a catar. La causa material y la efectiba e la formal y la final porque el oydor Sienpre deue Buscar y querer quien es el auctor y de que obra trata e como en ella trata e a que Fin e a que Prouecho.*»

introductor, aun a riesgo de parecer inmodesto y presuntuoso
hablando de sí mismo.

Si una larga, activa, laboriosa y no infructífera vida; si la
satisfacción del deber cumplido; si una madura experiencia en
los asuntos de la vida, adquirida con el cóntinuo trato de gentes de diversos países y con una prolongada residencia en luengas tierras; si los viajes y una educación de carácter cosmopo-
lita; si la devoción a la Verdad, al Bien y a la Belleza, y, sobre
todo, si un acendrado amor a la Patria, demostrado con los
actos y con la pluma para defender sus intereses, en país enemigo y en circunstancias críticas; si el vehemente anhelo de
verla próspera, grande y fuerte, y el convencimiento de que esto
puede lograrse marcando a su juventud nuevas orientaciones;
si todo esto, repito, da a un autor títulos y motivos suficientes
para amonestar y mostrar el camino a la generación que avanza,
entonces está plenamente autorizada y justificada la publicación
del libro que tienes en la mano.

## 2.  ¿DE QUÉ ASUNTO TRATA?

Se trata en él de formar el corazón, educar la inteligencia,
despertar la voluntad y modelar el carácter de los muchachos
en el período de la adolescencia; inculcarles el amor al trabajo;
estimular su atención y aplicación al estudio; infundir en su
alma los tres amores: a Dios, a la Patria y a la familia; imbuir-
les sentimientos de caridad y de altruísmo; fomentar su aspiración a elevados y nobles ideales; encarecerles la necesidad y las
ventajas de la perseverancia; en una palabra, preparar su ánimo
para combatir con inteligencia y con valor en la lucha por la
vida, y hacer de ellos hombres de provecho, leales amigos, honrados vecinos y buenos ciudadanos.

Grandes obras, descubrimientos e invenciones han llevado a
cabo en el mundo hombres de ánimo esforzado y de superior
inteligencia, a fuerza de trabajo y de energía, de indefectible
constancia y de voluntad inquebrantable. Su descripción a grandes rasgos, que es materia de un Apéndice, servirá para grabar
en la mente del joven lector la impresión de cosas magnas, abriendo ante sus ojos nuevos e ilimitados horizontes.

Y en el índice someramente biográfico de los autores que se citan en el texto, hallará el lector estudioso un cómodo y pronto auxiliar para esta clase de investigaciones.

3. ¿CÓMO ENTIENDE EL AUTOR QUE HAY QUE TRATARLO?

Siguiendo el conocido precepto de Horacio y el ejemplo de insignes autores, que es mezclar la enseñanza con la amenidad; levantando una punta del telón que oculta el escenario del mundo, para excitar la curiosidad del muchacho al entrever los personajes y la tramoya de la comedia que ha de presenciar; haciendo pasar luego ante los ojos de su fantasía escenas y cuadros sacados de la historia, de la Naturaleza y de la vida moderna; presentándole, a modo de sombras chinescas, actos, rasgos y siluetas de ilustres, integérrimos varones, con el fin de mover su emulación; endulzando, en fin, la pócima educativa con el zumo extraído de las obras de los más eximios pensadores y concentrado en forma de máximas y apotegmas.

No es nuevo el procedimiento. En nuestra literatura emplearon este método, entre otros escritores, Saavedra Fajardo en sus *Cien empresas;* Baltasar Gracián en el *Criticón, El héroe y El discreto;* el P. Feijóo en su *Teatro Crítico* y en sus *Cartas;* Quevedo en sus *Obras serias;* Balmes en *El Criterio.*

En los últimos años lo han adoptado igualmente varios autores franceses, ingleses y norteamericanos, desde que apareció en 1858 y obtuvo un éxito tan señalado, que le valió ser traducido a varios idiomas, el libro *¡Ayúdate!,* primero de una serie del mismo género que publicó el escritor inglés Samuel Smiles (1).

Lo que hay de nuevo en la presente obra es la adaptación de ese método a la educación moral, social y cívica de los adolescentes, especialidad que, en nuestro país, ofrece un campo virgen a la pedagogía, y además la forma de pláticas familiares

---

(1) Faltaría el autor a la sinceridad que preconiza en esta obra si no hiciese constar que el título y la idea fundamental se los ha inspirado la de Mr. Nixon Waterman, *Boy Wanted.* En todo lo demás, los dos libros son enteramente distintos.

en que está escrito con el fin de quitarle aridez y aspereza a la didáctica, y hacerle más inteligible e interesante a muchachos de diversas condiciones sociales.

Así es como entiende el autor que debe tratarse el asunto.

### 3.  ¿A QUÉ FIN, PARA QUÉ PROVECHO?

Los libros de Smiles, de Marden, de Julio Payot, de Silvano Roudés y de otros autores a que he aludido, andan, vertidos al castellano, en manos de nuestros jóvenes estudiosos, quienes suelen encontrar muy interesante y educativa su lectura. Pero esos autores extranjeros, en sus ejemplos y sus referencias y sus citas, parecen desconocer, o tal vez olvidar —quién sabe si desdeñar— la historia y la literatura de España. Cristóbal Colón, Cortés, Pizarro y Cervantes son quizá los únicos españoles que les merecen una brevísima alusión.

¿Es que nuestra historia no presenta varones y hechos y proezas dignos de celebrarse y ofrecerse como ejemplos de arrojo, de valentía, de abnegación y de toda clase de virtudes? En nuestra rica y abundante literatura ¿no hay acaso campo feraz donde espigar, para componer un exquisito florilegio de máximas y pensamientos?

Pues el fin que se ha propuesto el autor es producir un libro que dé a conocer a nuestros jóvenes lo bueno que tenemos en nuestra propia casa, digno de parangonarse con lo mejor del extranjero; es presentarles un libro original, pensado y escrito en nuestra lengua, inspirado y sentido por alma española; un libro cuya finalidad es avivar en ellos el sentimiento de la Patria; mostrársela como estrella polar para que se orienten en su rumbo, y servirles como piloto práctico por entre los bajíos y los escollos que han de hallar en el piélago de la vida.

# PRÓLOGO CENTÓN

Un autor italiano dice que
el Prólogo es la salsa de un
libro. Mejor podría compa-
rársele con un aperitivo.

DAVID PRIDE

Emprendo a formar, con un libro enano, un varón gigante,
y con breves períodos, inmortales hechos. — BALTASAR GRACIÁN.

Siempre he creído que, si se reformase la educación de la
juventud, se conseguiría reformar el linaje humano. — LEIB-
NITZ.

En cada niño nace la Humanidad. — JACINTO BENAVENTE.

De una pequeña simiente nace un árbol, al principio débil
vara, que fácilmente se inclina y endereza; pero en cubrién-
dose de corteza y ramas no se rinde a la fuerza. — SAAVEDRA
FAJARDO.

No pierdas tiempo, hijo mío, en formar tu gusto, tus modales, tu mente y todo lo que has de tener; pues lo que, hasta
cierto punto, seas a los veinte años, eso, con poca diferencia,
serás todo el resto de tu vida. — LORD CHESTERFIELD.

Preguntado Aristipo qué cosas deben aprender los mancebos, dijo: "Las que les sean provechosas cuando lleguen a ser varones". — ERASMO.

No hay que olvidar cómo la avidez instintiva es el primer signo del desvelo de la inteligencia. Los niños son primeramente unos grandes curiosos de las cosas, y, más tarde, del porqué de esas mismas cosas. — BALDOMERO ARGENTÉ.

La principal sabiduría no es el profundo conocimiento de las cosas remotas, desusadas, obscuras y sutiles, sino el de aquellas que en la vida cotidiana están ante nuestros ojos. — MILTON.

Este libro os digo que repaséis, que él os ha de encaminar para que, como Ulises, escapéis de tanto escollo como os espera y tanto monstruo como os amenaza. — GRACIÁN.

Nada es más dulce y halagüeño que instruir y formar los espíritus. — CICERÓN.

El libro español trae siempre un severo ceño de maestro; es preciso alegrarle con la sonrisa del buen amigo. — JACINTO BENAVENTE.

El intento mío fué si acertaría a escribir en prosa algo que aprovechase a mi república, deleitando y enseñando, siguiendo aquel consejo de mi maestro Horacio. — VICENTE ESPINEL.

Con mis lecciones harán mis discípulos por su propia voluntad lo mismo que se verían obligados a hacer por mandato de las leyes. — XENÓCRATES.

Mas por estar advertido cuánto suelen cansar semejantes razones, me pareció ayudarlas del ingenio y la curiosidad, para que mejor se oigan; y escogí esta manera de escribir... porque la variedad deleite y al que leyere poco o mucho le pueda aprovechar de algo el haber tomado en la mano el libro. — JUAN DE OROZCO Y COVARRUBIAS.

Una colección de bellas máximas es un tesoro más estimable que las riquezas. — ISÓCRATES.

Mucho aprovecha a las costumbres el ejemplo. — VALERIO MÁXIMO.

Lo que puedo asegurarte es que nada escribo que no sea conforme a lo que siento. — P. FEIJÓO.

Este es un libro de buena fe, lector. — MONTAIGNE.

## Capítulo primero

# LLAMAMIENTO

Necesidad de prepararse para la lucha por la vida. — El hombre debe sobreponerse a las circunstancias. — El mundo es un gran taller donde hay trabajo para todos. — La Humanidad es un poderoso ejército que avanza siempre. — Sólo triunfa el hombre que lucha con fe y con entusiasmo. — El
irresistible "santo y seña".

Sin duda, jovencito lector, habrás visto más de una
vez en el escaparate de alguna tienda un letrero con estas palabras:

*Hace falta un muchacho*

Y claro está que si tú no andabas en busca de colocación ni necesitabas trabajar para ganarte el pan o para
ayudar a tus padres a costear los gastos de la familia, pa-
sarías de largo sin hacer caso del aviso, o diciendo para
tus adentros: "Eso no reza conmigo".

Pero no habrá faltado algún chico que, al ver aquel
letrero, impelido por la necesidad, haya solicitado la ocupación que ofrecía el establecimiento para entrar en él
como aprendiz, con la esperanza de llegar a oficial y acaso,
acaso, con el tiempo, poder establecerse por cuenta pro-

pia, como otros muchos que de igual modo y con tan humildes principios han llegado a ser notables industriales o acaudalados comerciantes.

Pues bien: con mucha oportunidad has abierto el libro que tienes entre las manos, pues por é; sabrás que, en efecto, *hace falta un muchacho,* y ahora sí que este aviso reza contigo, porque ¡mira qué casualidad! ese muchacho *eres tú.*

¿Quieres saber quién te necesita?

Te necesita la sociedad; te necesita la patria; te necesita el mundo, este mundo activo, laborioso, que parece un inmenso establecimiento lleno de fábricas y talleres y oficinas, todo en movimiento; con vastos campos de labranza, todos en producción; con pozos y socavones que conducen a minas subterráneas, de donde se extrae toda clase de minerales; con ferrocarriles y vapores que cruzan en todas direcciones llevando productos y artefactos. Este gran mundo te necesita.

¿Para qué?

Para que ocupes el puesto que te está destinado, que no será otro que el que tú mismo sepas procurarte con tu inteligencia, tu estudio y tu laboriosidad.

Si alguien te dice que eso no depende tanto de ti como de las circunstancias, dile que no es cierto, y dale a leer lo que dijo Mariano José de Larra, aquel ameno escritor que se firmaba *Fígaro:*

"Las circunstancias hacen a los hombres hábiles lo que ellos quieren ser, y pueden con los hombres débiles; los hombres fuertes las hacen a su placer o, tomándolas como vienen, sábenlas convertir en su provecho. ¿Qué son, por consiguiente, las circunstancias? Lo mismo que la fortuna: palabras vacías de sentido con que trata el hombre de descargar en seres ideales la responsabilidad de sus desatinos; las más veces, nada. Casi siempre el talento es todo."

De modo que el destino que tengas en esta vida más dependerá de tus propios esfuerzos que del azar, porque,

Este gran mundo te necesita

como dice Cervantes, "cada uno es hijo de sus obras". Y también dijo San Pablo: "Cada cual recibirá su recompensa según su trabajo."

Delante de ti se abre un vasto campo. En el mundo hay trabajo para todos. En tu patria hay mucho por hacer. Tú puedes hacer algo si realmente te lo propones.

Y puedes empezar ahora mismo, si no has empezado ya, a adiestrar tus manos, tu cerebro y tu corazón para sacar el mejor partido de las oportunidades que el mundo va a ofrecerte.

Mira a tu alrededor y observa lo que hacen los hombres en los diversos oficios, empleos y profesiones a que se dedican.

Fíjate en que los hombres que hoy desempeñan esas profesiones, o esos oficios, o esos empleos, a medida que tú creces ellos avanzan en edad, y dentro de algunos años tendrán que retirarse del trabajo.

Entonces, tú y otros muchachos como tú os habréis hecho hombres y seréis llamados a ocupar sus puestos, a ejecutar las tareas o labores que ellos hacen ahora, sólo que tendréis que hacerlas mucho mejor que ellos, porque las ciencias y las artes y la industria adelantan todos los días, y todos los días se descubren e inventan cosas nuevas, pues la ley del Progreso es esto : abrir caminos, avanzar y ocupar nuevas posiciones.

Dirás que eso de despejar caminos, tomar posiciones estratégicas y avanzar, arrollando al enemigo, es lo que hace un valeroso ejército en campaña.

Efectivamente. Y ¿qué es la Humanidad más que un vasto y poderoso ejército, compuesto de numerosas legiones y de guerrillas que marchan, avanzando siempre, a la conquista de regiones desconocidas?

Todos luchan y trabajan para vencer y dominar los obstáculos que les presenta la Naturaleza, y mientras unos, ingenieros y zapadores, rompen istmos y abren anchos canales como los de Suez y Panamá, y horadan montes con prolongados túneles como el de San Gotardo y del Simplón, y trazan y construyen luengas vías férreas como las del Pacífico, de los Andes y de la Siberia; los electricistas tienden cables a través del océano, y forman redes telegráficas y telefónicas que envuelven al globo terráqueo, y por medio de antenas transmiten el pensamiento a largas distancias por el espacio, sin hilos conductores; los arquitectos navales construyen formidables acorazados y soberbios palacios flotantes que, disparados como flechas, cruzan los mares; los terrestres levantan colosales edificios para estaciones, para fábricas, para almacenes, para exposiciones, para hoteles (algunos de treinta o cuarenta pisos); las avanzadas científicas sorprenden y descubren misteriosos secretos que arrancan a los minerales ocultos en el seno de la tierra, o a las plantas y a los peces en el fondo de los mares, y, no bastándoles a todos esos conquistadores las regiones conocidas, émulos del Icaro de la fábula, toman alas y se levantan majestuosos, como águilas, para explorar y enseñorearse del espacio.

Oye a Campoamor:

¡Oh, mil veces bendita
la inmensa fuerza de la mente humana,
que así el ramblizo como el monte allana,
y al mundo, echando su nivel, lo mismo
los picos de la roca decapita
que levanta la tierra,
formando un terraplén sobre un abismo
que llena con pedazos de una sierra!
¡Dignas son, vive Dios, estas hazañas,
no conocidas antes,
del poderoso anhelo
de los grandes gigantes
que, en su ambición, por escalar el cielo,
un tiempo amontonaron las montañas!

Y así, trabajando y combatiendo, unos con más éxito que otros, los descubridores e inventores van aumentando el botín de guerra con que enriquecen el tesoro de las ciencias y las artes.

Uno aporta la invención del vapor; otro el descubrimiento de la electricidad; aquél el de la circulación de la sangre; esotro el de la vacuna; el de más allá el de la anestesia; éste el teléfono. Y, uno tras otro, van trayendo todos ricas preseas e inapreciables tributos al procomún de la humanidad. (*Véase en el* APÉNDICE: "Los inventos y las grandes obras".)

Tal es la campaña de ese innumerable ejército que encuentra pequeño el mundo para sus incursiones y que, en su afán de explorarlo y reconocerlo todo con un cañón, que se llama telescopio, sorprende los movimientos de los astros, y mide la distancia que hay entre ellos, y los pesa, y averigua de qué materias están formados.

Y ¿quién dirige las operaciones, las marchas y los ataques de tan formidable ejército?

Un jefe infatigable, pero exigente; un general invicto que se llama Progreso, que siempre avanza y nunca se bate en retirada.

Para todos los que nacen en este mundo es obligatorio el servicio en esa milicia que lucha por la vida a las órdenes del general Progreso. Nadie puede ni debe evadirse, y tú también, tarde o temprano, te verás obligado a entrar en filas.

Muchísimos son los que nunca pasan de soldados rasos. Otros logran ascender por grados: unos merced a sus merecimientos y sus actos; otros gracias a la protección y al favor de poderosos e influyentes padrinos.

Procura tú, una vez entrado en filas, ser de los primeros. El puesto que sabe ganar el mérito, sobre dar más prestigio y producir mayor satisfacción al que lo alcanza, es más fijo y duradero que el que se obtiene por favor, pues cuando éste cesa se pierde el puesto.

No olvides lo que decía Napoleón el Grande: "Cada soldado lleva en su mochila el b a s t ó n de Mariscal de Campo."

Hoy, cuando la vida te son-
ríe; cuando vas de sorpresa en
sorpresa descubriendo cosas
nuevas y agradables en el mundo; cuando apenas has dejado
los juguetes por los libros, y
más excitantes deportes han
substituído a los inocentes jue-

Napoleón el Grande

gos de la niñez, no puedes prever la azarosa vida de lucha y de trabajo que te espera.

Más adelante encontrarás no uno, sino varios enemigos que te saldrán al paso y te harán frente para impe-
dirte que avances en tu camino.

Cuando menos lo pienses, te verás cercado por ellos en la emboscada que te habrán tendido; te sitiarán por hambre, y si no sabes defenderte con valor y con denuedo lograrán acabar contigo.

Es una guerra artera, inhumana, cruel, la que te ha-
rán tus enemigos con armas invisibles, con proyectiles impalpables, pero que causan profundas heridas. Esas armas y proyectiles son el egoísmo, la envidia, la calumnia, el engaño, la intriga, la perfidia, la traición.

Malas artes de guerra son ésas, a las que no debes recurrir nunca. Sólo las emplean los enemigos viles y cobardes que no se atreven a presentar la cara: gente sin corazón, sin honor y sin conciencia.

Contra los disparos de esos enemigos insidiosos, que más te acosarán cuanto más valgas, tienes que apercibirte, y para que no te cojan desprevenido e inexperto cuando entres en acción, es preciso que desde ahora mismo y sin perder tiempo te vayas armando y equipando, recibiendo instrucción y haciendo el ejercicio.

Te prevengo que el trabajo es duro, la disciplina rigurosa, y entiende bien que no puedes ni debes escaparte de luchar, y que la lucha por la vida será reñida, incesante y obstinada.

Toda deserción se paga cara; toda flojedad lleva su castigo; en cambio, cualquier corazonada, cualquier acto de valentía, cualquier arranque de intrepidez, cualquier heroicidad merece y obtiene una recompensa.

Las armas que necesitas para luchar, las únicas que debes emplear, son armas nobles y seguras, que no pesan ni ocupan lugar y nunca son impedimenta. Y tú mismo puedes fácilmente procurártelas.

Son esas armas la instrucción, la educación, la laboriosidad, la actividad y la energía. Con ellas podrás hacer frente y acometer y vencer al más formidable enemigo.

Y necesitas, además, una mochila, que es el Carácter, en la que has de llevar bien acondicionadas algunas provisiones útiles y necesarias, como son la honradez, la discreción, la integridad, la paciencia y, sobre todo, los buenos hábitos, que son las prendas que han de constituir tu uniforme de hombre íntegro y pundonoroso.

Con este equipo de guerra, si te portas como bueno, si luchas con valor, con fe y entusiasmo, al fin de la jornada saldrás victorioso y alcanzarás la recompensa a que debes aspirar, esto es: tu propia satisfacción, la estimación de los demás y el beneplácito de la patria.

Baltasar Gracián, el gran pensador, ha dicho: "Sólo el hombre preparado al más animoso combate, a la resistencia más obstinada y heroica, logra favor en el mundo."

Si alguna vez sintieses flaquear tu ánimo, piensa que "a los audaces les ayuda la fortuna", y repite estos versos de Ventura Ruiz Aguilera:

> "No arrojará cobarde el limpio acero
> mientras oiga el clarín de la pelea,
> soldado que su honor conserve entero;
> ni del piloto el ánimo flaquea
> porque rayos alumbren su camino
> y el golfo inmenso alborotarse vea.
> ¡Siempre luchar!... Del hombre es el destino,
> y al que impávido lucha con fe ardiente,
> le da la gloria su laurel divino."

Después de lo dicho, ¿estás ya dispuesto a entrar en formación?

Pues bien: con la mano en el pecho y el pensamiento puesto en Dios, jura fidelidad a la bandera del Progreso y grita: ¡Viva la Patria!

Y ahora graba en la memoria y en el corazón estas dos palabras, que son el santo y seña que te abrirán todas las puertas:

HONRADEZ Y TRABAJO

*Milicia es la vida del hombre sobre la tierra.* — JOB, 7.

La guerra es de por vida en los hombres, porque es guerra la vida, y vivir y militar es una misma cosa. — QUEVEDO.

Por lo que tiene (el hombre) de mundo, aunque pequeño, todo él se compone de contrarios...; combaten entre sí y en él muy vivas las pasiones...; todo es arma y todo es guerra, de suerte que la vida del hombre no es otra que una milicia sobre la haz de la tierra. — GRACIÁN.

Conviene vivir, luchar, dar cada cual a la familia, a la patria, a la humanidad cuanto pueda, mas sin tender al premio. — CÁNOVAS.

A los que tienen paciencia las pérdidas se les convierten en ganancias, y los trabajos en merecimientos, y las batallas en coronas. — P. GRANADA.

Más hermoso parece el soldado muerto en la batalla que sano en la huída. — CERVANTES.

Se nos enseña a vivir cuando la vida ya ha pasado... Un muchacho no debe dedicar a la enseñanza más que los quince o dieciséis primeros años de la vida: los restantes deben ser años de acción. — MONTAIGNE.

No estima la quietud del puerto quien no ha padecido en la tempestad, ni conoce la dulzura de la paz quien no ha probado lo amargo de la guerra. — SAAVEDRA FAJARDO.

El progreso es una cooperación: sin el concurso de muchos hombres no se realiza. — BALDOMERO ARGENTÉ.

La justicia no triunfará por sí sola. Para que triunfe ha de tener soldados que peleen por ella. El ideal de utilidad no puede hacer buenos soldados. Los soldados de la justicia podrán ser hombres aficionados a las comodidades, pero tendrán que inspirarse en ideales superiores a la utilidad. — RAMIRO DE MAEZTU.

# Capítulo II

## CONSEJOS PATERNALES

Sabias advertencias que al joven conde de Buelna le daba su ayo y preceptor. — Consejos rimados del jurado cordobés Juan Rufo dedicados a un hijo
suyo. — Famosas cartas de lord Chesterfield a su hijo. — Tierna despedida
de Carlos Dickens a su hijo menor. — Reflexiones de un padre a su hijo
por Edmundo de Amicis.

Decíale al conde don Pero Niño su ayo y preceptor,
hombre sabio y prudente, que le educó y doctrinó desde
los ocho hasta los catorce años:

"Fijo, parad bien mientes en mis palabras; apercí-
bid vuestro corazón en mis dichos e retenedlos en él, que
adelante los entenderedes."

Esto mismo te digo yo; pero antes de pasar adelante, conviene a mi intento que sepas que los consejos,
máximas y plan de conducta que trato de inculcarte no
son invención mía, ni de un solo hombre, ni cosa nueva,
ni provienen de tal o cual país, sino que son el fruto de
la observación y experiencia de insignes varones, sabios
y pensadores que han vivido en diversos países y en distintas edades.

Yo no hago más que recoger algunos de sus pensamientos, entresacándolos de sus obras, como las abejas
extraen la miel del polen y los jugos de diversas flores; y para formar este libro los inserto entre comentarios y reflexiones, que son como la cera que segregan

las mismas abejas para labrar las celdas del panal donde depositan la miel.

Por la nómina brevemente biográfica que hallarás al final de esta obra, podrás estimar la autoridad que da el nombre de sus autores a las máximas y sentencias que, por vía de ilustración, van intercaladas en el texto o agregadas a cada capítulo en forma de florilegio.

Son de filósofos, moralistas, pensadores y poetas de todos los tiempos y de todos los países, y esto prueba la universalidad de la enseñanza que hallarás en las páginas de este libro.

No vaciles, por lo tanto, en seguir las advertencias y los sanos consejos que esas máximas entrañan, pues todos son inspirados en la verdad, derivados de la experiencia y dictados por un paternal afecto, y no tienen otro propósito que aleccionar al joven inexperto para hacer de él un honrado ciudadano y un hombre de bien.

Entre los que daba su preceptor a ese mismo don Pero Niño, conde de Buelna, de que antes te he hablado, allá por el siglo xiv, según relata su historiador, Gutierre Díaz de Gámez, merecen anotarse las siguientes:

"Ante todas cosas conosced a Dios, e después conosced a vos, e después a los otros. Conosced a Dios por fe. ¿Qué es fe? Fe es certidumbre muy firme de la cosa non vista. Conosced la sustancia por los accidentes. Conosced que El vos crió, e vos dió ser. Conosced a Dios en sus criaturas, e en las maravillas que El fizo."

... ... ... ... ... ... ... ... ... ... ... ... ... ... ... ... ... ...

"Fijo, enclinad vuestra oreja a la petición del pobre, oídle, respondedle pacíficamente, e con mansedumbre facedle limosna, delibrad al que padece injuria de mano

del soberbio; faced a Dios dignas oraciones; leed libros;
habed en mientes los sus fechos; catad que quando ora-
mos fablamos con Dios, e quando leemos fabla El con nos."

... ... ... ... ... ... ... ... ,.. ... ... ... ,.. ... ... ... ... ...

"Guardadvos de los engaños de los omes que de una

Entre los consejos que su preceptor daba a don Pero Niño, conde de Buelna...

dobla vos farán dos, e que de la piedra vos farán plata,
e que del cobre vos farán oro.

   Fijo, guárdate de la avaricia, si quieres haber poder
en ti (quiere decir: dominio sobre ti mismo); si non siervo
serás; cá como cresce el amontonamiento de los algos,
cresce la muchedumbre de los cuidados. Nota, si quieres
haber lo que deseas, desea lo que puedes. Non tengas a
ningun ome por lo que obró en la su fortuna; mas tenlo

por lo que es en su seso, o en sus vertudes. Con la palabra blanda, dura el amor en los corazones: la dulce palabra multiplica los amigos, o mitiga los enemigos...

Faz tal vida con los omes, que si te murieres lloren
por ti; y si te alongares, hagan deseo de ti.

Si ovieres tiempo malo, súfrele, que todos los tiempos buenos e malos has de pasar; más omes ganarás por
amor, que por fuerza, nin por temor. Non es cortesía
decir de ome detrás, lo que avrias vergüenza de le decir
delante."

Rica también en prudentes consejos es la carta rimada
que el jurado cordobés Juan Rufo, autor de *Seiscientas
apotegmas*, dirigió a fines del siglo XVI a un hijo suyo,
y de la cual son las siguientes redondillas:

... ... ... ... ... ... ... ... ... ... ...

    Mas cuando sufra tu edad
tratar de mayores cosas,
con palabras amorosas
te enseñaré la verdad;
    no con rigor que te ofenda,
ni blandura que te dañe,
ni aspereza que te extrañe,
ni temor que te suspenda;
    antes con sana doctrina
y término acompasado,
conforme soy obligado
por ley humana y divina.
    Mas, pues la vida es incierta
y no sé, por ser mortal,
si al entrar tú por su umbral
saldré yo por la otra puerta,
    esto que escribiere aquí
con paternal afición,

en los años de razón
traslada, mi hijo, en ti.
    Verás la fe encarecida
con que pude y quise amarte,
y quisiera gobernarte
en las ondas de tu vida,
    en cuyo corto viaje
hallarás tormentas largas,
mudanzas, disgustos, cargas
y mal seguro pasaje...
    Verás que cada animal
(conforme su inclinación)
sigue la disposición
de su instinto natural,
    y sólo el hombre pervierte
sus justas obligaciones
si no vence sus pasiones
como valeroso y fuerte...
    Sabe, hijo, que si vas
por el derecho camino,
un espíritu divino,
un ángel parecerás;
    mas si tuerces la carrera
en esta vida mortal,
quedarás, de racional,
convertido en bestia fiera.
    Tu secreto en cualquier cosa
comunícalo contigo,
y no obligues a tu amigo
a carga tan peligrosa.
    Si te es difícil cubrirlo,
como muchas veces suele,
el otro, a quien menos duele,
¿que hará si no decirlo?
    De la dudosa esperanza
nunca hagas certidumbre,
pues por natural costumbre
aun en lo cierto hay mudanza...

Lo que cierto no supieres,
no te hagas de ello autor:
callarlo es mucho mejor
mientras dudoso estuvieres...

Ten siempre puesta la mira
en tratar pura verdad,
porque es gran calamidad
el ser cogido en mentira...

No fíes en los placeres,
porque pasan como el viento,
y cuando estés descontento
disimula si pudieres;

porque el mal, comunicado,
aunque dicen que es menor,
no arguye tanto valor
como el secreto callado...

Es la envidia testimonio
que denota vil flaqueza:
es malicia, y es simpleza,
es desdicha, y es demonio.

Holgar con el bien ajeno
es ser partícipe de él,
y piedra de toque fiel
donde se conoce al bueno...

Las horas y su medida
debes, hijo, conocer,
y echar en ellas de ver
la brevedad de la vida...

Obra con peso y medida
y cogerás con decoro
de las horas aquel oro
que enriquece más la vida.

Y continuo se te acuerde
de que el tiempo bien gastado,
aunque parezca pasado,
no se pasa ni se pierde.

Pásase y piérdese aquel
que los hombres gastan mal,

y es desdicha sin igual
que se pierdan ellos y él...

Del que te burló primera,
guárdate la vez segunda,
y si en efecto secunda,
vélate bien la tercera.

Y piensa que el trato vil
redunda en tu menosprecio,
que si eres tres veces necio,
lo serás trescientas mil...

Más vale un tardar prudente,
aunque cause pena esquiva,
que la priesa intempestiva
si el caso no la consiente.

Que mejor es con trabajo
esperar lo deseado,
que perder lo trabajado
por codicia de un atajo...

La vida es largo morir,
y el morir fin de esa muerte;
procura morir de suerte
que comiences a vivir.

Esto se logra trabajando con ahinco, con fe y con entusiasmo para legar a la posteridad alguna buena obra. Así, al morir, empezaron a vivir con vida perdurable Homero, Aristóteles, Arquímedes, Galileo, Colón, Shakespeare, Cervantes, Newton, verdaderas lumbreras de la Humanidad, cuyos refulgentes rayos no se apagan nunca.

Si de España y del siglo XVI saltamos a Inglaterra a mediados del siglo XVIII, hallamos una extensa y famosa colección de cartas escritas y dirigidas a su hijo por un diplomático que llegó a ser virrey de Irlanda, lord Chesterfield. En ellas, a vueltas de algunas lecciones de historia, de geografía, de literatura clásica y de diplomacia, señalaba a su hijo el plan de conducta que debía seguir en la vida y en los países de Europa que visitaba con su ayo y preceptor.

Con un buen criterio de selección podrían entresacarse de tan numerosas cartas algunos buenos y útiles consejos, como los siguientes:

"Por lo que toca a la buena crianza, nunca podrás dedicarte demasiado temprano, ni con asaz ahinco, a adquirirla: si no se procura cuando uno es joven, ya no es tan fácil después; mientras que si se adquiere en la niñez, se contraerá el buen hábito y durará toda la vida. Dice Horacio: "El búcaro conservará por mucho tiempo el olor de la substancia con que se llenó al principio", con lo cual indica la ventaja de inculcar buenos hábitos y buenas ideas a la niñez. Nada te digo ahora respecto del honor, de la virtud, de la verdad y de otros deberes morales que deben observarse estrictamente en todas épocas y en todas ocasiones, porque seguramente estás convencido de la necesidad ineludible de cumplirlos todos; así como de la infamia y el delito que implica el descuidarlos o hacer lo contrario de lo que ellos imponen."

No puede haber consejos más cordiales ni más desinteresados que los que a un hijo querido da un buen padre. Y cuando el padre que los da es un hombre de corazón, de experiencia y de gran cultura, los consejos paternales que deja escritos tienen un valor excepcional.

Por esta razón quiero darte a conocer, y hasta te encarezco la observancia de los que el gran novelista inglés Carlos Dickens dejó consignados en una sentida epístola que dirigió al más joven de sus hijos cuando éste salió del hogar paterno para ir a ganarse la vida por el mundo.

"Te escribo hoy esta carta —le decía— porque mucho me preocupa tu partida, y porque quiero que lleves algunas palabras mías de despedida para que las medites con calma alguna que otra vez. No necesito decirte que te quiero entrañablemente y que mucho, pero mucho, siento en mi corazón separarme de ti. Pero casi la mitad de nuestra vida consiste en separaciones, y a estas penas tenemos que resignarnos. Tengo el consuelo y la sincera convicción de que vas a entrar en una ocupación para la que tienes las mejores aptitudes... Lo que siempre te ha faltado hasta ahora ha sido un propósito firme y decidido. Te exhorto, por lo tanto, a que perseveres en la determinación de hacer cuanto tengas que hacer del mejor modo que puedas.

Yo no tenía la edad que tú tienes ahora cuando por vez primera tuve que ganarme la vida, y me resolví a hacerlo con esa determinación, y desde entonces nunca he cejado en ella.

No procures jamás obtener indebida ventaja sobre otro en ningún trato, y nunca seas duro ni exigente con aquellos que dependan de ti. Procura tratar a los demás como quisieses ser tratado por ellos, y no te descorazones si alguna vez no lo hacen. Vale más que sean ellos, y no tú, los que falten al más grande de los mandamientos de la ley de Dios.

Entre los libros que te llevas he puesto los Evangelios, por la misma razón y con la misma esperanza que me hicieron escribir para ti, cuando eras pequeño, una sucinta y clara relación de ese libro. Porque es el mejor libro que ha habido y que habrá en el mundo, y porque te enseñará las mejores lecciones que pueden guiar al que quiere ser íntegro y cumplir fielmente con sus deberes.

Cuando tus hermanos se han marchado, uno tras otro, les he escrito a cada uno lo mismo que a ti te digo, y a todos les he aconsejado que se guíen por ese libro, sin hacer caso de las interpretaciones y comentarios de los hombres... Ahora te encarezco solemnemente la verdad y la belleza de la religión cristiana, tal como el mismo Cristo nos la enseñó, y la imposibilidad de que vayas por mal camino si con humildad y cordialmente sigues sus doctrinas. No pierdas nunca la buena costumbre de decir tus oraciones todas las noches y todas las mañanas. Yo nunca la he dejado, y sé cuánto me conforta.

Carlos Dickens

Confío que siempre podrás decir, en el curso de tu vida, que has tenido un padre cariñoso. No podrás corresponder de mejor modo a su cariño, ni hacerle más feliz que cumpliendo con tus deberes."

Si has leído un libro de Amicis que se titula *Corazón.— Diario de un niño* (y, si no, te aconsejo que lo leas), recordarás aquella carta que a Enrique le escribe su padre para recomendarle que estudie, y que termina de este modo:

"Piensa en los innumerables niños que van a la escuela en todos los países; míralos con la imaginación cómo van por las callejuelas solitarias de la aldea, por las concurridas calles de la ciudad, por la orilla de los mares de los lagos; ya bajo un sol ardiente, ya entre las nieblas; embarcados, en los países cortados por canales; a caballo, por las grandes llanuras; en zuecos, sobre la nie-

ve; por valles y colinas, atravesando bosques y torren-
tes; por los senderos solitarios de las montañas; solos, por
parejas, en grupos, en largas filas, todos con los libros
bajo el brazo; vestidos de mil modos; hablando miles de
lenguas; desde las últimas escuelas de Rusia, casi perdi-
das entre hielos, hasta las últimas de Arabia, a la sombra
de las palmeras; millones y millones de seres que van a
aprender, en mil formas diversas, las mismas cosas. Ima-
gina este vastísimo hormiguero de niños de mil pueblos,
este inmenso movimiento, del cual formas parte, y piensa: si este movimiento cesase, la humanidad caería en la
barbarie; este movimiento es el progreso, la esperanza, la
gloria del mundo. Valor, pues, pequeño soldado del inmenso ejército. Tus libros son tus armas, tu clase es la
escuadra, el campo de batalla la tierra entera, y la victoria la civilización humana. ¡No seas un soldado cobarde,
Enrique mío! — Tu PADRE."

———

Ama a tus padres; si te causan algunas ligeras incomodida-
des, aprende a soportarlas. El pago y el galardón que a tus
padres dieres, aquel mismo debes esperar de tus hijos. — TALES
DE MILETO.

¿Quién es el hombre bueno? Aquel que obedece a sus padres
y acata las leyes humanas y divinas. — HORACIO.

Haz gala de la humildad de tu linaje y no te desprecies de
decir que vienes de labradores, porque viendo que no te corres
ninguno se pondrá a correrte. — CERVANTES.

La nobleza del plebeyo consiste en no avergonzarse del nombre de su padre. — LAMARTINE.

Dentro de casa tened vergüenza de vuestros padres, fuera de ella, de todos cuantos os vean, y en la soledad téngala cada uno de sí mismo. — DEMETRIO FALEREO.

La madre es nuestra providencia sobre la tierra en los primeros años de la vida; nuestro apoyo más firme en los años siguientes de la niñez; nuestra amiga más tierna y más leal en los años borrascosos de la juventud. — SEVERO CATALINA.

Los jóvenes son como las plantas: por los primeros frutos se ve lo que podemos esperar para el porvenir. — DEMÓCRATES.

La Sagrada Escritura, fuente manantial de consejos saludables al género humano. — ANTONIO PÉREZ.

Sabed que el fundamento de la fe cristiana y de todo buen vivir está en que los hombres desde niños comiencen a tener buenas y rectas opiniones. — LUIS VIVES.

El conde de Ureña decía que el mentiroso es como ducado falso y en todos los otros vicios como ducado falto. — MELCHOR SANTA CRUZ.

Lo que no quieras sepan muchos no lo digas a nadie. ¿Cómo puedes confiar de vecino lo que con tu misma confianza quebrantas? Cierra igualmente los oídos a los aduladores tuyos que a los murmuradores de otros. — J. E. NIEREMBERG.

Procura ir con cautela en el ver, en el oír y mucha más en el hablar; oye a todos y de ninguno te fíes; tendrás a todos por amigos, pero guardarte has de todos como de enemigos. — GRACIÁN.

Aun entre los demonios hay unos peores que otros; y entre muchos malos hombres suele haber alguno bueno. — CERVANTES.

No te contentes con alabar a las gentes de bien: imítalas. — ISÓCRATES.

No te dejes pisar, aunque fortuna te derribe. — QUINTILIANO.

# CAPÍTULO III

# LA INSTRUCCIÓN

Venerable ministerio del maestro. — Semejanza de la "instrucción" y de la "construcción". — Plaga de los mozalbetes pedantes y gárrulos. — Ventajas de saber escuchar. — Valor de los conocimientos y de los idiomas. — La teoría y la práctica. — La Humanidad es un gran libro.

Según nos cuenta *Fígaro*, el bachiller Pérez de Munguía, escribiendo desde las Batuecas a su amigo Andrés Niporesas, le decía:

"Aquí pensamos como cierta señora que, viendo llorar a una su parienta porque no podía mantener a su hijo en un colegio: *Calla, tonta* —le decía—; *mi hijo no ha estado en ningún colegio, y a Dios gracias bien gordo se cría y bien robusto.*"

Yo doy por sentado que tú, joven lector, por el hecho de serlo, has debido estar en algún colegio o escuela, o habrás aprendido con algún maestro en tu casa las primeras letras. Y espero que esto no te haya impedido crecer tan sano y tan robusto como el vástago de aquella señora, la cual, sin duda, se figuraba que las escuelas sólo sirven para engordar a los chicos como se ceba a los pavos.

Pero tú, que sabes leer y que has aprendido otras cosas, habrás podido observar que en las escuelas y fuera de las escuelas la misión del maestro es veneranda; puede decirse que es tan sagrada como la del sacerdote y la del médico, pues si éste tiene a su cargo la curación de los males del cuerpo y aquél lleva el alivio a las congojas del alma, el maestro atiende al cultivo de nuestra inteligencia con la misma solicitud con que un jardinero cuida de sus tiernas plantas.

¿Y qué fuera el alma sin el precioso don de la inteligencia, que distingue al hombre del bruto?

Figúrate un hombre dotado de memoria y de voluntad, pero sin entendimiento: ¿qué sería? Un patán, un semisalvaje en quien predominarían los instintos brutales.

Por fortuna tú, lector adolescente, tienes entendimiento, y puesto que gustas de leer libros, juzgo que deseas aprender, o, lo que es lo mismo, *instruirte*.

¿Sabes lo que esto significa?

Pues fíjate en el significado de estas tres palabras: *construir, destruir* e *instruir*.

*Construir* es fabricar, edificar, hacer alguna cosa reuniendo y juntando materiales diversos. Se construye una casa, un buque, un ferrocarril, un aeroplano, un puente.

*Destruir* es deshacer, derribar, desbaratar, separar con violencia los materiales o las partes de un todo.

*Instruir* es comunicar al entendimiento los conocimientos necesarios para formar juicio de las cosas.

Ya ves que hay cierta analogía entre la *construcción* de un edificio y la *instrucción* de un individuo. Para lo primero hay que reunir y combinar, ajustándose a ciertas reglas, varios objetos *materiales*, como son piedras, ladrillos, hierro, madera, cal, arena, cemento, etc. Para lo segundo, como no se pueden introducir cosas corpóreas en el entendimiento, se le comunica por medio de los sentidos (la vista y el oído principalmente) una suma de conocimientos *ideales,* esto es, incorpóreos, que se llaman lenguaje, cálculo, historia, geografía, filosofía, etc.

Cuanto más vasto y alto es un edificio y mejor armonizados están sus proporciones y adornos, tanto más impone por su grandiosidad y su belleza. Un hermoso palacio o una basílica encantan y suspenden el ánimo al contemplarlos; pero no así una choza o una mísera cabaña.

Cuanto más vasta es la instrucción de un individuo, es decir, cuanta mayor es la suma de conocimientos que ha adquirido con el estudio, tanto más se distingue y brilla por su saber, y en más alto grado puede contribuir a la obra de cultura y de progreso.

Un sabio descuella en la sociedad como un palacio o una basílica; mientras que un ignorante es como la choza o la cabaña.

Ahora bien: para idear y dirigir la *construcción* de un bello y sólido edificio hay que acudir a un arquitecto; para trazar y encaminar la sólida *instrucción* de un niño es necesaria la experiencia de un maestro.

Porque es muy importante que los conocimientos que empieza a adquirir un niño en sus primeros años sean no sólo los propios de su edad, sino tan bien escogidos, medidos y asentados, que puedan servirle de base o de cimiento para los que ha de adquirir más tarde.

Hay mucha verdad en esta fábula de Carlos de Pravia:

> Un arquitecto joven
> hizo un palacio;
> mas lo hizo sin cimientos
> y vino abajo.
> Si no son buenos
> los principios, los fines
> lo son aún menos.

Si has aprendido algo sigue estudiando, que aún te falta mucho, muchísimo que aprender para llegar a saber que nada sabes, como decía Sócrates de sí mismo, no obstante ser el más sabio de los sabios de Grecia.

Hay algunos mozalbetes que al salir del colegio, y aun antes, se consideran unos pozos de ciencia y creen que han aprendido cuanto hay qué saber. Esos jóvenes pedantes y engreídos suelen ser gárrulos; hablan de todo y todo lo discuten con una petulancia y un aplomo que sólo les aquista la lástima o el desprecio de las personas sensatas.

Procura tú no imitarlos, antes bien sigue el consejo que lord Chesterfield daba a su hijo en una de sus cartas:

"Nunca trates de parecer más sabio ni más instruído que las personas con quien te hallas. Guarda lo que sepas lo mismo que tu reloj en tu faltriquera, y no lo saques ni hagas sonar la repetición meramente para mostrar que lo tienes. Si te preguntan la hora, díla; pero no la cantes a cada momento sin que nadie te lo pida, como hace el sereno."

Alguien ha dicho que "la palabra es plata y el silencio es oro". En efecto, el que sabe escuchar no pierde el tiempo; porque si reflexiona sobre lo que ha oído, aprende, mientras que el que habla sólo dice lo que sabe... y a veces lo que no sabe.

Oirás a muchos jóvenes imberbes en cafés, clubs o casinos hablar con presunta suficiencia de los más embrollados asuntos y arduos problemas políticos, militares, sociales, científicos y religiosos que han hecho devanarse los sesos y quemarse las pestañas a hombres maduros y sabios para hallarles solución, y, no obstante, esos polluelos implumes, apenas salidos del cascarón, los resuelven en un dos por tres con un desparpajo que asombra.

No son ésos a quien debes escuchar, pues poco aprenderías de ellos, fuera de comprender el ridículo en que se pone el muchacho y aun el hombre que habla de lo que no entiende.

Busca el modo de instruirte no sólo en el estudio atento y concienzudo de buenos y escogidos libros, sino también en el trato y la conversación de las personas mayores, cultas y discretas, recordando lo que dice Gracián: "Gran suerte es topar con hombres de su genio y de su ingenio; arte es saberlos buscar; conservarlos, mayor; fruición es el conversable rato y felicidad la discreta comunicación."

Mientras sigas tus estudios, sea en tu casa, sea en la escuela, sea en la Universidad o en la Academia, concentra toda tu atención en lo que estudies; no aprendas las lecciones de coro, como una cotorra, sino que debes procurar desentrañar y comprender su sentido.

En el libro *Cómo hay que cultivar la voluntad,* su autor, el doctor Leland, refiere cómo un niño que estaba cansado de sus lecciones empezó a estudiarlas con gusto y con provecho desde que un día se imaginó que una hada le conducía a una escuela situada sobre una colina. Con esta idea fija en su mente se le hizo agradable el estudio.

Todos los hombres que han llegado a descollar como grandes figuras de la humanidad han sido, con raras excepciones, muy aplicados y estudiosos desde niños.

En la escuela del maestro Juan López de Hoyos, fué Miguel de Cervantes el mejor y más adelantado de sus discípulos, y era tal su aplicación y afán de aprender que, según él mismo confiesa, llevado de esta su natural inclinación, leía aunque fuesen "los papeles rotos en las calles".

Benjamín Franklin y Abraham Lincoln, las dos per-
sonalidades más notables después de Jorge Wáshington,
en la historia de los Estados Unidos, son ejemplos pal-
marios de los altos destinos a que puede llevar la afición

Un día se imaginó que una hada le conducía a una escuela

a aprender y la perseverancia en el estudio, aun a los
muchachos de posición más humilde.

Era Benjamín Franklin hijo de un modesto velero, y
el padre de Abraham Lincoln era un pobre leñador; pero
ambos muchachos mostraron desde sus primeros años una
inclinación tan grande a los libros, un empeño tan decidido de adquirir conocimientos, que a la lectura y al estudio dedicaron todos los ratos que les dejaba libres su

trabajo o que podían robar al sueño. Y así llegaron a ser el primero un gran filósofo, político y diplomático, y el segundo un gran tribuno, estadista y presidente de la República, que dejó su nombre asociado con uno de los hechos más gloriosos del siglo XIX: la abolición de la esclavitud.

No desmayes, pues, por baja que sea tu condición. De ti -y sólo de ti depende que llegues a dejar un nombre en la Historia de tu patria merced a tus estudios, a tu aplicación y a tus merecimientos.

Tal vez te sientas más atraído por los deportes que por los libros, lo cual no deja de ser natural a tu edad; pero si reflexionas un poco comprenderás que el estudio es tan necesario a tu desarrollo intelectual como el ejercicio lo es a tu desarrollo físico, como lo es la nutrición a tu existencia.

Durante tu adolescencia de muy poco te servirán los conocimientos

Abraham Lincoln

que vas adquiriendo con el estudio de los libros o en las aulas; pero yo te garantizo que te servirán después, y que cuantos más conocimientos hayas atesorado, cuanto más sólidos y bien cimentados sean, mejor preparado te hallarás para la lucha por la vida o para tener éxito en tus empresas. Los fracasados son los que han perdido el tiempo en sus juveniles años.

Cuando seas mayor de edad y entres de lleno en el mundo, comprenderás la importancia que tiene el estar bien pertrechado con conocimientos técnicos y científicos, sea cual fuere la carrera o profesión a que te dediques.

Hoy la agricultura, la industria y el comercio se desarrollan y medran merced a los principios científicos de que echan mano; y actualmente se han obtenido grandes rendimientos agrícolas y numerosos productos industriales y artículos de comercio, merced al estudio y a las aplicaciones de la química.

El telégrafo, el teléfono, los ferrocarriles, los buques de vapor, los automóviles y últimamente los aeroplanos, han acortado de tal modo las distancias y estrechado las relaciones de los pueblos, que hoy es casi una necesidad indispensable lo que antes se consideraba como un adorno de lujo, y es el conocimiento de varios idiomas. El inglés es ahora el que más se habla en las cinco partes del mundo; muy útil te será conocerlo, además del francés, y si quieres fortalecer y aumentar tus conocimientos científicos, el idioma alemán te servirá más que otro alguno.

Una cosa muy particularmente quiero recomendarte, y es que las teorías que aprendas en los libros procures comprobarlas con las experiencias y la práctica. No hay nada peor que un hombre teórico que disputa los hechos reales y positivos simplemente porque no se ajustan a las fórmulas que él ha aprendido.

Los teóricos llamaron loco a Cristóbal Colón, hicieron retractarse a Galileo y quemaron en la hoguera a Giordano Bruno. Y, no obstante de sostener aquellos teóricos lo contrario, la tierra es esférica, *e pur si muove*.

Principios que unos sabios han proclamado como leyes naturales, otros sabios han tenido que refutar en presencia de fenómenos contrarios. Unos experimentos verificados por eminentes químicos norteamericanos y por el profesor Juan Becquerel echaron abajo todas las teorías físicas y matemáticas respecto de lo que constituía la electricidad negativa y positiva, y demostraron la existencia de electrones positivos en ciertos metales, cuando antes se afirmaba que sólo había en ellos electrones negativos.

De poco te valdrán en el mundo tus estudios si a los conocimientos que hayas adquirido en los libros no agregas los que saques de tu observación y estudio de la Naturaleza y de los mismos hombres. Ese es un gran libro en que se aprende mucho: lo que es verdadero y lo que es falso, y sin ese estudio nunca será completa tu instrucción.

Aprende, pues, a discernir y a formar juicio exacto de los hombres y de las cosas, estudiando cuidadosamente las cosas y los hombres. Porque así no lo hacen, hay tantos visionarios, idealistas, que viven fuera de la realidad y cuya vida no es más que una continua serie de sueños fugaces y de irrealizables proyectos.

Por no conocer don Quijote el mundo real, y sólo el fantástico que le pintaban los libros de caballerías, tomó unos molinos de viento por descomunales gigantes, y una venta por castillo, y dos manadas de ovejas por ejércitos combatientes de esforzados guerreros.

Y esa fábula inmortal, regocijada y punzante sátira a la vez contra los disparatados engendros caballerescos y los hombres ilusos y soñadores, no hubiera podido escribirla ni aun idearla Cervantes con sólo haber leído tantos libros, y aun "los papeles rotos de la calle", si a la intrucción que extrajo de esas lecturas no hubiese acoplado, durante su volandera y atrafagada vida, el estudio y el conocimiento del mundo y de las flaquezas humanas.

Sé ávido por saber y serás sabio. — ISÓCRATES.

Si un hombre vacía en su cabeza el dinero de su bolsa, nadie podrá robárselo. Gastar dinero en aprender es una inversión que siempre rinde un buen rédito. — FRANKLIN.

Quien dice instrucción, dice, por consecuencia, civilización, luces, humanidad, moralidad, libertad, justicia, bienandanza y prosperidad. Quien dice ignorancia, dice ceguedad, preocupaciones, error, superstición, despotismo, arbitrariedad, humillación, miseria e inmoralidad. — VÍCTOR HUGO.

La torpeza, la pobreza y la ignorancia son los tres grandes factores de los crímenes. — BÜCHNER.

La sabiduría sirve de freno a la juventud, de consuelo a los viejos, de riqueza a los pobres y de adorno a los ricos. — DIÓGENES.

El primer paso de la ignorancia es presumir saber, y muchos sabrían si no pensasen que saben. — GRACIÁN.

Hay la misma diferencia entre un sabio y un ignorante, que entre un hombre vivo y un cadáver. — ARISTÓTELES.

El menor día de la vida de un sabio vale más que toda la vida de un ignorante por larga que sea. — SÉNECA.

La tierra no produce para los ignorantes sino malezas y abrojos. — JOVELLANOS.

—¿Quién es el hombre más rico? —El más sabio. —¿Y el más pobre? —El que menos sabe. — APOLONIO DE TIANA.

El andar tierras y comunicar con diversas gentes hace a los hombres discretos. — CERVANTES.

# CAPÍTULO IV

# LA EDUCACIÓN

La educación debe empezar desde la cuna. — Diferencia entre la instrucción y la educación. — Cada cual puede educarse a sí mismo. — La atención es condición indispensable. — La educación entre los griegos. — Rescripto imperial del Japón. — Fracaso de los jóvenes sin educación.

—Doctor, ¿cuándo debo empezar a educar a mi niño? —preguntó una joven madre a un médico bastante distinguido.

—¿Qué edad tiene el niño? —preguntó el médico.

—Dos años.

—Pues son dos años que ya lleva usted perdidos —repuso el médico con mucha seriedad.

Oliver Wendell Holmes, el escritor y filósofo, contestó a otra madre que le hizo igual pregunta:

—Tiene usted que empezar por educar a la abuela.

Joven amigo: si has tenido la dicha de nacer de padres inteligentes y previsores —no de los que confunden el amor paternal con la mala crianza que dan a sus hijos, sino de aquellos que saben corregirles con justa severidad sus defectos desde la tierna infancia, que es cuando más lo necesitan—, ya ellos habrán comenzado a prepararte para que salgas victorioso en la lucha por la vida, antes de que tú hayas podido comprenderlo.

Pero supongamos que nada han hecho tus padres para educarte como es debido: no importa. Es preciso que entiendas y te convenzas de que tu porvenir está en tus manos; tú, solito, puedes labrarlo, y a ese fin debes dedi-

—Pues son dos años que ya lleva usted perdidos

car todos tus esfuerzos, todas tus facultades desde ahora mismo.

Tú querrás, sin duda, llegar a ser un hombre de pro, quiero decir, de provecho; un hombre respetable, un dignísimo miembro de la sociedad, que es a lo que debe aspirar todo muchacho, y precisamente eso es lo que espera de ti el mundo; para eso te necesita.

Y llegarás a serlo si te lo propones con propósito firme,

si sigues sin vacilación y sin desvío por el camino recto que conduce siempre al éxito.

> En el camino angosto de la vida
> conviene mirar siempre hacia delante,
> que la senda es muy áspera y torcida,
> y el que mira hacia atrás o se descuida,
> o bien marcha con paso vacilante,
> puede dar un tropiezo o una caída
> y hundirse en una sima horripilante.

Hasta aquí sólo hemos hablado de la *instrucción*, esto es, de los conocimientos que se refieren a hechos o cosas externas o generales que lo mismo interesan, convienen y tienen aplicación a uno que a muchos individuos.

Pero tú, jovencito, como todo el que tiene que alternar en sociedad con gente civilizada, necesitas algo más que mera instrucción; necesitas algo complementario; algo que es puramente individual; algo que concierne a tu persona; algo que ha de distinguirte de los demás tanto como tu figura y las facciones del rostro; algo, en fin, que ha de ser como tu sello propio, como tu rúbrica distintiva, y ese algo es el *carácter*.

Y has de saber que el carácter se forma o se modifica por medio de la *educación*.

Ya te oigo preguntar: "¿Qué diferencia hay entre la instrucción y la educación?"

Va a contestarte Severo Catalina con estas sentencias de su libro *La Mujer*:

"La mayor parte de las gentes confunde la educación con la instrucción. Es un error gravísimo.

"Hay hombres instruídos que están muy mal educados; hay, por el contrario, muchos ignorantes que cautivan por su *buena educación*. Apelamos a la experiencia diaria.

"Entre un sabio *sin formas sociales* y un ignorante humilde y cortés, es mil veces preferible el ignorante.

"La *educación* es de más importancia que la *instrucción*.

"La primera se dirige principalmente al corazón; la segunda, a la inteligencia."

Pero ya comprenderás que es preferible, y a ti te conviene, poseer ambas cosas, porque el hombre instruído y mal educado es como un diamante en bruto. La educación constituye el pulimento del hombre.

Si tú vieses uno de esos cristales de carbono tal como se encuentran en los criaderos del Brasil o de Golconda, en la India, creerías que era una piedrecilla de forma rara, cubierta de una costra rojiza; pero nunca sospecharías que pudiese llegar a brillar con los vivos reflejos y luces que tiene un bien tallado diamante.

¿Sabes cómo se consigue? Con el corte de las facetas y con su pulimento.

Y te asombrarás cuando sepas que, por ser el diamante el más duro de todos los minerales, no hay instrumento de metal que pueda cortarlo. Para quitarle la corteza es preciso emplear otro diamante, y para pulir las facetas se utiliza el polvo de la misma piedra.

Pues bien; mírate en ese ejemplo. Así como el diamante, para brillar, necesita pulimentarse con pequeñas partículas de sí mismo, así un muchacho como tú puede adquirir lustre y brillar en la sociedad si las luces que ha adquirido con la instrucción las hace resplandecer él mismo con esos pequeños rasgos de buena educación que son las facetas y constituyen la fisonomía social de una persona.

Holgárame de saber que eres un joven aprovechado y discreto, de índole dócil y afable y naturalmente inclinado a los buenos hábitos y costumbres.

Pero aun en la aventurada hipótesis de que fueses todo lo contrario, ¿puedes esperar a corregir y refrenar tus naturales y violentos impulsos por medio de la educación?

Ciertamente. Oye lo que nos cuenta Erasmo en uno de sus apotegmas:

"Maravillábanse muchos de que Temístocles, que era de condición feroz y mudable cuando mancebo, después, merced a la educación que recibió, mostrase distinto carácter. A lo cual él dijo que los bravos e indómitos potros fácilmente salían muy buenos caballos, una vez domados y adiestrados."

Todo está, pues —partiendo siempre del supuesto de que seas un chico avieso—, en que te propongas cambiar de carácter y dejarte domeñar, lo cual será muy fácil como tú realmente quieras.

> Del querer a la fuerza todo cede,
> y el que quiere poder es el que puede.

O bien, como dijo el célebre orador francés Mirabeau: "Nada es imposible para el hombre que quiere poder."

Convenimos, pues, en que quieres ser —y tus padres, tus amigos y el mundo quieren que seas— un hombre instruído y bien educado.

Para lo primero necesitas estudio y aplicación; para lo segundo, atención y buenos hábitos.

Si buscas en el Diccionario, verás que la palabra "atención" significa, entre otras cosas, "obsequio, urbanidad, consideración, respeto"; y por esta razón, de un joven bien educado se dice que es muy *atento*.

Y que el hábito es también un factor principal de la educación, nos lo dijo bien claramente hace más de tres siglos el filósofo inglés Francis Bacon, de esta suerte:

"Muchos ejemplos pudieran ponerse de la fuerza que tiene el hábito sobre la mente y sobre el cuerpo; por lo tanto, puesto que el hábito es el principal regulador de la vida del hombre, procuren los hombres por todos los medios adquirir buenos hábitos. Ciertamente el hábito es más perfecto cuando arraiga en la niñez: a eso llamamos *educación*, que en realidad no es más que un hábito adquirido desde temprano."

Hazte el firme propósito, joven lector, desde ahora, de adquirir buenos hábitos. Empieza desde este instante a pensar cosas buenas.

Se ha dicho: "Dime lo que piensas y te diré lo que eres."

Y no olvides que así como de las semillas salen las flores y los frutos, así de los pensamientos salen las palabras y las obras. Por lo tanto, lo que tú pienses desde ahora ha de contribuir poderosamente a determinar lo que serás con el tiempo.

La influencia que tiene la mente en la formación del carácter la describe un escritor norteamericano, James Allen, con este símil:

"La mente del hombre viene a ser como un jardín, el cual puede cultivarse con esmero o dejar que se llene de maleza; pero tanto si se le atiende como si se le abandona, siempre en él habrá de crecer algo. Si no se le siembra con semillas escogidas, nacerán hierbas en abundancia, y seguirá produciendo el mismo herbaje. Y así como el jardinero cultiva un pensil y arranca las malas hierbas y siembra las flores y los árboles frutales que más le convienen, así un hombre puede cultivar el jardín de su mente evitando todos los pensamientos malos, impuros y nocivos y cuidando y perfeccionando las flores y los frutos que nacen de pensamientos buenos, puros y provechosos. Siguiendo este procedimiento, tarde o temprano descubre el hombre que es maestro jardinero de su alma y director de su vida. Revela, además, en su interior, las leyes del pensamiento y comprende con exactitud siempre creciente cómo laboran las fuerzas y los elementos mentales en la formación de su carácter y en la determinación de sus circunstancias y de su destino."

Saavedra Fajardo

En todas las edades y en todos los países se han comprendido y estimado las ventajas de la educación.

"Los reyes de Persia —dice Saavedra Fajardo— daban a sus hijos maestros que en los primeros siete años de su edad se ocupasen en organizar bien sus cuerpecillos, y en los otros siete en fortalecerlos con los ejercicios de la jineta y la esgrima; y después les ponían al lado cuatro insignes varones. El uno muy sabio que les enseñase las artes. El segundo muy moderado y prudente que corrigiese sus afectos y apetitos. El tercero muy justo que les instituyese en la administración de la justicia. Y el cuarto muy valeroso y práctico en las artes de la guerra, que

les industriase en ellas y les quitase las aprensiones del
miedo con los estímulos de la gloria."

Algunos siglos antes de la Era Cristiana, un legislador
de cierta parte de Grecia, llamado Carondas, exigió que
los hijos de los ciudadanos estudiasen literatura como medio de educación, por cuanto ese estudio contribuía a dul-
cificar el carácter de los hombres, inspirándoles suavidad
en sus maneras e inclinándoles hacia la virtud, en lo cual
consistía la felicidad del Estado. Con ese fin asalarió a
muchos maestros para que enseñasen gratuitamente a los
muchachos, pues él consideraba la falta de educación como
el mayor de los males, de donde se originaban todos los
vicios.

El gran Filipo, que comprendía cuán importante es
para un príncipe recibir una esmerada educación, buscó
para preceptor de su hijo Alejandro al filósofo más sabio
que había entonces en Grecia. Aristóteles aceptó el cargo,
considerándolo como el más señalado honor que podía
conferirle el monarca. Fué recibido en la corte con mucho
agasajo, y Alejandro fué tan bien educado y demostró
tanto agradecimiento a su maestro, que se le oía decir a
menudo que veneraba a Aristóteles tanto como a su padre, pues si a éste le debía la vida, al otro le debía lo que
hacía la vida agradable y provechosa.

Hacia fines del siglo XIX, cuando el imperio del Japón
evolucionó con la adaptación de métodos educativos y morales europeos, el gobierno se propuso remediar ciertos
males sociales que prevalecían en aquel pueblo. Por ejemplo: la gran mayoría de los ciudadanos descuidaban las
reglas de higiene pública; era bastante supersticiosa y
se inclinaba a despreciar el trabajo manual y a esperarlo
todo de la suerte y de los juegos de azar.

"Hemos dictado oportunas medidas (dice un documento oficial presentado por los delegados japoneses en un Congreso internacional de Educación Moral, celebrado en Londres en 1908) para corregir estos errores y fomentar el saludable desarrollo de la moralidad en la nación... La riqueza y fuerza de un país no dependen principalmente de su Ejército y su Marina, ni tampoco de la extensión de su territorio o el número de sus habitantes. El que cada ciudadano cumpla individualmente con su deber contribuye mucho a la grandeza y prosperidad de la nación."

Abundando en estas ideas, el Gobierno del Japón hizo fijar en todas las escuelas, con grandes caracteres, un rescripto imperial que, entre otras cosas, decía:

"Súbditos nuestros:

Amad con cariño filial a vuestros padres; sed afectuosos con vuestros hermanos; como esposos, vivid en paz y armonía; como amigos, sed leales; sed benévolos con el prójimo; en vuestra conducta, sed sobrios y moderados; aplicaos al estudio y cultivad las artes, y así desarrollaréis vuestras facultades intelectuales y adquiriréis fuerza moral; además, velad por el bien público y fomentad el procomún; respetad siempre la Constitución y acatad las leyes."

No puede darse un programa más conciso y más completo de lo que constituye la educación de un pueblo. Y un pueblo sin educación, es decir, sin una educación moral, sensata, práctica, es imposible que avance en la ruta del Progreso.

Lee con atención este vibrante párrafo del discurso inaugural que en la apertura de curso de la Universidad de Madrid, de 1912-1913, pronunció el distinguido catedrático de la Facultad de Farmacia, don Marcelo Rivas Mateos:

"Los jóvenes pusilánimes y cobardes, tan luego salen de la familia van derechos al montón de los fracasados; no resisten ni un leve soplo de la lucha social; los que fían en el esfuerzo ajeno más que en el propio, hacen pública declaración de inutilidad, y de manera inconsciente se predisponen para la derrota; éstos, con los anteriores, forman al final la dilatada e informe legión de parásitos. Pero hay otros, víctimas de su educación, que inspiran verdadera lástima; me refiero a esos jóvenes voluntariosos y fuertes que se lanzan a la lucha sin orientaciones y, como vulgarmente se dice, "a lo primero que sale"; que cambian de rumbo a la primera dificultad y que, con la viveza del ratón, atacan todas las actividades de la inteligencia; éstos, que constituyen positiva riqueza errática, llegan al final rendidos, agotados y escépticos, a sumarse con aquellos que la caridad, el recuerdo o la política albergan en ese paño de lágrimas, que los oficinistas denominan *el refugio del presupuesto.*"

He aquí señalados los peligros y los fracasos que esperan en el mundo a los jóvenes que han recibido una educación defectuosa.

¿Quieres evitarlos? Pues procura desde ahora tomar el rumbo que ha de llevarte al éxito.

¿Cuál es el camino? Sigue adelante en tu lectura y lo hallarás indicado en otros capítulos de este libro.

Con la buena educación es el hombre una criatura mansa y divina; pero sin ella es el más feroz de los animales. La educación y la enseñanza mejoran a los buenos y hacen buenos a los malos. — PLATÓN.

De los primeros esbozos y delineamientos pende la perfección de la pintura; así la buena educación, de las impresiones en aquella tierna edad, antes que, robusta, cobren fuerza los afectos y no se puedan vencer. — SAAVEDRA FAJARDO.

La educación corrige las cualidades que nos dió Naturaleza, y la cultura fortalece el ánimo: cuando faltan los principios morales, los vicios degradan nuestras naturales prendas. HORACIO.

No aprenderemos jamás a entender y a respetar nuestra verdadera inclinación y nuestro destino si no nos acostumbramos a considerar de segundo orden todo aquello que no atañe a la educación del corazón. — WALTER SCOTT.

Fué cruel y bárbara la costumbre de los brahmanes que después de dos meses de nacidos los niños, si les parecían por las señales de mala índole, o los mataban, o los echaban en las selvas. Poco confiaban de la educación y de la razón y libre albedrío, que son los que corrigen los defectos naturales. — SAAVEDRA FAJARDO.

La verdadera bondad con la leche se toma, y, como dicen, al enhornar se hacen los panes tuertos. — LUIS VIVES.

¡Oh hombres! ¡Adónde os precipitáis afanados por acumular riquezas, al mismo tiempo que descuidáis la educación de vuestros hijos, a quienes debéis dejárselas! — CRATES.

Educar es adiestrar al hombre para hacer buen uso de su vida, para vivir bien; lo cual quiere decir que es adiestrarle para su propia felicidad. — ANTONIO MAURA.

La cultura es la buena educación del entendimiento. — JACIN-TO BENAVENTE.

Quizá la obra educativa que más urge en el mundo sea la de convencer a los pueblos de que sus mayores enemigos son los hombres que les prometen imposibles. — RAMIRO DE MAEZTU.

# CAPÍTULO V

# LOS LIBROS

Los buenos libros son los mejores amigos. — Qué libros conviene leer y cómo hay que leerlos. — Autores "soles" y autores "planetas". — Los dos valores de los libros antiguos. — Aluvión de libros modernos. — Reglas para leer con provecho. — Libros que se deben proscribir. — El cuidado de los libros.

¿No te sería grato vivir rodeado de unos cuantos amigos leales, prudentes y discretos, que nunca te molestasen con sus impertinencias; que no se enredasen contigo en riñas ni disputas; que te acompañasen en las horas de estudio y te ayudasen a aprender tus lecciones; que no te hablasen más que cuando tú quisieres y que estuviesen siempre prontos y dispuestos a servirte con el mayor desinterés, unos explicándote lo que tú saber quisieres, otros aclarando las dudas que te asaltaren, algunos regalándote con el caudal de sus conocimientos y varios proporcionándote solaz y entretenimiento con interesantes narraciones o con amenas consejas?

Pues fácil te será rodearte de tales buenos amigos, que así pueden llamarse unos cuantos libros selectos.

Porque eso sí, debes poner tanto cuidado en la selección de los libros con que vayas formando tu pequeña biblioteca, como en la de los compañeros que frecuentes como amigos.

Tanto como la educación que recibas en tus tiernos

años, influirán en la formación de tu carácter, en la evolución de tu mentalidad y en tu género de vida, así los compañeros como los libros de que te rodees. Unos y otros son correlativos: por la clase de amigos que uno tiene pueden inferirse las lecturas que son más de su agrado; así como los libros que uno escoge suelen ser indicio seguro de la clase a que pertenecen los compañeros de su predilección. No lo olvides: a tales libros, tales compañeros; a tales compañeros, tales libros.

> Haz que en su propio terreno
> resulten para contigo
> cada amigo, un libro bueno,
> y cada libro, un amigo.

Doy por supuesto que has pasado de la edad en que pudieran interesarte el *Juanito*, las agudezas de *Bertoldo*, los cuentos de Grimm, de Andersen y de Perrault, *Corazón o el diario de un niño*, los *Viajes de Gulliver*, las *Mil y una noches*, las *Aventuras de Robinson Crusoe* y otros libros que, vertidos a varios idiomas, han deleitado a niños de diversos países.

Tal vez a la hora presente halles delectación en la lectura de las amenas cuanto instructivas fantasías de Julio Verne, o de las aventuras del capitán Mayne Reid, o de las investigaciones policíacas de *Sherlock Holmes*, que tales son los libros que suelen ofrecer pasto recreativo a la imaginación de lectores adolescentes.

Pero debes ya prepararte a buscar en obras más serias y más profundas el caudal de conocimientos que ha de servirte como de bagaje intelectual en tus andanzas por el mundo.

¿Cuáles son esas obras? Difícil es precisarlas. Depen-

...los cuentos de Grimm, de Andersen y de Perrault...

de de la selección de la carrera u ocupación a que pienses
dedicarte; depende de tus gustos y aficiones, de tu temperamento, de la educación que has recibido, de tus recursos; en suma, de varias circunstancias.

Si tus medios no te permiten adquirir los libros que
desees para formarte una biblioteca, claro está que la
extensión y variedad de tu lectura dependerán de las
mayores o menores facilidades bibliotecarias que te ofrez-
can la escuela, el municipio o los amigos del sitio en que
residas.

Pero suponiendo que te halles en una ciudad dotada
de una bien provista biblioteca, ante tu inexperiencia se
presentarán estos dos problemas: ¿Qué libros me serán
más provechosos leer? ¿Cuál es el mejor modo de leerlos?

Ante todo, debes indagar cuáles son las mejores obras
que tratan de la profesión, arte u oficio a que te dedicas
o piensas dedicarte, y ésas son las que debes estudiar y
consultar con preferencia a las demás. No olvides que
el que llega al primer puesto en cualquier profesión es
el que la domina con mayor suma de conocimientos.

Después de esas obras, o alternando con ellas, te conviene leer otras que puedan enriquecer tu inteligencia y
contribuir a la formación de tu carácter. ¿Cuáles son
ésas?

Por demás extensa sería la lista que podría formarse
de los buenos libros que ha producido el ingenio humano.
Ya sea que tus aficiones y tus estudios te inclinen a la
filosofía o a la historia, a la teología o a la sociología, a
la poesía o a la novela, inquiere y busca siempre las obras
de los autores más eminentes, las que hayan alcanzado más
renombre, las que hayan resistido la destructora y decisiva prueba del tiempo.

"Obras de todo tiempo" llama a éstas John Ruskin, para diferenciarlas de las que sólo son "obras de un día".

¡Homero, Plutarco, Platón, Virgilio, Dante, Shakespeare, Cervantes! Todos estos genios han dejado obras imperecederas, a modo de faros inextinguibles que sirven de guía a la humanidad. Así como en las carreras de antorchas que se celebraban en la antigua Grecia los corredores las pasaban de mano en mano, cuidando de que no se apagasen, esos grandes genios han mantenido siempre viva la llama del entendimiento a través de las edades.

Refiriéndose a los genios que nos han legado obras inmortales, dice David Pride que "son c o m o montañas que se elevan en medio de una extensa llanura,

Todos estos genios han dejado obras imperecederas

y que recogen y presentan al mundo los imponentes destellos y resplandores del cielo. Son como bien dispuestos vergeles que contienen en atractivo conjunto los productos escogidos de toda una región. Son como verdaderas estrellas fijas en el abismo del tiempo, soles esplendorosos que irradian luz y calor, mientras que los otros autores son meros planetas que brillan con los reflejos de la luz que aquéllos les prestan. Son reyes por derecho divino; representantes escogidos de la raza humana, dotados por Dios de especial sabiduría y de autoridad incuestionable para mover los corazones de las masas."

Una pequeña biblioteca formada únicamente por las obras de unos cuantos genios como los citados no podría llamarse pobre; sería realmente más rica que una colección de mil volúmenes en la que faltasen dichas obras. Puede decirse que ellas han sido fuentes de inspiración para la gran mayoría de los autores, hasta el punto de que, según expresión de Emerson, "el mundo ganaría con que se perdiesen todos los libros de mérito secundario, pues el estudio se concentraría en las obras de esos genios asombrosos."

El mismo Emerson sugiere tres reglas prácticas respecto de los libros que uno debe leer, y son las siguientes: 1.ª No leas ningún libro que no tenga más de un año de publicación. 2.ª Nunca leas otros libros que los que han alcanzado fama. 3.ª Nunca leas nada que no sea de tu gusto.

En cuanto a la primera de estas reglas, algo corto parece el plazo de un año. Hay quien lo fija en cinco, pues algunas obras obtienen un éxito inmediato de librería, pero tienen escasa vida, porque su fama pronto se desvanece.

En cambio hay otros que, como el vino, adquieren mayor consistencia y prestigio con el tiempo. Por esto, según refiere Melchor Santa Cruz, decía el rey don Alfonso de Aragón que cinco cosas viejas le agradaban mucho: "leña seca para quemar, caballo viejo para cabalgar, vino añejo para beber, amigos ancianos para conversar y libros antiguos para leer."

No quiere esto decir que entre los libros modernos no los haya muy estimables. Por el contrario, a los libros modernos debes acudir para seguir los pasos de la humanidad por el camino del progreso. Los últimos sucesos de la Historia, los últimos cambios de la Geografía, los últimos adelantos de las Ciencias, sólo en libros modernos puedes hallarlos.

Emerson

¿Cómo se explica, pues, que sean tan buscados los libros antiguos y se paguen por algunos de ellos precios exorbitantes? Cincuenta mil dólares, que equivalen a 250,000 pesetas oro, pagó recientemente míster Archer M. Huntington por un solo libro, en dos tomos, vendidos en almoneda en la ciudad de Nueva York. Era esa obra una Biblia en latín en pergamino: el primer libro impreso por el mismísimo Gutenberg, inventor de la imprenta a mediados del siglo XV.

Es, pues, esa obra una reliquia histórica de mucha estima, como lo sería también el cincel de Praxíteles o la paleta de Velázquez. Los libros antiguos tienen realmente dos valores: uno el científico o literario de su texto, y otro el que le da el tiempo a los ojos de los bibliómanos coleccionistas. Estos no se fijan tanto en el mérito del autor como en la rareza y antigüedad del libro. Por esto se pagan a muy alto precio obras de autores mediocres, si son muy viejas y raras o incunables. Y lo curioso es que muchos de esos libros tan caros no se compran para leerlos, sino para conservarlos en colecciones, vitrinas o escaparates, como si fuesen obras de arte o vestigios arqueológicos.

Gutenberg

En los primeros siglos de la imprenta sólo se estampaban obras de mérito, escritas por gente docta para doctos lectores; y por esta razón los libros antiguos suelen tener los dos valores de que he hablado. Pero de algún tiempo a esta parte se ha apoderado de la gente tal comezón de escribir y se ha abaratado y vulgarizado tanto el arte tipográfico, que hoy las prensas inundan el mundo con el aluvión de libros que vomitan.

Entre tantos de que están abarrotadas las librerías y los puestos de las ferias, ¡cuántos merecen ir a la hoguera, como los que el licenciado Pero Pérez y maese Nicolás consignaron a las llamas al hacer el escrutinio de la biblioteca de don Quijote!

Dificilísima es la selección a primera vista de los que deban leerse y merezcan conservarse. "Algunos libros —dice Bacon— son para catados, otros para engullidos, y unos pocos para masticados y digeridos; quiero decir que algunos libros hay que leerlos tan sólo a trozos; otros deben leerse someramente, y hay unos cuantos que conviene leer de cabo a rabo con estudio y detenimiento... La historia hace a los hombres instruídos; la poesía los hace ingeniosos; las matemáticas, perspicaces; las ciencias físicas, profundos; las morales, graves; la lógica y la dialéctica, aptos para el debate: *ábeunt studia in mores* (los estudios llegan a convertirse en hábitos)."

Por esta razón conviene que adquieras el hábito de leer y estudiar con provecho, no muchos libros, sino pocos y buenos. El filósofo inglés Hobbes dijo una vez: "Si yo hubiese leído tantos libros como algunos hombres, sería tan ignorante como ellos."

Para que un libro te sea provechoso conviene que su lectura te interese; que te haga pensar y que te mueva a ser mejor de lo que eres. "Estos son los tres requisitos —dice Pride— que todo buen libro debe tener."

Y también recomienda el mismo autor las siguientes reglas como método de lectura: 1.ª Antes de empezar la de un libro, procura saber algo tocante a la personalidad del autor. — 2.ª No dejes de leer detenidamente el prólogo. — 3.ª Entérate del índice para tener una idea de las materias que contiene la obra. — 4.ª Concentra tu atención en lo que leas, fijándote bien en las ideas que expone el autor y procurando desentrañar el sentido de aquella que al principio no entiendas. — 5.ª Toma nota en un librito, o al margen, de los conceptos o párrafos que más te llamen la atención. — 6.ª Escribe a tu modo un sumario de lo más importante que contiene el libro. — 7.ª Aplica el resultado de tu lectura a mejorar tu vida o a ser más exacto en el cumplimiento de tus deberes.

Una vez hayas leído unos cuantos libros con verdadera fruición, comprenderás con cuánta razón exclama Critilo en el *Criticón*, de Gracián:

"Gusten unos de jardines; hagan otros banquetes; sigan éstos la caza; cébense aquéllos en el juego; rocen galas; traten de amores; atesoren riquezas con todo género de gustos y de pasatiempos, que para mí no hay gusto como el leer, ni centro como una selecta biblioteca. ¿Qué jardín del abril? ¿Qué Aranjuez del mayo como una librería selecta? ¿Qué convite más delicioso para el gusto de un discreto como un culto Museo donde se recrea el entendimiento, se enriquece la memoria, se alimenta la voluntad, se dilata el corazón y el espíritu se satisface? No hay lisonja, no hay fullería para un ingenio como un libro nuevo cada día."

Una vez hayas leído varias obras buenas con el método indicado se habrá educado tu gusto y formado tu criterio para escoger con acierto los libros con que quieras reunir una biblioteca.

De ella debes excluir con rigor una clase de libros de que voy a hablarte. Así como te opondrías a que entrase en tu hogar y se presentase ante tu familia algún desvergonzado compañero, de lenguaje procaz, de impúdicos modales y de traje indecoroso, así debes guardarte de admitir en tu librería, ni de introducir en tu casa ningún libro que tengas que leer a hurtadillas y que no puedas mostrar a tu madre y a tus hermanas. Menos peligroso fuera dar hospitalidad a un ladrón o dejar penetrar una víbora en tu alcoba. Estos sólo podrían causarte daño material de fácil remedio, mientras que un libro malo va destilando un tósigo que se infiltra en el alma y emponzoña y corrompe el entendimiento.

Hay algunos autores que pretenden servir a la moral y despertar el amor a la virtud presentando descarnado el vicio con escenas de un realismo repugnante y asqueroso.

A éstos podría aplicarse lo que decía el pastor al lobo en la fábula de Iriarte:

> ¡Maldígate el cielo, maldígate, amén!
> Después que estás harto de hacer tanto mal,
> ¿qué importa que puedas hacer algún bien?
> *Al diablo los doy*
> *tantos libros lobos como corren hoy.*

También conviene que guardes en la memoria el noble y viril concepto que encierran estos versos de Adelardo López de Ayala:

> No quiera Dios que en rimas insolentes
> de mi pensar al mundo le dé indicios,
> imitando esos genios impudentes
> que alzan la voz para cantar sus vicios.
> No hay causa ni razón que me convenza
> de que es genio la falta de vergüenza.

Por serios, graves y profundos que sean tus estudios o tareas, no desdeñes la lectura, de vez en cuando, de los buenos poetas. Son espíritus videntes que a menudo revelan muchas cosas que se ocultan a las inteligencias comunes. La lectura de una buena poesía es un entretenimiento agradable a la par que instructivo, porque "la ciencia de la poesía —dice Cervantes en el *Licenciado Vidriera*— encierra en sí todas las ciencias, porque de todas se sirve, de todas se adorna y pule, y saca a la luz sus maravillosas obras con que llena el mundo de provecho, de deleite y de maravilla."

Por esto Darwin en sus últimos años se lamentaba

de que el intenso estudio de la ciencia le hubiese privado del gusto de recrearse con la poesía y el drama.

El mismo alto concepto de la poesía, mucho antes que Cervantes, tuvo el marqués de Santillana cuando dijo: "¿E qué cosa es la poesía que, en nuestro vulgar *gaya sciencia* llamamos, si non un fingimiento de cosas útiles, cubiertas o veladas con muy fermosa cobertura, compuestas, distinguidas e escondidas por cierto cuento, peso e medida?... Nunca esta sciencia de poesía e gaya sciencia se fallaron si non en los ánimos gentiles e elevados espíritus."

Pero no en todos los libros de versos se encuentra la poesía; por lo tanto, al escoger esta clase de obras pon cuidado en no confundir el versista con el verdadero poeta. Lo que te diga el primero sólo halagará tu oído: lo que el poeta te diga te hará sentir muy hondo y pensar muy alto; porque los poetas, según la frase de un bardo inglés, "aprenden sufriendo lo que enseñan cantando".

Pero hay algunos versistas que invocan a las Musas y pretenden recibir de ellas su inspiración, y, si los apuras, no saben ni sus nombres. (Véase APÉNDICE: "Las nueve Musas".)

Cuando adquieras una obra, hazte la idea de que el autor en persona entra en tu casa para vivir contigo y contarte todo lo que sabe. Por consiguiente, si tienes como huéspedes a Plutarco y Platón, a Homero y Virgilio, a Shakespeare y Cervantes, ¿vas a invitar también, para que alternen con ellos, a escritores y versistas ramplones?

No: rodéate únicamente de hombres superiores. Escoge las obras de aquellos genios y pensadores que puedan enriquecer tu entendimiento y elevar tu espíritu. Te repito que en la calidad y no en el número consiste el valor de una colección.

No maltrates los libros, cúidalos con cariño, míralos como cosa veneranda. Bulwer-Lytton ha dicho que los libros son "los sepulcros de los pensamientos". Los egipcios, que fundaron las primeras bibliotecas, las llamaban "remedios para los males del alma".

Si alguien te hace el favor de prestarte un libro, devuélvelo en cuanto lo hayas leído y en el mismo estado en que lo recibiste. Y antes de prestar tú alguno que mucho estimes, ten presente que

> Triste es la suerte del libro prestado:
> a veces perdido, siempre estropeado.

Así decía el *ex libris* que puso un coleccionista en todas sus obras, y un genial filólogo y cervantófilo tenía en su biblioteca un cartel que decía: "No se prestan libros. Quien presta libros pierde libros."

La siguiente décima, que se halló manuscrita en la guarda de un libro viejo, si bien de forma ramplona, ratifica los buenos consejos que antes te he dado:

> "Toma, lee, estudia, aprende
> y a Juan Caravallo y Vera
> vuelve el libro, pues dél era:
> su librería lo pretende.
> Y que no aprovecha, entiende,
> mucho y muy mucho leer,
> sino leer y entender,
> de bondad y virtud lleno,
> lo que es conveniente y bueno,
> y bueno te pueda hacer."

No hay libro tan malo del que no pueda aprenderse algo bueno. — PLINIO.

No hay libro tan malo que no tenga algo bueno. — CERVANTES.

Viven los sabios varones ya pasados, y nos hablan cada día en sus eternos escritos iluminando perennemente los venideros. — GRACIÁN.

Los hombres grandes y buenos no mueren ni aun en este mundo. Embalsamados en libros, sus espíritus perduran. El libro es una voz viviente. Es una inteligencia que nos habla y que escuchamos. — SAMUEL SMILES.

El Pasado no ha muerto mientras los libros vivan... Las leyes mueren, los libros no mueren nunca. — BULWER LYTTON.

¡Cuánta confianza inspira un libro viejo del cual el Tiempo nos ha hecho ya la crítica! — LOWELL.

Ni por ser los autores más antiguos son mejores, ni por ser más modernos son de menos provecho y estimación. — VICENTE ESPINEL.

La verdadera Universidad de hoy en día es una colección de libros. — CARLYLE.

Dad a un hombre la afición a la lectura y los medios de satisfacerla y haréis a ese hombre feliz, a no ser que pongáis en sus manos una detestable colección de libros. — JOHN HERSCHEL.

Arístipo, discípulo de Sócrates, a uno que se jactaba de ser sabio por haber leído muchos libros, le dijo que porque una persona coma mucho no vive más sano que aquellos que sólo comen lo conveniente y necesario. — ERASMO.

Nunca me he mordido las uñas en el estudio de Aristóteles... No he tenido comercio con más libros sólidos que Plutarco y Séneca, de los que saco y vierto sin cesar, como las Danaides... La historia es mi caza en materia de libros, y también la poesía, de la que gusto con singular afición. — MONTAIGNE.

Los libros son, entre mis consejeros, los que más me agradan, porque ni el temor ni la esperanza les impiden decirme lo que debo hacer. — ALFONSO, REY DE ARAGÓN.

Conocemos más los libros que las cosas, y el ser sabio consiste en saber cosas y no libros. — BALMES.

Es la *Historia* madre de la verdad, émula del tiempo, depósito de las acciones, testigo de lo pasado, ejemplo y aviso de lo presente, advertencia de lo por venir. — CERVANTES.

Considero la Sagrada Escritura como la más sublime filosofía. — ISAAC NEWTON.

Un libro hermoso es una victoria ganada en todos los campos de batalla del pensamiento humano. — BALZAC.

El libro gobierna a los hombres y es el maestro del porvenir. — R. POINCARÉ.

# Capítulo VI

# EL ESTUDIO

Aprendices y estudiantes. — La teoría y la práctica. — Conveniencia del dibujo. — Cómo se domina un oficio. — La atención es indispensable para el estudio. — Cómo se concentra la atención. — Modo de completar el estudio de una materia. — Cada hombre es un libro en que se puede aprender.

Se designa con el nombre de "aprendiz" al que se adiestra en algún arte u oficio, y llamamos "estudiante" al que aprende alguna facultad. Es decir, que los conocimientos que adquiere el primero son prácticos, y los del segundo son, por lo regular, teóricos.

Y, sin embargo, tanto los primeros como un gran número de los segundos serían de más provecho si "aprendices" y "estudiantes" lograsen hermanar la teoría con la práctica.

Cómo este libro puede ser leído lo mismo por estudiantes que por aprendices, unos y otros hallarán pertinentes las reflexiones que siguen.

Doy la preferencia a las que contienen estos párrafos del gran filósofo y pensador Jaime Balmes:

"El perfecto conocimiento de las cosas en el orden científico forma los verdaderos sabios; en el orden práctico, para el arreglo de la conducta de los asuntos de la vida, forma los prudentes; en el manejo de los negocios del Estado, forma los grandes políticos, y en todas las profesiones es cada cual más o menos aventajado a proporción del mayor o menor conocimiento de los objetos que trata o maneja. Pero este conocimiento ha de ser práctico; ha de abrazar también los pormenores de la ejecución, que son pequeñas verdades, por decirlo así, de las cuales no se puede prescindir si se quiere lograr el objeto. Estas pequeñas verdades son muchas en todas las profesiones, bastando, para convencerse de ello, el oír a los que se ocupan aun en los oficios más sencillos. ¿Cuál será, pues, el mejor agricultor? El que mejor conozca las calidades de los terrenos, climas, simientes y plantas; el que sepa cuáles son los mejores métodos e instrumentos de labranza y que mejor acierte en la oportunidad de emplearlos; en una palabra: el que conozca los medios

Jaime Balmes

más a propósito para hacer que la tierra produzca, con poco coste, mucho, pronto y bueno. El mejor agricultor será, pues, el que conozca más verdades relativas a la práctica de su profesión. ¿Cuál es el mejor carpintero? El que mejor conoce la naturaleza y calidades de las maderas, el modo particular de trabajarlas y el arte de disponerlas del modo más adaptado al uso a que se destinan. Es decir, que el mejor carpintero será aquel que sabe más verdades sobre su arte. ¿Cuál será el mejor comerciante? El que mejor conozca los géneros de su tráfico; los puntos de donde es más ventajoso traerlos; los medios más a propósito para conducirlos sin deterioro, con presteza y baratura; los mercados más convenientes para expenderlos con celeridad y ganancia; es decir, aquel que posee más verdades sobre los objetos de comercio, el que conozca más a fondo la realidad de las cosas en que se ocupa."

De modo que, lector mío, ya seas aprendiz, ya estudiante, lo que debes procurar es conocer a fondo el ejercicio o la facultad que aprendes; quiere decir que debes por todos los medios que estén a tu alcance informarte de todas las cosas y detalles que estén más o menos íntimamente relacionados con tu facultad u oficio. Cuanto más extensos y profundos sean los conocimientos que acerca del mismo adquieras, mayor será el dominio que de él tengas y mayor, por lo tanto, tu ventaja sobre tus competidores.

¿Cómo podrás lograrlo? Voy a decírtelo.

Si es un oficio el que aprendes, lo primero que necesitas es adquirir experiencia en el manejo de las herramientas, instrumentos, máquinas o aparatos, y procurar, día tras día, ir perfeccionando tu obra. Esto en cuanto a la práctica. Pero te conviene, además, aprender la teoría y esto puedes conseguirlo dedicando las horas que tengas libres al estudio, primero de buenos manuales, y cuando ya los sepas bien, a obras más extensas sobre el ramo en que te ocupas.

Ten presente que el dibujo es un gran auxiliar en la mayoría de los oficios, y puedes aprender a dibujar sea poniendo un papel transparente sobre cualquier grabado, que calcarás con un lápiz, o bien recorriendo con un lápiz la silueta de un objeto que la luz, sea del día o artificial, proyecta sobre un papel. Repite después esos dibujos copiándolos de los primeros, y así, poco a poco, irás ejercitando la vista y la mano en copiar diseños y hasta objetos del natural. Todos los muchachos que se dedican a un oficio tendrían una gran ventaja si supiesen dibujar.

El siguiente caso histórico ocurrió en los Estados Unidos. En un gran taller de carpintería había dos chicos aprendices. El uno era juguetón y revoltoso; el otro, tan aficionado al estudio, que siempre se le veía, en los ratos de ocio o después del trabajo, con algún libro en la mano o aprendiendo a dibujar. El primero le excitaba de continuo a que tirase el libro o el lápiz y fuese a jugar con él; pero el otro le decía: "Prefiero estudiar. Si no aprovecho estos momentos, nunca sabré lo que puedo aprender ahora."

Este aplicado aprendiz vió un día en un periódico el anuncio de un concurso de planos para una casa del Ayuntamiento que debía erigirse en una población cercana. Se ofrecía un premio de dos mil dólares al autor del mejor plano de edificio de madera que se presentase. Ni corto ni perezoso, el buen aprendiz trazó un plano y lo envió al concurso, pensando que nada perdía en probar fortuna.

Poco tiempo después se presentó en el taller un caballero preguntando si estaba allí un arquitecto llamado Wáshington Wilberforce. "No, señor —dijo el maestro carpintero—; aquí no hay ningún arquitecto, pero sí un aprendiz de ese nombre." Llamaron al muchacho, a quien informó el caballero que se le había adjudicado a su diseño el premio de dos mil dólares. Ese chico llegó a ser con el tiempo uno de los principales arquitectos de los Estados Unidos.

Muchos aprendices se limitan a copiar, bien o mal, lo que ven hacer a los oficiales, y toda su vida hacen lo mismo. Muchos agricultores, no pocos artífices, algunos industriales, siguen hoy los mismos métodos y procedimientos que se empleaban hace cien años, y, si se les echa en cara, replican que "así lo hacían sus abuelos, y si ellos lo hacían, bien está". En los países que progresan, los oficiales y hasta los aprendices son algo más que máquinas o autómatas: *piensan, discurren;* tratan de mejorar los métodos, de perfeccionar las herramientas; inventan nuevos procedimientos para hacer más trabajo y hacerlo mejor en menos tiempo, y así es como medran las industrias y así es como se enriquecen los individuos y los pueblos. En los Estados Unidos, apenas sale un nuevo invento cuando ya hay quien le busca los defectos o inconvenientes y lo perfecciona. De este modo, sacando patentes de invención, se han hecho ricos muchos industriales de aquel país.

Y tú también, aprendiz, puedes lograr honra y provecho si te aplicas a tu oficio; si sales de la rutina; si evitas toda chapucería; si discurres un método mejor del que te han enseñado, para hacer tu labor más perfecta, más rápida y más económica.

Joven estudiante: y tú ¿qué método sigues para el estudio? ¿Te aprendes las lecciones de memoria para repetirlas después en la clase, como un loro, sin entender apenas lo que dices? ¿Estudias de mala gana; por salir del paso; porque tus padres te obligan; pensando más en ir a divertirte con tus compañeros que en aprender la lección que te han señalado...?

Entonces más te valiera no perder el tiempo. Entonces haces que tus padres gasten el dinero inútilmente. Si éste es tu modo de estudiar, nunca llegarás a ser un hombre de provecho. ¿Es que no te gustan o no te entran las asignaturas que cursas? Entonces te has equivocado en tu elección de carrera. No vaciles en cambiar. Busca otra que sea más de tu agrado o que esté más al alcance de tus aptitudes.

¿Quieres saber cómo se estudia? Lo primero que tienes que hacer es escoger las horas en que te sientas más inclinado al estudio, en que puedas estar solo, más tranquilo, más recogido, sin temor a interrupción o distracción alguna. Una vez encerrado en tu cuarto, piensa al coger el libro que en sus páginas se encierra tu porvenir y tienes que ir desentrañándolo poco a poco. De ellas irás libando la substancia que ha de nutrir tu inteligencia para darle robustez, y por lo tanto debes acercarte a tu mesa de estudio con más regocijo que si te sentaras a la mesa de un banquete. Porque éste puede producirte una indigestión, mientras que del saber nunca puede haber empacho.

En seguida fija tu atención en lo que estudias; no dejes vagar la imaginación; aprisiónala para que no vuele a otras regiones. Seguramente has probado alguna vez de encender un cigarrillo haciendo concentrar en él los rayos del sol por medio de una lente biconvexa. Pues haz lo mismo con lo que aprendes: concentra en ello las facultades del alma, memoria, entendimiento y voluntad, por medio de la atención, y verás cómo surge la luz y se ilumina tu inteligencia.

Los artífices de Oriente, para horadar las perlas finas que, engarzadas, han de formar ricos collares, se valen del siguiente procedimiento: En una tabla de madera escogida hacen unos orificios, en los que van encajando las perlas. Luego humedecen con agua la madera y al hincharse las fibras de ésta por la acción de la humedad, se estrechan los orificios, y sus bordes aprietan suavemente y sujetan las perlas de un modo firme, sin dañarlas. Así pueden taladrarlas con toda seguridad, y cuando la madera se seca, se ensanchan los orificios y pueden sacarse las perlas con mucha facilidad.

Una concentración parecida de tus facultades en torno de la materia que estudies te permitirá profundizar en ella como se horada la perla. Igual concentrada atención debes prestar a todos los asuntos en que intervengas en la vida, si quieres que no se malogren, pues como ha dicho Andrew Carnegie, cuyo grandísimo éxito en sus empresas da autoridad a sus palabras, "una de las principales causas de que algunos hombres fracasen en su profesión o en sus negocios es la falta de concentración".

Para dominar bien una materia, precisa conocerla desde sus principios y seguirla en todo su desenvolvimiento. Sea cual fuere la asignatura que estudies —Historia, Ciencias naturales, Matemáticas—, empieza por adquirir nociones elementales de la misma en algún buen manual o compendio. De este modo la verás, como a vista de pájaro, de un modo comprensivo, a manera de panorama descubierto desde una altura; tendrás una idea del conjunto sin discernir los detalles.

Después, como quien baja de la cumbre al valle y recorre las poblaciones, las granjas y las huertas de la vega, estudiarás con detenimiento el tratado más completo de la asignatura y comprenderás mejor sus diferentes partes, porque ya conocerás la relación que tienen unas con otras.

Pero no te contentes con esto. Aun puedes ir más lejos. En ese viaje de estudio y de exploración es fácil, casi seguro, que hayas dejado de ver algunos puntos interesantes, algunos detalles de importancia. Y es que no debes limitarte a saber lo que te diga un solo autor, aunque sea un libro de texto. Ve a las bibliotecas; busca otros que traten del mismo asunto; léelos, estúdialos, compara lo que dicen y saca tus deducciones.

El que quiera apartarse de la multitud, salir del mon-

Seguramente has probado alguna vez de encender un cigarrillo...

tón, como vulgarmente se dice, o del camino trillado, para distinguirse en alguna profesión o carrera, "no admita idea sin analizar —aconseja Balmes—, ni proposición sin discutir, ni raciocinio sin examinar, ni regla sin comprobar: fórmese una ciencia propia, que le pertenezca como su sangre, que no sea una simple recitación de lo que ha leído, sino el fruto de lo que ha observado y pensado".

Esto es lo que hay que hacer para estudiar y conocer a fondo una materia, y los que así lo hacen son los que más se distinguen y llegan a los puestos más elevados.

Cuéntase de José Canalejas, el gran tribuno, elocuente orador y eximio estadista —que murió villana y cobardemente asesinado por un miserable anarquista, y cuya muerte fué un verdadero luto nacional— que, siendo estudiante, era tan grande su aplicación y sus aficiones investigadoras, que un día, en la clase de derecho civil, le preguntó el catedrático don Augusto Comas acerca de un punto muy complicado y árido de la ley del Registro civil, y el joven Canalejas contestó con tal acierto, con tal acopio de datos, con tal conocimiento y tan atinado juicio, que el profesor le dijo: "Basta, señor Canalejas; ya ha dicho usted bastante para demostrar que conoce la ley lo mismo que el que la hizo". No se puede tributar mayor ni más honroso elogio a un estudiante.

¿Crees tú que los genios que ha habido en el mundo, esos hombres que han dejado a la posteridad un nombre imperecedero, lo han logrado sin mucho estudio? No; sólo se alcanza la fama a fuerza de estudio, de trabajo y de perseverancia.

Para llegar a la sabiduría no hay más que un camino: el estudio. "Si quieres conocer a fondo una materia —dicen los ingleses de un modo paradójico—, escribe un libro acerca de ella." Lo cual equivale a decir que es necesario estudiarla, porque para escribir un solo libro hay que revolver toda una biblioteca.

No estriba, sin embargo, el estudio únicamente en leer y aprender lo que dicen los libros. De la atenta observación de la Naturaleza podrás sacar un caudal inagotable de conocimientos. Es el Universo un libro de infinitas e interesantes páginas. "La verdadera ciencia y el verdadero estudio del hombre es el hombre" —dijo Charron. "Más vale estudiar los hombres que los libros" —han dicho Baltasar Gracián y el duque de la Rochefoucauld. "El verdadero estudio de la humanidad es el hombre" —repitió, en verso, Alejandro Pope. Y cien diversos autores han confirmado este concepto en varias lenguas.

Estudia, pues, observando detenidamente hombres y cosas. "Sobre los favores de la Naturaleza —dice Gracián— asienta bien la cultura, digo la estudiosidad y el continuo trato con los sabios, la experiencia fiel, la observación juiciosa, el manejo de materias sublimes, la variedad de empleos: todas estas cosas vienen a sacar a un hombre consumado, varón hecho y perfecto."

—————

¡Dichoso el que puede conocer el porqué de las cosas! — VIRGILIO.

La noticia de varios avisos obra como la destilación de muchas hierbas, porque tomando de cada una su parte se saca una quintaesencia, insensiblemente, para efectos admirables: como las abejas, que de varias flores sacan aquel licor suave. — ANTONIO PÉREZ.

Añade el hombre conocimientos a conocimientos: nunca el saber es bastante. Si tanto es uno más hombre cuanto más sabe, el más noble empleo será el aprender. — BALTASAR GRACIÁN.

Aprender no es otra cosa que acordarse. — SÓCRATES.

Saber una cosa de coro, no es saber: es conservar lo que se ha dado a guardar a la memoria.∴ El provecho del estudio está en que nos haga más buenos y más discretos. — MONTAIGNE.

Todos los hombres, durante el curso de tantos siglos, pueden considerarse como un solo hombre que subsiste siempre y que siempre está aprendiendo. — PASCAL.

La llave que se usa constantemente, reluce como plata: no usándola se llena de herrumbre. Lo mismo pasa con el entendimiento. — FRANKLIN.

Las ciencias y las letras son el alimento de la juventud y el recreo de la vejez. — CICERÓN.

La sabiduría es un adorno en la prosperidad y un refugio en la adversidad. — ARISTÓTELES.

> Deprende, si puedes, arte,
> que si te falta fortuna,
> no queda cosa ninguna
> que pueda más ayudarte;
> porque, según la ventura,
> lo que da fortuna dura,
> que no siempre lo concede;
> lo que del arte procede
> es herencia muy segura.
>
> CATÓN (por Francisco de Guzmán)

> Y así tenga sabido
> que lo importante y raro
> no es entender de todo,
> sino ser diestro en algo.
>
> IRIARTE

# Capítulo VII

## ELECCIÓN DE CARRERA

Trascendencia de la elección. — Funciones de los árboles y de los hombres. — Necesidad de un sincero examen de inclinaciones y aptitudes. — Éxito de los que han seguido su vocación. — Los que no la siguen son piezas dislocadas. — Condiciones que requieren ciertas carreras. — Para brillar es preciso trabajar con fe y con perseverancia.

Joven, fíjate bien en lo que voy a decirte: tú has venido a este mundo para hacer algo.

Todo en la creación tiene su objeto; y a cada criatura, a cada cosa, le está asignado su servicio.

La tierra da plantas para sustento del hombre y de los animales; da minerales que se transforman en utensilios y herramientas para el trabajo; el mar envía a las nubes su vapor acuoso, que se condensa en fecundante lluvia; los árboles purifican la atmósfera con el oxígeno que exhalan durante el día; entre los mismos árboles, cada uno desempeña un oficio: los hay de madera dura, que sirve para construcciones; los hay de corteza blanda, que utiliza la industria corchera; las ramas de algunos se aprovechan para hacer leña, carbón y cisco; la pulpa que se obtiene de otros se elabora y convierte en papel.

Muchos de ellos son frutales, y observa cómo cada uno produce la fruta especial que le ha sido designada por la Naturaleza. La higuera da higos; el naranjo, naranjas; el

peral, peras. Ninguno usurpa las funciones y privilegios
de los otros. La encina, con ser un árbol corpulento y
copudo, sólo produce bellotas, sin que pueda jamás producir manzanas, ni albaricoques, que son rico fruto de
árboles pequeños. Fuera tan insensato, pues, pedir nueces
a un manzano, como esperar fruta de un árbol que no da
ninguna, y así lo dice el vulgo con un refrán:

> De insensatez es el colmo
> pedirle peras al olmo.

Ahora bien: mucho se asemejan a los árboles los hombres, pues los hay que parecen predestinados para ser
postes o estacas; otros para dar leña o armar cisco; quienes para ser figurones de talla, y muchos también que producen sabrosos y sazonados frutos, o sean obras buenas y
meritorias, y estos últimos son los que más valen.

Conviene ahora que tú te reconozcas y cerciores de qué
madera estás hecho: si eres de buena fibra como el roble;
si eres hombre *frutal* o simplemente un alcornoque.

De este reconocimiento previo depende tu porvenir,
como voy a demostrarte.

Supongamos que tienes delante una tabla llena de agujeros de distintas formas y tamaños: unos redondos, otros
cuadrados, ovalados unos, triangulares otros. Supongamos
también que en un saco tienes varias clavijas o zoquetes
de madera cortados en formas ya cilíndricas, ya prismá-
ticas, que corresponden con la de aquellos agujeros. Y supongamos, por último, que vas sacando del saco esos zoquetes y colocándolos al azar en los agujeros. ¿Crees tú
que todos encajarán bien? ¿No resultará un zoquete cua-
drado metido en un agujero redondo, y una clavija cilíndrica en un agujero triangular? ¿No habrá zoquetes de-

masiado grandes para encajar en los agujeros pequeños,
y otros que, por el contrario, serán exiguos para llenar el
hueco que les toque en suerte?

Pues con esta gráfica parábola, un ingenioso escritor
inglés, Sydney Smith, ilustra lo que pasa en la vida real
con los hombres que desempeñan ciertos cargos o ejercen
ciertas profesiones. ¡Cuántos hay que no encajan en sus
puestos y ocupan los que otros hombres llenarían perfectamente!

La elección de la carrera, de la profesión, del arte o
del oficio a que uno piensa dedicar su tiempo y sus energías, es sin duda, la decisión de mayor importancia y
trascendencia en la vida del hombre. De ella depende su
porvenir, su bienandanza, su felicidad, su éxito o su fracaso.

Si todavía no has elegido el oficio o la profesión que
has de seguir, piénsalo bien antes de decidirte. Y si ya
la has elegido, piensa también si es la que más te conviene. ¡Cuidado con equivocarte, pues estas equivocaciones se pagan muy caras!

Como quien hace un examen de conciencia, hazlo muy
escrupulosamente de tus talentos, aficiones y aptitudes.
Deja a un lado la presunción de que sirves para una cosa,
si en tu fuero interno asoma siquiera la menor duda de
que no reúnes las condiciones necesarias.

Un maestro lo explicaba de este modo a sus alumnos:

—¿Veis este reloj? —les pregunta, sacando uno del
bolsillo—. ¿Para qué sirve?

—Para marcar las horas —decían los niños.

—Y si se rompiese el muelle y no marcase las horas,
¿para qué serviría?

—Para nada.

—¿Veis este lápiz? ¿Para qué sirve?

—Para dibujar y escribir.

—Y si no tuviese plomo y no dibujase ni escribiese, ¿para qué serviría?

—Para nada.

—Aquí tenéis una cuchilla: ¿para qué sirve?

—Para cortar.

—¿Y si se perdiese la hoja y sólo quedasen las cachas?

—No serviría para nada —dijeron todos en coro.

—Pues bien: el reloj, el lápiz y el cuchillo tienen cada uno su oficio, y si no pueden hacerlo no sirven para nada. Lo mismo exactamente pasa con el hombre.

Hay muchachos que, apenas alborea en su mente la luz de la razón, ya se fijan en una carrera o en una profesión, seducidos a veces por el nombre que suena bien en sus oídos, o por el vistoso uniforme que exige, o por ser de esa carrera algún hombre que es el ídolo del día. Y eligen la carrera de ingeniero, o de las armas, o la medicina, o la abogacía, sin tener la más ligera noción de los estudios que exige, de las obligaciones que impone y de las aptitudes que requiere cada una de esas carreras.

Muchos padres tienen la culpa de que sus hijos vayan por un camino por donde no les llama la naturaleza: unos por querer que sigan su misma profesión, para dejarles el bufete o la clientela; otros porque no se toman la pena de observar y estudiar las aficiones y aptitudes de sus menores para estimularlas y encaminarlos, explicándoles los requerimientos de las diversas profesiones, y otros, quizás los menos, porque se obstinan en que sus hijos se dediquen a una carrera o modo de vida para la que no tienen vocación.

Pero tú y nadie mejor que tú puedes conocer cuál es

la ocupación, el oficio, el arte, la ciencia que más te agrada y más te atrae. Y ésa, únicamente ésa es la que debes adoptar, sin hacer caso de las disuasiones de parientes o de amigos.

Muchos hombres se han malogrado y fracasado en la vida por seguir el consejo de sus familiares, aceptando una colocación o dedicándose a un trabajo que les era antipático y para el que no servían. En cambio, otros que sólo siguieron sus naturales impulsos, a despecho de sus padres, que no supieron comprenderles, llegaron a conquistar la inmortalidad para su nombre.

José Zorrilla

El más lírico y romántico de los poetas castellanos, José Zorrilla, huyó del hogar paterno porque se empeñó su padre en hacerle estudiar leyes, por las que no sentía ninguna afición. El general Espartero, que después fué duque de la Victoria, era hijo de un carretero, el cual quería que el muchacho se dedicase a la iglesia. Pero sintiendo el mancebo el ardor bélico en la sangre, sentó plaza de soldado y llegó hasta el puesto más encumbrado a que puede llegar un hijo del pueblo: fué Regente de la nación.

¿Cómo hubiera podido Haendel llegar a ser el gran músico que fué, y legar su nombre a la posteridad como autor del sublime oratorio *El Mesías* y del himno inglés *God save the King* y de muchas óperas y oratorios, si en lugar de estudiar leyes, como quería su padre, no se hubiese entregado al estudio de su arte favorito, tocando un clavicordio en el desván mientras dormía su familia?

Molière tuvo que ser en sus mocedades aprendiz de tapicero; pero seguramente no hubiera cobrado tanta celebridad forrando los muebles del palacio de Luis XIII, como la que le dieron *Tartufo, El enfermo imaginario* y otras comedias con que enriqueció la literatura francesa.

También Blas Pascal, el gran matemático y geómetra, inventor de la máquina de calcular, contrarió a su padre, que quería dedicarlo a la enseñanza de lenguas muertas, y se encerraba en su cuarto a los trece años para estudiar las ciencias exactas. Lo mismo hacía Galileo para librarse del estudio de la medicina que le había impuesto su padre, y a los dieciocho años, bien versado ya en la ciencia de Euclides y de Arquímedes, al ver oscilar una lámpara en la Catedral de Pisa, inventó el péndulo y más tarde el telescopio.

Uno de los genios más colosales de Italia —estoy por decir del mundo— fué Miguel Ángel Buonarotti, pintor, escultor, arquitecto y poeta, que tan grandiosas obras ha dejado en la basílica de San Pedro, en Roma. Pues ninguna de ellas podría admirar el mundo si él, de muchacho, hubiese obedecido a sus padres, que no querían que fuese artista.

La enseñanza que debes tú sacar de estos ejemplos no es que por contrariar a tus padres llegues a ser un gran hombre o tal vez una notabilidad; sino que debes seguir en la elección de oficio o carrera aquélla para la cual tengas mejores condiciones, pues éste es el único modo de que puedas lucirte en ella y mostrar tu talento si lo tuvieres.

No te arredre el ser de humilde estirpe. Rico o pobre, puedes, por medio del trabajo y la perseverancia, llegar a crearte una reputación en la profesión a que te dediques, si tu elección ha sido acertada.

Juan Eugenio Hartzenbusch era hijo de ebanista, y él mismo trabajaba en su taller de ebanistería mientras escribía los artículos y los versos que le dieron fama. García Gutiérrez era un simple recluta desconocido en la república de las letras, y, no obstante, por la fuerza de su talento, se hizo célebre en una sola noche con la representación de su drama *El Trovador*. El gran tenor Julián Gayarre fué en sus mocedades pastor, hortera, herrero. El pintor catalán Fortuny, autor de la famosa *Vicaría* y la *Elección de modelo*, era hijo de un modesto carpintero de Reus. El gran Murillo nació de padres de

Cervantes

obscura condición y escasos bienes. Fray Luis de Granada, que tan preclaro nombre ha dejado en nuestra literatura, era hijo de una honrada lavandera del convento de dominicos de Granada. Tejedor o cardador de lana fué el padre de Colón, y éste, antes de descubrir el nuevo mundo, anduvo errante con su hijo pidiendo limosna y albergue. Y el inmortal Miguel de Cervantes, que tanta gloria ha dado a España y regocijo al mundo, fué pobre siempre y obscuro y desconocido en sus juveniles años.

Estos ejemplos y otros muchos que pudiera citarte, debieran infundirte valor para no desmayar en tus afanes. Exitos como los que acabo de exponerte, sólo se alcanzan, vuelvo a repetírtelo, mediante una firme resolución y a fuerza de incesantes desvelos.

No siempre encuentra un muchacho quien descubra su talento y disposición y le dé la mano y le encamine, como hizo un buen fraile de Zaragoza con el muchacho campesino Francisco Goya y Lucientes, cuando éste llevaba un saco de trigo al molino, y con un pedazo de carbón se puso a dibujar un cerdo en una tapia. O como hizo el maestro don Hilarión Eslava, cuando oyó la voz de Julián Gayarre que se destacaba por su hermoso timbre de entre las voces del orfeón de Pamplona.

No esperes, pues, a que alguien te descubra y te proteja. Has de valerte tú solo. Si tienes alguna habilidad, algún mérito, algún talento, cultívalo con amor, con ahinco; ése es el camino que te conducirá al éxito. Es preferible que hagas buenos muebles, que levantes una buena pared, que construyas un buen cerrojo, a que pierdas pleitos como abogado o a que mates enfermos como médico. Un par de zapatos bien hechos, un traje de buen corte y bien confeccionado, son más útiles y más dignos de elogio que un discurso *latoso*, una novela insulsa o una mediana comedia.

Por lo tanto, si no tienes disposición para el trabajo en que te ocupas, déjalo y busca otro más acordado a tus aficiones. Benjamín Franklin, que a los seis años se ocupaba en el obrador de su padre en hacer velas de sebo, nunca hubiera sido el hombre eminente que fué si no hubiese dejado ese oficio. Tampoco Elías Howe hubiera inventado la máquina de coser si no hubiese abandonado de niño la tarea de hacer cardas, para estudiar la mecánica a que le llamaba su afición. Para mantener a su familia, el chico Hiram Maxim se metió a aprendiz en un taller de carrocería; pero no le gustaba el oficio, y en cuanto le fué posible tomó otro rumbo y se dedicó a la fabricación de armas y de explosivos, industria que le valió una inmensa fortuna y un timbre de nobleza. A los doce años, Edison vendía periódicos y libros en un tren del ferrocarril de Michigan; pero su afición a la física era tal, que, en el furgón donde guardaba su mercancía, montó un pequeño laboratorio para hacer experimentos con una batería eléctrica. Algunos años más tarde, Edison asombraba al mundo con sus prodigiosos inventos, y hasta casi el fin de sus días, continuó trabajando con asiduidad y constancia en su gran laboratorio de Menlo Park, de donde salieron muchos importantes descubrimientos e invenciones.

Goethe

No te será difícil conocer tus aptitudes, pues éstas suelen manifestarse temprano y con mucha espontaneidad. Mozart, a los cuatro años, tocaba el clavicordio y componía minués. Juan Ericsson, inventor sueco que construyó el buque de guerra *Monitor*, de forma original, para el gobierno de los Estados Unidos, a los nueve años, y con sólo una sierra, una navaja y una barrena, hizo una maquinita de aserrar madera y una bomba que funcionaba perfectamente. Goethe escribía tragedias a los doce años. El filósofo Bacon, a los dieciséis, escribió un ensayo en que impugnaba los defectos de la filosofía de Aristóteles. El gran escultor Canova mostró su precoz talento de artista un día que, siendo niño, modeló con mantequilla una hermosa figura de león para coronar un ramillete al que le faltaba un remate, en la mesa de un banquete que la familia Falieri daba en su palacio de Venecia. Tanto llamó la atención de los comensales esa figura de león por su naturalidad, que quisieron conocer al artista, y cuando vieron que era un niño subió de punto su admiración, y el opulento Falieri le tendió una mano protectora, envián-

Modeló con mantequilla una hermosa figura de león

dole a estudiar con los más reputados escultores de Roma.

¿A dónde te empujan tus aficiones? Esta es la pregunta que tienes que hacerte. ¿Es hacia un oficio, un arte, una ciencia, una industria, una profesión? En cualquiera de esas ocupaciones puedes distinguirte y señalarte.

¿Cuáles son tus aptitudes? ¿Predomina en ti el cálculo? ¿Tienes disposición para las matemáticas? Elige entonces entre la astronomía, la ingeniería, la química, la contabilidad, la agrimensura.

¿Te deleitas en la meditación sobre cosas abstractas y abstrusas? La teología y la filosofía te darán asuntos para tus reflexiones.

¿Te atraen las cosas antiguas? ¿Te inspiran interés los hechos de la humanidad? Pues ahí tienes la historia, la arqueología, la numismática, la paleografía, que te proporcionarán interesante entretenimiento.

Si sientes afición a la Naturaleza y a todas sus manifestaciones, hallarás vasto campo para escoger en la geología, en la cosmografía, en la historia natural, en la geografía, en la física o en la agronomía, que es la base de la agricultura, fuente primordial de la riqueza de las naciones.

¿Tienes curiosidad por saber el precio de las cosas y maña en regatear y comprarlas a bajo precio para venderlas con ganancias? Pues dedícate al comercio o a la banca, que te darán ocasión de sacar lucimiento y provecho de tus habilidades.

Si tu natural inclinación te lleva a discutir con frecuencia con tus amigos, a llevarles la contraria y a tratar de convencerles, la abogacía es la profesión en que más puedes lucirte. Pero te advierto que muchos que la han emprendido sin talento, sin aplicación al estudio, sin memoria y sin dotes oratorias, únicamente como un escabel para subir a altos puestos, desempeñan hoy plazas de cobradores en los tranvías o de escribientes en los Ministerios. Y es que en ésta, como en todas, no es la carrera la que da a un hombre honra y provecho, sino el valimiento de cada uno.

El sacerdocio, la medicina y el magisterio son profesiones que requieren condiciones especialísimas y, sobre todo, una firme vocación y un verdadero altruísmo. Son ministerios consagrados a la práctica de tres obras de misericordia : consolar al afligido, curar al enfermo y enseñar al que no sabe.

Hay algunos muchachos que adoptan la carrera de las armas únicamente como un recurso para tener asegurado el modo de vivir. Tú no debes seguir ese ejemplo. Si no sientes en tu pecho verdadero entusiasmo por las armas, con las cuales, como decía don Quijote, "se defienden las repúblicas, se conservan los reinos, se guardan las ciudades, se aseguran los caminos y se despojan los mares de corsarios"; si ha de dolerte el sacrificio de tu libertad de acción, pues el militar es toda su vida esclavo de la disciplina; si sólo te atrae y deslumbra la visión de rendir no enemigos en la guerra, sino corazones femeninos en la paz, usando el uniforme como señuelo; si sólo confías en ganar grados, no por tus méritos o bravura, sino por el favor o por la acción del tiempo, créeme, así no se sirve a la Patria ni se rinde culto a la bandera.

¿Predomina en ti la imaginación y el sentimiento? ¿Eres de temperamento nervioso y exaltado? Entonces has nacido para cultivar un arte. ¿Cuál? ¿La poesía, la música, la pintura, la arquitectura, la plástica, la dramática? Eso te lo habrán ya indicado desde pequeño tus naturales impulsos y aficiones. Y observa que de muchachos como tú han salido, en diversos países y en distintas épocas, poetas como Homero, Virgilio, Dante y Garcilaso; músicos como Beethoven, Wágner, Palestrina y Vitoria; pintores como Apeles, Rafael, Rembrandt y Velázquez; arquitectos como Ictino, Vitrubio, Palladio y el maestro Mateos; escultores como Fidias, Praxíteles, Miguel Angel y

Berruguete; dramaturgos como Sófocles, Shakespeare, Racine y Calderón. Y ¿quién se atreverá a negar que tú puedas, con tu talento y con estudio, producir obras que te aquisten fama?

No creas, sin embargo, que la gloria o el éxito se consiguen fácilmente. El camino es escabroso y lleno de obstáculos. Apercíbete para sufrir mil contrariedades y sinsabores. No hay atajo sin trabajo. Todas las carreras y todos los oficios tienen sus quiebras. Pero, ¿adónde irá el buey que no are, y en qué parte no hay una legua de mal camino?

Dante

Sólo poniendo todos tus sentidos en tu trabajo y dedicándote en cuerpo y alma a tu profesió.1, si es la que mejor cuadra a tus aptitudes, lograrás ser proficiente y descollar en ella. Balmes ha dicho: "Así en las ciencias como en las artes, lo que conviene es elegir con acierto la profesión; pero una vez escogida, es preciso aplicarte a ella, o principal o exclusivamente."

———

Los asuntos de la elección son muchos y sublimes. Elígense en primer lugar los empleos y los estados, delecto de toda una vida, donde se acierta o se yerra para siempre, que es un echarse a cuestas una irremediable infelicidad. — BALTASAR GRACIÁN.

Un hombre dedicado a una profesión para la cual no ha nacido, es una pieza dislocada: sirve de poco y muchas veces no hace más que sufrir y embarazar. Quizás trabaje con celo, con ardor; pero sus esfuerzos o son impotentes o no corresponden ni con mucho a sus deseos. — BALMES.

Sea cual fuere tu natural inclinación, síguela: no te apartes del camino que te marque tu talento. Sé aquello para lo que te ha destinado la naturaleza y tendrás éxito; si te empeñas en ser otra cosa, serás mil veces peor que nada. — SYDNEY SMITH.

Si una gran parte del tiempo que se pierde miserablemente en la escuela y en casa, ocupándose en estudios inconducentes, se emplease en adquirir los conocimientos preparatorios, acomodados a la carrera que se quiere emprender, los individuos, las familias y la sociedad reportarían mayor fruto de sus tareas y dispendios. — BALMES.

El mundo no te exige que seas abogado, sacerdote, médico, labrador, científico o comerciante. No te impone lo que debes ser: lo que quiere es que cualquier cosa que emprendas la domines. Si eres maestro en tu arte o profesión, el mundo te aplaudirá y se te abrirán todas las puertas. Para los chapuceros, ineptos y fracasados sólo tienen el desprecio. — SWETT MARDEN.

Los que se destinan a la profesión de un arte deben, si es posible, estar preparados con los principios de la ciencia en que aquélla se funda. Los carpinteros, albañiles, maquinistas, saldrían sin duda más hábiles maestros si poseyesen los elementos de geometría y de mecánica; y los barnizadores, tintoreros y de otros oficios no andarían tan a tientas en sus operaciones si no careciesen de las luces de la química. — BALMES.

Vale más ser el Napoleón de los limpiabotas o el Alejandro de los deshollinadores, que un abogado huero de mollera, parecido a la necesidad en que no conoce leyes. — MATHEW ARNOLD.

Innumerables son aquellos que de baja estirpe nacidos han subido a la suma dignidad pontificia e imperatoria, y desta verdad te pudiera traer tantos ejemplos que te cansaran. — CERVANTES

# CAPÍTULO VIII

## AMIGOS Y COMPAÑEROS

Diferencia entre camaradas y amigos. — La amistad, como la entendían y practicaban los antiguos. — En qué consiste la amistad. — Hay que elegir los compañeros como se eligen los libros. — Rasgos que conviene observar en los camaradas. — La adversidad es la piedra de toque.

Es preciso distinguir entre los camaradas y los amigos. Hoy se abusa tanto del nombre de *amigo,* que hasta se da a personas con quienes se ha tenido poco trato.

Tú eres demasiado joven para tener amigos. Los muchachos con quienes te juntas en tu vecindario, en tus paseos, en tus deportes y en tus estudios sólo pueden llamarse compañeros y camaradas. Pero un verdadero amigo es algo más que un compañero.

La amistad es un afecto muy hondo; es un lazo muy estrecho; es un sentimiento desinteresado y recíproco; un cariño tan íntimo, tan firme, tan duradero, tan lleno de abnegación, que es capaz de cualquier sacrificio y de llegar hasta el heroísmo.

Muchos notables ejemplos nos han dejado los antiguos que demuestran hasta qué heroicos hechos puede conducir la lealtad y el cariño de dos amigos.

Epaminondas, peleando solo contra muchos en el campo de batalla para proteger el cuerpo y las armas de su querido amigo Pelópidas, que había caído mal herido a su lado y a quien él creía muerto; Alejandro Magno, con las grandes demostraciones de dolor a que se entregó por la muerte de su mejor amigo Hefestión, y en las que hizo participar a todo su ejército, son vivo y elocuente testimonio del culto que rendía a la amistad.

Pero otro ejemplo más memorable es un rasgo de sublime abnegación que relatan los historiadores Diodoro Sículo, Valerio Máximo y Plutarco, y que ha inmortalizado el nombre de dos íntimos amigos, llamados Damón y Fintias (no Picias, como dice el vulgo).

Era Damón un filósofo de Siracusa, que fué condenado a muerte por conspirar contra el tirano Dionisio. Éste le concedió permiso para ir a un pueblo cercano a despedirse de su familia y dejar arreglados sus asuntos, a condición de que dejase en rehenes un fiador, el cual sufriría la última pena en lugar de Damón si éste faltaba a su palabra de acudir a la hora fijada para la ejecución. Su entrañable amigo, el filósofo Fintias, se ofreció a quedar en rehenes, y como Damón no se presentó a la hora fatal, él marchó gustoso al patíbulo y desde allí se dirigió al público diciendo que Damón era inocente de toda culpa; que tenía la seguridad de que habría sido detenido por alguna circunstancia, contra su voluntad, y que tal vez en aquel momento se hallaba en camino para ir a cumplir su palabra; pero que él, Fintias, no quería que se demorase la ejecución y moriría con gusto para salvar la vida de su inocente amigo.

Apenas acababa de hablar, oyóse una voz estentórea que de lejos gritaba: "¡Deteneos!", y vióse llegar a galope tendido un jinete que resultó ser el mismo Dalmón, el cual, subiendo al patíbulo, abrazó a Fintias y le dijo que su retraso en llegar era debido a que había reventado el caballo y tuvo que pedir otro prestado en el camino para poder llegar a tiempo de evitar el sacrificio de su amigo.

El tirano Dionisio se conmovió tanto al ver el altruísmo de aquellos dos amigos, que no sólo perdonó a Damón,

Y vióse llegar a galope tendido un jinete

sino que rogó a entrambos que le permitiesen ser partícipe de su amistad.

Entre las máximas que dejó escritas Jorge Wáshington, hay ésta: "La amistad es una planta que crece con lentitud, y tiene que aguantar las sacudidas de la adversidad antes de merecer su nombre."

En efecto; la verdadera amistad sólo se manifiesta después de algunos años de trato íntimo y de inequívocas pruebas de cariño y desinterés.

Por esto, sólo encontrarás ahora compañeros y camaradas, y de entre ellos puede salirte, con el tiempo, algún
amigo verdadero.

Todo depende de la elección que hagas de tus compañeros, y en eso debes poner un gran cuidado, porque los
muchachos con quienes intimes ahora y más adelante, influirán grandemente en el género de vida que lleves y en
los medios de que te valgas para labrarte un porvenir.

Ellos formarán una parte integrante del medio ambiente que te rodee; y, por ley natural, cada criatura se
adapta a su medio ambiente. Así, si tus camaradas son
buenos y tú te gozas en su compañía y la cultivas, es que
también eres bueno y seguirás siéndolo después. Pero si
son malos y tú no sabes apartarte de ellos, acabarás también por ser malo. "Dime con quién andas y te diré lo
que eres."

Los camaradas son como los libros: los hay buenos y
los hay malos. Unos llevan por el camino de la virtud, y
otros por el del vicio; unos son ilustrados, y otros no tienen ninguna ilustración; hay algunos vestidos con lujo
y por dentro están plagados de perversas doctrinas, y
otros de aspecto modesto y pobre atavío, llenos de nobles
sentimientos y pensamientos elevados.

En tu biblioteca, por pequeña que sea, no te gustará
que nadie vea libros malos, de perversa lectura. Por el contrario, tendrás satisfacción y orgullo en que la gente vea
que tienes libros buenos.

Pues la misma cuidadosa selección tienes que practicar
respecto de los muchachos con quienes te juntes.

Si tuvieses que cobrar dinero y te diesen alguna moneda falsa, ¿la aceptarías? Y si la tomabas por engaño y
después descubrieses su falsedad, ¿no tratarías de des-

prenderte de ella? Pues haz cuenta que un mal compañero es lo mismo que una moneda falsa.

El filósofo Antístenes se asombraba de que la gente, al comprar cacharros, desechase aquellos que tenían la menor resquebrajadura, y en cambio, no pusiese cuidado, al elegir amigos, en no aceptar a hombres llenos de máculas y vicios.

Un escritor epigramático ha dicho que los amigos son como los melones, que para encontrar uno bueno hay que probar ciento.

Pon, pues, a prueba a tus camaradas; observa sus hábitos; estudia sus gustos y aficiones. Si a alguno de ellos lo encuentras en varias mentiras (y éstas se descubren pronto), apártate de él: el muchacho que miente es capaz de cualquier falsedad, incluso de una felonía.

Del que cometa algún hurto, por insignificante que sea el objeto robado, huye como si fuese un bandido y ¡quién sabe si llegará a serlo! Todos los ladrones han empezado por robar cosas de poco valor.

Seguramente tú no querrás ser compañero de un ladrón.

> Ser amigo de un pillo es mal negocio,
> porque juzga la gente que es un socio.

Si tu camarada es indolente y perezoso y remiso en el cumplimiento de sus deberes, tampoco te conviene su compañía, pues siendo aficionado a holgar, te impedirá que estudies o trabajes. El muchacho haragán nunca medra ni llega a hacer nada de provecho.

Y guárdate, sobre todo, de los mozalbetes que se dan tono de hombres calaveras y muestran afición a tratos deshonestos y lecturas y diversiones pornográficas. Esos jóvenes llevan el estigma de los degenerados, y están labrándose un porvenir de decadencia física, de vejez prematura, de muerte temprana, además de hacerse improductivos para la patria, perniciosos para la sociedad y nocivos para su familia.

Si supieses que uno de tus compañeros estaba atacado de viruelas o de otra enfermedad contagiosa, y, no obstante, se empeñase en jugar contigo y abrazarte, ¿no procurarías apartarte de él y desinfectarte para precaverte del contagio? Pues más peligrosa es para ti la compañía de esos muchachos impúdicos y libidinosos, puesto que de ella puedes salir inficionado no sólo física, sino mental y moralmente.

Busca con preferencia la compañía de los muchachos formales y estudiosos, pues en ella encontrarás satisfacción y provecho. Tan sólo entre ésos podrás, con el continuo trato, descubrir un buen amigo, pues las amistades entre los hombres malos y viciosos son como cadenas de hierro oxidado, que al menor estirón se rompen, mientras que la verdadera amistad, como ha dicho un orador, sólo puede existir entre hombres rectos y pundonorosos.

El amigo que conviene no es aquel del que uno tenga que avergonzarse, sino aquel de cuya amistad se pueda estar tan orgulloso como lo estaba de la de sir Philip Sydney un noble inglés, lord Brooks, quien al morir quiso que sobre su tumba sólo se pusiese este epitafio: "Aquí yace el amigo de sir Philip Sydney."

Sócrates decía que no hay amistad perdurable, pues todos los amigos son veleidosos y cambian con el tiempo. Otro filósofo decía: "Antes de confiar en un amigo, ponlo a prueba." Gotthardt comparaba a los amigos con las abejas, que mientras un jardín tiene flores y en ellas hallan miel, las abejas acuden en enjambre; pero cuando el jardín se queda sin flores, lo abandonan.

Ciertamente que en el mundo hallarás muchos hombres que pretenderán ser amigos tuyos mientras esperen sacar algo de ti, y que una vez desengañados, o si ven que te es adversa la fortuna, te volverán la espalda. Pero ésos no merecen el nombre de amigos. Son seres egoístas, y de ellos nada bueno puede esperarse. En la adversidad y la desgracia se prueba el amigo noble y leal, como en el crisol se ensaya el oro.

Por eso dijo Samuel Johnson que conviene renovar los amigos, pues quien no lo hace, al cabo de algún tiempo se queda solo.

La mejor prueba de que una amistad es verdadera está en que no cese ni mengüe a pesar del tiempo y la distancia. A un ciego le preguntaron qué idea se formaba del Sol, y él contestó: "Debe de ser algo parecido a la amistad." Y en efecto: el Sol, como la amistad, dando de sí calor y vida, es amor, es caridad, es bienestar para el que recibe sus efluvios.

Con razón cantó el poeta levantino Arolas:

> ¡Amistad!... Raro bien entre mortales.
> Quien no tiene un amigo verdadero
> de quien fiar sus dichas y sus males,
> en toda parte y sitio es extranjero.

En su propio país debió sentirse extranjero y sin amigos Lord Byron cuando a los veinte años, la edad en que se contraen más amistades, escribió un epitafio para la tumba de su perro de Terranova, que era una invectiva contra los hombres y una apología de su perro, "el único amigo que había tenido".

Si, por tu desgracia, sufres desengaños —que sí los sufrirás— en tus camaradas y amigos, y no encuentras entre ellos ninguno verdadero, no te preocupes ni desazones por eso, y piensa que "es mejor estar solo que mal acompañado".

Pero no temas: siempre tendrás cuatro amigos fieles, leales y desinteresados, dispuestos en todo momento a servirte, si tú sabes y quieres utilizar sus servicios. Los cuatro estarán siempre contigo y nunca te abandonarán. ¿Sabes quiénes son? Tus dos pies y tus dos manos. Ésos pueden ser tus mejores amigos.

———————

Si en algo tienes tu reputación, procura que tus compañeros sean personas distinguidas, pues vale más estar solo que mal acompañado. — GEORGE WÁSHINGTON.

No trabéis amistad con el hombre iracundo, ni os asociéis jamás con viciosos. — SALOMÓN.

Si queréis formar juicio acerca de un hombre, observad quiénes son sus amigos. — FENELÓN.

Un amigo fiel es bastante para un hombre: difícil es encontrar uno. — DE LA BRUYÈRE.

Mucho has perdido si un amigo perdiste, y será bien dificultoso hallar otro. — GRACIÁN.

El que sabe corresponder a un favor recibido es un amigo que no tiene precio. — SÓFOCLES.

El amigo ha de ser como la sangre, que acude luego a la herida sin esperar que la llamen. — X.

¡Oh, cuán grata sensación es estrechar la mano de un antiguo amigo! — Longfellow.

Decía el marqués de Cortes que el que carece de amigos es como panal sin miel, espiga sin trigo y árbol sin frutos. — Melchor Santa Cruz.

Aunque haya en el árbol de la Naturaleza unas ramas más altas que otras, las almas igual nobleza tienen en el origen, y así puede haber amistad entre mayores y menores, pues las amistades nobles del alma proceden. — Antonio Pérez.

Como el oro se prueba con el fuego, así la felicidad de un amigo se conoce en la adversidad. — Ovidio.

Nunca sabréis quiénes son vuestros amigos hasta que caigáis en la desgracia. — Napoleón.

# Capítulo IX

# RELIGIÓN

No hay pueblo sin religión. — Evidencia del poder de Dios. — Es preciso cumplir los deberes religiosos sin caer en el fanatismo y la hipocresía. — La religión tiene dos fases: la divina y la social, o sea el culto y la caridad. — Diversos modos de practicar la caridad. — El amor a los animales y a las plantas.

Si te asomas a los grandes ventanales de la Historia y la Geografía para ver el desfile de la interminable caravana de la Humanidad, a través de las edades, por nuestro planeta, observarás que de todos los pueblos que la componen no ha habido ni hay uno solo que no tenga y practique su religión. No ya los cultos y civilizados, sino hasta los semibárbaros, y aun los mismos salvajes, creen en la existencia de un poder sobrenatural, creador y ordenador de todas las cosas, al cual, bajo una u otra forma, han prestado o prestan adoración y reverencia.

"Dirigid una mirada sobre la superficie del globo —decía Plutarco— y veréis en él ciudades sin fortificaciones, sin magistratura y sin letras; pueblos sin habitaciones fijas y que no conocen la moneda; pero no veréis ninguno que no conozca los dioses."

De lo cual se desprende que la idea de un Ser Supremo, que da origen al sentimiento religioso, es tan innata en el hombre como su alma.

Y, en efecto, el hombre más ignorante, el más negado, podrá no comprender a Dios, porque tampoco lo comprende el más sabio; pero ¿dejará de sentir que hay una inteligencia y una fuerza superior a la suya que ha poblado el firmamento de astros y dirige sus movimientos y hace salir flores y frutos del seno de la tierra?

Tú mismo, que sabes de cuánto es capaz el ingenio humano, los complicados y maravillosos artefactos y mecanismos que ha producido, ¿crees que puede haber un hombre de tan omnímodo saber y de tan vasta potencia para haber creado, no digo un mundo, sino los millones de mundos que pueblan el espacio?

Pues si no ha podido hacerlo un hombre, el más inteligente de los seres que hay en la tierra, ¿quién pudo hacerlo?

Tal vez oigas decir a alguien que quiera sentar plaza de hombre despreocupado y profundo pensador que el autor de tanta maravilla ha sido simplemente el "acaso"; que los átomos de la materia se han ido juntando al azar y formando esa infinita variedad de objetos y de formas, todos sujetos a un plan ordenado, que constituyen la Naturaleza.

El argumento es tan absurdo, que es hasta innecesario refutarlo. Basta fijarse en una sola cosa que ha sido y será siempre un insondable arcano: el principio en que estriba la vida, para darse cuenta del Supremo Poder que rige el Universo.

De ÉL has recibido cuanto tienes: el alma y la vida; el aire que respiras; el agua que bebes; la mente con que piensas; el corazón con que sientes. A ÉL se lo debes todo, ¿y vas a dudar de ÉL? ¿Cómo pagarás tu deuda? ¿Con la indiferencia y el desamor? ¿Con la negra ingratitud?

La Religión es el cumplimiento de nuestros deberes para con Dios y la manera de expresarle nuestro agradecimiento. La misma palabra lo dice: ella nos *religa*, nos une y estrecha más con nuestro Creador, a quien estamos ligados por la vida que de ÉL hemos recibido.

No debes, pues, descuidar tus deberes religiosos; procura mantener siempre viva tu creencia, huyendo, sin embargo, de caer en el fanatismo, en esa intolerancia e intransigencia tan contrarias al verdadero espíritu de la religión cristiana.

En el sermón que predicó en la montaña, dijo Jesús a la muchedumbre: "Amad a vuestros enemigos; bendecid a los que os maldicen; haced bien a los que os odian y rogad por aquellos que os maltratan y os persiguen, porque así seréis hijos del Padre que está en los cielos, el cual hace que salga el sol para los buenos y para los malos, y envía la lluvia para justos y pecadores."

Porque la religión que enseñaba Cristo es la práctica de la humildad y de la caridad; de la caridad, que es amor al prójimo, y es tolerancia, y es perdón. Perdón como el que otorgó el "Hijo del hombre" a la mujer adúltera, diciendo a los que querían apedrearla: "El que no haya pecado nunca, que le arroje la primera piedra"; perdón como el que concedió a María de Magdala, "porque mucho había amado"; perdón, en fin, como el que impetraba para los sayones que le habían crucificado, con aquellas sublimes palabras: "¡Padre, perdónales, que no saben lo que hacen!"

Lo mismo que la intolerancia, debes también evitar la hipocresía.

"Cuando digas tus preces —dijo Jesús en la montaña—, no hagas como los hipócritas, que gustan de rezar de pie en las sinagogas y en las esquinas de las calles para que los vea la gente. Pero tú, cuando quieras rezar, enciérrate en la intimidad de tu cuarto y ruega a Dios en secreto, y Dios, que secretamente te ve, te premiará abiertamente."

Esta es la doctrina de Cristo expuesta en el Evangelio, donde también se te exhorta a no hacer ostentación de la caridad.

"Cuando des limosna —dijo Jesús—, no hagas sonar una trompeta por delante como hacen los hipócritas en las sinagogas y en las calles para alcanzar fama entre los hombres. En verdad que ellos recibirán su merecido. Pero cuando tú des limosna, no dejes que tu mano izquierda sepa lo que hace la derecha. Practica la caridad en secreto, y Dios, que en secreto lo ve, te premiará abiertamente."

¡Caridad! ¡Altruísmo! Principio, suma y compendio de la religión cristiana. "Ama a Dios sobre todas las cosas, y al prójimo como a ti mismo." Aun cuando no siguieres más que estos dos preceptos, serías un hombre de bien, porque ellos encierran y abarcan todos los otros.

Si no quieres para otro lo que no quieras para ti, no mentirás, ni robarás, ni matarás, ni cometerás acto alguno que pueda molestar a tu vecino; y si amas a Dios sobre todas las cosas, tampoco cometerás ningún acto que pueda ofenderle o que implique indiferencia o desamor hacia Él o hacia sus criaturas.

Notable ejemplo de caridad nos presenta Plutarco en la vida de Licurgo. Acosado éste por los jóvenes ricos de Esparta, irritados por las leyes que dictó contra el lujo, fué víctima de uno, llamado Alcandro, el cual le hirió con una vara que llevaba y le sacó un ojo. No se alteró Licurgo con el daño recibido; sólo se paró de frente a los ciudadanos, mostrándoles el rostro bañado en sangre y saltado el ojo.

Fué general entonces la vergüenza y el sentimiento de sus perseguidores, quienes pusieron en su poder a Alcandro, y le acompañaron acongojado hasta su casa. Licurgo los despidió, elogiando su comportamiento, y a Alcandro le hizo entrar en su casa, y, sin quejarse ni manifestarle rencor alguno, lo retuvo mucho tiempo a su servicio, y con el ejemplo de suavidad y dulzura que le dió, logró cambiar su carácter. Y dice Plutarco: "Este fué el castigo y pena que recibió: de ser un joven inquieto y altanero, quedar hecho un hombre bien educado y prudente."

Hay realmente muchas formas de practicar la caridad: ya sea como el general ateniense Cimón, que invertía en obras benéficas, en dar comidas a los pobres y ropa a los menesterosos la gran fortuna que había ganado gloriosamente en los campos de batalla; ya sea como los opulentos filántropos ingleses John Howard, George Peabody y Andrew Carnegie, que se complacían en dedicar su fortuna, el primero a aliviar la suerte de los penados en las cárceles de Inglaterra y Francia; el segundo a construir barriadas enteras de casas para obreros y gente menesterosa, y el tercero a fundar y enriquecer bibliotecas en infinidad de poblaciones.

En nuestro propio país ha habido filántropos que han hecho buen uso de sus riquezas, haciendo donativos en vida o dejando mandas y legados para la fundación y sostenimiento de hospitales, de asilos y de escuelas, lo cual es un modo muy laudable de practicar la caridad con obras de misericordia.

Al mismo orden pertenecen ciertos actos de abnegación y altruísmo, de sacrificio y asiduidad personal en la
práctica de obras benéficas, como la de aquella santa reina
de Hungría que con sus propias manos curaba a los lepro-

Le hirió con una vara que llevaba

sos, como las de esas solícitas hermanas de la caridad y
damas de la Cruz Roja, que con tanto cuidado y desvelo
atienden a los enfermos y heridos; como las de esas almas
caritativas que, sin ostentación, llevan socorros en dinero,
en alimentos o en ropas a los hogares y tugurios donde
gimen familias luchando con la desgracia.

¿No es un acto hermoso de abnegación y caridad el

de un pobre muchacho lisiado que se ofreció para que le amputasen una pierna, a fin de injertar su carne en la herida de una mujer que sin esta aplicación hubiera muerto de resultas de una quemadura que no cicatrizaba? Ahí tienes un héroe que sacrificó su vida por el prójimo, pues él murió a consecuencia de la operación; pero se salvó la mujer.

La caridad es algo más que dar una moneda al indigente. Puede practicarse con obras, con palabras y hasta con pensamientos. Dice San Pablo: "La caridad es sufrida, es dulce y bienhechora; la caridad no tiene envidia; no obra precipitada ni temerariamente; no se ensoberbece; no es ambiciosa; no es interesada; no se irrita; no piensa mal; no comete injusticias; se complace en la verdad; a todo se acomoda; cree todo el bien del prójimo; todo lo espera y lo soporta todo."

Para hacer obras de caridad no es necesario tener dinero. Al igual de un hombre rico, puede hacerlas el que no tiene fortuna.

Hay pequeños actos en la vida que a primera vista parecen insignificantes y que, sin embargo, pueden producir un cambio en la vida de un hombre: pueden salvarlo de un apuro, de la desesperación, de la muerte o del suicidio. Una sola palabra, dicha con amor, puede llevar el consuelo o la esperanza a un corazón afligido. Cuatro renglones escritos con oportunidad pueden abrir una puerta al que las hallaba todas cerradas. Un socorro dado a tiempo puede arrancar a un infeliz de las garras de la muerte. Un pequeño obsequio, una visita, una mano extendida, una frase de perdón, el envío de una flor, han logrado muchas veces disipar un enojo, promover una reconciliación y unir de nuevo a dos corazones extrañados.

Dichoso aquel que puede exclamar como un poeta inglés, del cual traduzco estas ideas:

Si un pajarillo caído,
con amor puse en su nido;
si un acto o palabra mía
llevó a un triste la alegría;
si una lágrima he enjugado;
si una pena he consolado;
si al pobre que auxilio implora
tendí alguna vez la mano;
si al morir, alguien me llora,
¡yo no habré vivido en vano!

Entre los consejos que el monje Narada dió al joyero Pandu, en el cuento *Karma*, de Tolstoy, había estas sentencias, que conviene recordar:

"Quien perjudica a los demás, a sí mismo se perjudica."

"Quien ayuda a los demás, a sí propio se presta ayuda."

"Cesad de consideraros como un ser aislado y caminaréis por la senda de la verdad."

Si el hombre egoísta comprendiera, si supiera la íntima satisfacción que se siente haciendo una obra de caridad, sería caritativo por egoísmo.

Con razón ha dicho Jacinto Benavente: "Ya que sea el egoísmo primer móvil de las acciones humanas, seamos de veras egoístas, y, por verdadero egoísmo, comprenderemos la conveniencia del bien ajeno. Por nuestra salud, nos cuidaremos de la salud de los otros; por nuestra seguridad, de su honradez; por nuestra inteligencia, de su cultura; por nuestra riqueza, de su bienestar."

¡Cuánto más grata sería la vida en sociedad si cada cual procurase el bien ajeno!

¿Cómo lograrlo? Empieza tú por hacerlo, si quieres obtener justa correspondencia.

Dice Juan Valera en *Las ilusiones del doctor Faustino:* "¿Por qué lamentarnos de la falta de amor, de amistad, de ternura que guardan para nosotros las demás almas humanas? ¿Les prodiga la nuestra iguales tesoros para exigir el cambio?"

Cultiva, pues, tu amor y tu caridad no tan sólo hacia tus semejantes, sino también hacia los animales y las plantas.

Si consideras la paciencia y el esfuerzo con que los animales de tiro, bueyes, caballos y mulas, tienen que arrastrar carros cargados con un peso que a menudo es superior a sus fuerzas, ¿no te causará indignación ver el trato brutal y despiadado a que les someten sus conductores? El cochero que fustiga con crueldad a un animal tan noble como es el caballo; el muchacho que atormenta, por capricho, a un animal tan fiel como es el perro, o que se goza en coger nidos y maltratar a los pájaros, ¿no demuestran tener instintos feroces que les hacen indignos de ser hombres y les colocan a un nivel más bajo que algunos irracionales?

Cuida tú de no ser uno de ellos; mira y trata con cariño a las pobres bestias que ayudan al hombre en su trabajo, a las que le prestan compañía, vigilancia o regalo, y asimismo a las flores y a los árboles, que tan grandes servicios rinden al hombre.

El gran patricio Joaquín Costa dedicó a los árboles

páginas muy bellas, porque los miraba con cariño, pues "vivos —decía—, regulan en sus funciones la vida de la naturaleza; muertos, regulan con sus despojos la vida social. Vivos o muertos, los árboles nos acompañan por doquiera en el curso de nuestra vida. Al nacer nos reciben como madre cariñosa en las cuatro tablas de una cuna; al morir nos recogen, cual clemente divinidad, en las cuatro tablas de un ataúd."

A unos niños congregados para celebrar la Fiesta del Arbol, les escribió Costa estas hermosas palabras: "Son los árboles obreros incansables y gratuitos, cuyo salario paga el cielo; que no se declaran en huelga, ni entonan el himno de Riego, ni vociferan gritos subversivos, ni socavan los cimientos del orden social. ¡Y cuán variadas sus aptitudes, y cuán solícitos sus cuidados para con el hombre! Ellos hacen tablas y vigas, hacen leña, hacen carbón, hacen pan, hacen sidra, hacen alcohol, hacen aceite, hacen cacao, hacen café, hacen azúcar, hacen refrescos, hacen papel, hacen seda, hacen quina, hacen forraje, hacen uva, higos, dátiles, naranjas, melocotones, peras, cerezas y manzanas; hacen tierra vegetal, hacen manantiales, hacen oxígeno, hacen salud, hacen pájaros, hacen poesía, hacen hogar, hacen sombra, hacen país."

También el plantar o cuidar un árbol es una obra de caridad.

¡Cuánta satisfacción habrá de causarte el poder decir algún día!:

Planté un esqueje cerca del camino:
creció un árbol de copa alta y frondosa
que produjo una fruta muy sabrosa,
y así, sombra y solaz dió al peregrino.

Lancé una idea en una copla mía:
cundió la copla y la cantó la gente,
y a más de un corazón triste y doliente
llevó alivio, y consuelo y alegría.
    ¡Bendita caridad! ¡Amor sublime!
¡Sedante bálsamo que el dolor calma
y mitiga la pena del que gime!
¡Eres radiante Sol que alumbra el alma!

———

Suprimid a Dios, y se habrá hecho la noche en el alma humana. — LAMARTINE.

Aunque todos sus divinos atributos se ostentan..., con todo, está tan oculto este gran Dios, que es conocido y no visto; escondido y manifiesto; tan lejos y tan cerca. — GRACIÁN.

Cuando hables de Dios o de sus atributos, hazlo con toda seriedad y reverencia. — GEORGE WÁSHINGTON.

Figúranse algunos que la religiosidad es signo de espíritu apocado y capacidad escasa, y que, por el contrario, la incredulidad es indicio de talento y grandeza de ánimo. Yo sostengo que, con la historia en la mano, se puede demostrar que en todos tiempos y países los hombres más eminentes han sido religiosos. — BALMES.

No comprendo que se pueda ser virtuoso sin religión; he abrigado por mucho tiempo esta falsa creencia, de que ya estoy completamente desengañado. — J. J. ROUSSEAU.

La educación integral exige no ocultar al hombre ni al niño que hay un principio sobrenatural divino, y que hay un aspecto religioso en la vida social. — CANALEJAS.

Sí; que hasta el solio del Eterno llega
el ardiente suspiro
de quien con puro corazón le ruega,
como en su templo santo el humo sube
del balsámico incienso en vaga nube.

JUAN NICASIO GALLEGO

Otro se tendrá por muy devoto porque cada día dice una multitud de oraciones, aunque después de esto deshaga su lengua en palabras enojosas, arrogantes e injuriosas, así con sus domésticos como con sus vecinos. Otro sacará de buena gana limosna de la bolsa para dar a los pobres, y no podrá sacar del corazón dulzura y piedad para perdonar a sus enemigos... Todos estos son tenidos vulgarmente por devotos: nombre que de ninguna manera merecen. — QUEVEDO.

No será grande quien no tuviere grande tolerancia. — J. E. NIEREMBERG.

Haz bien a tus amigos para ganarte mejor su aprecio; hazlo también a tus enemigos para que al fin se hagan amigos tuyos. — CLEÓBULO.

El más poderoso hechizo para ser amado, es amar. — GRACIÁN.

Honra igualmente al extranjero que al concludadano, porque todos somos viajeros esparcidos por la tierra. — Levanta del suelo la acémila de tu enemigo si la encontrares caída en el camino. — FOCÍLIDES.

Nadie debe regresar a su casa sin haberse granjeado un amigo con algún beneficio. — POLIBIO.

En dondequiera que se halle un hombre, puede hacerse un beneficio. — SÉNECA.

Debes olvidar el bien que hagas a otro y sólo recordar el que recibas. — QUILÓN.

No hay virtud de más valor
que hacer bien por sólo hacerlo.

ALONSO DE BARROS

Yo creo que el mejor modo de hacer bien a los pobres no consiste en hacer cómoda su pobreza, sino en ponerles en camino de que dejen de ser pobres; no en darles limosna, sino en hacer que puedan vivir sin recibirla. — FRANKLIN.

Dios ha concedido al hombre este privilegio, a la vez su gloria y su martirio, de ser el único ser viviente y material que puede concebir la perfección. Pero en tanto que la conciba se verá obligado a decir, cuando mire hacia fuera con ojos imparciales: "Este mundo es un valle de lágrimas", y cuando mire hacia dentro: "Yo, pecador". — RAMIRO DE MAEZTU.

# CAPÍTULO X

# PATRIA

Los tres amores. — Cada cual lleva la Patria consigo. — "Cada uno para todos, y todos para cada uno". — La Patria es la extensión del hogar. — Quien denigra a la Patria, se denigra a sí mismo. — Cómo se honra y se enaltece a la Patria. — Los grandes patriotas. — No confundir el patriotismo con la patriotería. — Saludo a la bandera.

Hay tres amores que son sagrados para el hombre: el amor a Dios, el amor a la Familia y el amor a la Patria.

Cuando se manifiestan estos amores, se llaman, el primero, religión; el segundo, cariño; el tercero, patriotismo.

Cada uno de ellos exige un culto, una devoción.

El amor a Dios seguramente te lo habrá inculcado tu madre desde que balbuceaste las primeras palabras.

En el suave calor del hogar paterno habrá germinado y crecido tu amor a la familia, es decir, a tus padres y a tus hermanos; amor que más tarde florecerá y fructificará convirtiéndose en amor a tu esposa y a tus hijos.

Y el amor a la Patria has debido sentirlo penetrar en tu organismo con el primer baño de aire y de sol que recibiste al trasponer por vez primera los umbrales de tu hogar y al fijar con infantil asombro tu mirada en el

mundo exterior y en esa inmensa capa azul del cielo que
lo cobija.

Tres amores, tres notas emanadas del corazón, que juntas forman un armonioso acorde de veneración, de gratitud y de cariño.

*Padre* común llamamos a Dios; *padres* a nuestros pro-
genitores; y el nombre de *Patria,* que damos al país que
nos vió nacer, lleva también consigo la idea de pa-
ternidad.

Y es que de todos ellos hemos salido; de todos ellos,
en un sentido o en otro, somos una pequeña derivación.

Y este concepto conviene que grabes en tu corazón y
en tu cerebro: *tú eres una parte integrante de tu patria.*

> "Y tanto a su vida
> la tuya se enlaza,
> cual se une en un árbol
> al tronco la rama.
> Por eso, presente
> o en zonas lejanas,
> doquiera, *contigo*
> va siempre la Patria."

Así ha dicho, al cantarla, Ventura Ruiz Aguilera.

Por consiguiente, todo lo que hagas para honrarla a
ella te honrará a ti. ¡Guárdate de decir o hacer algo que
en modo alguno la denigre, pues si tal haces te denigras
a ti mismo!

Dice el cordobés Juan Rufo:

"No hay cosa que más desemeje la república, ni que
así repugne a su conservación, como el no acordarse los
hombres de que son un mismo cuerpo que la forman, y
cada uno miembro della dependiente de todos los demás,

como lo son entre sí los que dan ser a cualquier persona. Y así, contra leyes divinas y humanas, profanando el derecho natural y defraudando el trato político, falta cada cual a todos y todos a cada cual, en daño notable de la causa y del bien público y del provecho particular."

Conformes con esta idea de reciprocidad, los ciudadanos de Suiza han adoptado este lema: "Cada uno para todos y todos para cada uno."

No olvides que mucho te interesa y concierne a ti individualmente el bienestar, el progreso y el engrandecimiento de tu Patria. Pues claro está que tú, por ser una parte integrante de ella, has de recibir en justa proporción la infinitésima cuota que te corresponda de su bienestar o de su malandanza.

El conde de Segur, en su libro *Las cuatro épocas de la vida,* escrito para franceses, ha estampado este concepto:

"El interés de vuestro amor propio os dirá que, siendo francés, participáis necesariamente de la humillación o de la fama de este nombre, de las desgracias, de las victorias, de la prosperidad o del infortunio de Francia."

Pero considera también que, por esa misma circunstancia, esto es, por ser tú una parte consubstancial de tu Patria, tu modo de ser ha de afectar su esencia aunque sea en un grado infinitesimal.

Si en un vaso lleno de agua clara dejas caer una gota de tinta, ¿no ves cómo queda ligeramente teñida toda el agua? Si en lugar de tinta viertes una gota de veneno, ¿crees tú que no queda el líquido más o menos emponzoñado? Pues échale en vez de veneno una gota de ácido acético, y si pruebas el agua notarás en seguida un dejo de acidez. En cambio, una gota de almíbar bastará para darle al agua un tanto de su dulzor. Este efecto es lo que en química se llama "dilución".

Pues bien: respecto de tu Patria, tú eres como una gota diluída entre otras gotas, que son tus conciudadanos. ¿Qué prefieres: ser gota de tinta que manche; gota de veneno que emponzoñe; gota de vinagre que acidule, o bien gota de almíbar que endulce cuanto la rodee? En tu mano está la elección.

Si dejas caer una gota de tinta...

Dirige la mirada a tu hogar. ¿No te gustaría ver reinar en él la paz y la tranquilidad, el cariño y la armonía, la limpieza y la salud, la abundancia y la felicidad? ¿Y acaso no puedes tú con tu conducta y cada miembro de la familia en su esfera, contribuir en gran parte a obtener ese bienestar?

Pues hazte cargo de que la Patria es la extensión del hogar; es el Hogar de todos los hogares; es la suma y conglomeración de todas las familias que componen una nación.

Si entiendes algo de fotografía sabrás de un experimento muy curioso que se llama "retrato compuesto". Consiste en impresionar una sola placa con el retrato de diversas personas, de modo que el rostro de cada una, sacado de frente y del mismo tamaño, y con breve exposición, quede superpuesto sobre el de los demás. El resultado es un retrato, algo confuso e indefinido en sus detalles, que sin parecerse exactamente a ninguno de los retratos tiene rasgos fisonómicos de cada uno de ellos, y esa mezcla o fusión produce una semblanza representativa de la comunidad.

Del mismo modo la Patria es una imagen, una "semblanza compuesta" en que se funden y confunden los rasgos característicos de cada hogar, de cada familia, de cada ciudadano.

Por eso verás que cada nación tiene su fisonomía propia y peculiar, que refleja la historia, las costumbres, los temperamentos, las aficiones y las aptitudes de su respectivo pueblo.

¿Quieres que tu Patria sea fuerte, sea grande, sea próspera? Pues empieza por ti mismo. Robustece tu cuerpo; fortalece tu espíritu; aspira a ser grande; persigue un ideal elevado; trabaja con ahinco, con fe y con perseverancia para alcanzarlo, y, como todo ejemplo es contagioso, otros te seguirán, y sumados después vuestros caracteres, su fusión dará a la Patria una fisonomía noble, respetable e imponente.

Este es el verdadero y más eficaz modo de "hacer patria". Puede más uno de esos esfuerzos individuales, más el ejemplo de una vida activa de trabajo honrado y de fecundas iniciativas, que cien discursos de ampulosa retórica pronunciados en mítines, en congresos y asambleas; mucho más que las estériles oraciones que van a engrosar "ese mar de palabras muertas de los archivos parlamentarios", como con frase gráfica las calificó, en su discurso de recepción en la Academia de la Lengua, el distinguido escritor Andrés Mellado.

Si hojeas un libro titulado *Teoría militar y deberes cívicos*, gallardamente escrito por el coronel de infantería don Luis Bermúdez de Castro. hallarás este corroborativo párrafo:

"Se sirve a la Patria trabajando para su prosperidad y riqueza en el campo, en el taller, en la fábrica, en la escuela, en todos los organismos de la vida nacional; y la práctica de las virtudes cívicas hace al hombre robusto y fuerte para soportar los combates de la vida. La disciplina en la familia es la base de la sociedad; el respeto y obediencia a los padres habitúan al ciudadano a respetar las leyes, que son mandato de la nación; el trabajo arduo es el enemigo mayor de la pobreza, y la pobreza el mayor enemigo de la Patria."

Y más adelante, agrega:

"Los pueblos que tienen su grandeza en el corazón de sus hijos podrán ser vencidos, pero no mueren ni desaparecen; y después de sucumbir, una fuerza irresistible los resucita: es la voluntad nacional, es el patriotismo que les dice como Cristo a Lázaro: "¡Levántate y anda!"

En efecto, el vigor y fortaleza de los ciudadanos, así en lo físico como en lo moral, es la mejor defensa que tiene un pueblo. Pensando así, decía Licurgo, el legislador que enseñó a los espartanos a ser valientes y patriotas: "No está sin muros la ciudad que se ve coronada de hombres y no de piedras."

Dice el conde de Toreno en su *Historia del levantamiento:* "Sin muros y sin torreones, según nos ha transmitido Floro, defendióse largos años la inmortal Numancia contra el poder de Roma. También desguarnecida y desmurada resistió al de Francia con tenaz porfía, si no por tanto tiempo, la ilustre Zaragoza."

Y en el mismo libro V cita luego esta frase de don Juan Alvarez de Colmenar, que un siglo después resultó profecía: "Zaragoza está sin defensa, pero suple esta falta el valor de sus habitantes."

Y, en efecto, si la historia relata casos de pueblos débiles que se han dejado conquistar, oprimir y aniquilar por fuerzas invasoras, en cambio, también presenta ejemplos de otros pueblos viriles que, ardiendo en entusiasmo y en amor a la Patria, han sabido rechazar al invasor, sacudir el yugo y asegurar su propia independencia.

Alvarez de Castro

En esas contiendas ha resaltado, junto al valor del pueblo y excitándolo con su esforzado ejemplo, el de invictos héroes; que, alentados por su entrañable patriotismo, legaron páginas gloriosas a la historia de su país y alcanzaron inmortal renombre. Tales son: Pelayo, el Cid, Gonzalo de Córdoba, Hernán Pérez del Pulgar, quienes con tanto denuedo pelearon por librar a España de la morisma; Daoiz y Velarde, Alvarez de Castro, Palafox, Espoz y Mina, el general Castaños, quienes contribuyeron a hacer fracasar la usurpación napoleónica de la Península; y otros héroes en América, como Wáshington, en la del Norte; Bolívar y Sucre en la del Sur; valerosos guerreros todos que expusieron su vida por defender y libertar a su Patria.

Pero, ¿qué mucho que salgan a defenderla los hombres cuando está en peligro, si hasta mujeres como la mercadera de Peralada, María Pita y Agustina Zaragoza, en España; María, la Portuguesa, en la isla de Goa; Juana de Arco, en Francia, y la capitana Molly, en los Estados Unidos, han dado pruebas de valor heroico, resistiendo con las armas en la mano a los enemigos de su Patria?

Cuando el verdadero patriotismo alienta, es el hombre capaz de las mayores proezas. Pero no hay que confundir con este noble sentimiento la huera patriotería, que es como el oropel comparado con el oro. De la patriotería se ha dicho que es "el último recurso de un bribón": porque el patriotero, que nunca lleva la Patria en el corazón, sino en la lengua, la evoca y hace servir de pantalla para encubrir sus pérfidos y ambiciosos designios.

El que verdaderamente ama a su Patria no necesita alardear con palabras ese amor: lo demuestra con hechos, trabajando para honrarla y enaltecerla.

El que la denigra no la quiere; el que constantemente saca a colación sus defectos, sin hacer nada por su parte para remediarlos, y sólo tiene lengua para ensalzar lo extranjero, es un mal hijo que reniega de su nombre.

Has de saber que en todos los países hay cosas buenas y dignas de loa y otras que son detestables. El tuyo no es una excepción de la regla, pues hay en él cosas admirables que no tienen los demás, al lado de otras que ciertamente pueden y deben mejorarse. Ayuda tú a lograrlo; piensa que si otras naciones son más fuertes, más poderosas y más ricas que la tuya, no es porque el poderío y la riqueza les haya llovido del cielo, sino que es debido al esfuerzo, al trabajo y a la unión de sus hijos, y siguiendo el mismo procedimiento, podréis tú y tus compatriotas poner a vuestro país al nivel de los mejores.

Si hablas con un alemán, con un inglés, con un francés, con un norteamericano, verás con qué calor, con qué entusiasmo, con qué orgullo te habla cada uno de ellos de su respectiva Patria. Su patriotismo es una mezcla de amor, de respeto y de veneración, que les hace ensalzar todo lo suyo y no tolera que nadie lo rebaje. Si viajases por esos países, verías que sus hijos no los enaltecen únicamente con palabras, sino también con sus obras. Verías que se distinguen por su profundo respeto a las leyes establecidas y a la autoridad que las encarna, y por su veneración a la bandera, como símbolo consagrado y representativo de la nacionalidad.

El amor a la bandera es tan marcado en los norteamericanos, por ejemplo, que lo exteriorizan en todos sus actos públicos, y no hay ciudadano de aquel país que al salir a viajar por el mundo no lleve alguna banderita o botón que la represente, como si llevase consigo un pedazo de la patria.

En las escuelas municipales de Nueva York, el primer acto con que los escolares inauguran por la mañana sus clases es el saludo a la bandera y el canto del himno nacional.

Casi todas las naciones de Europa y América tienen su himno nacional, que cantan con entusiasmo y veneración sus respectivos ciudadanos; porque es el himno una loa de la gloria y grandeza de la patria y una expresión vibrante del amor y de la lealtad que sus hijos le profesan.

Es un hecho curioso y digno de notarse que, siendo España tal vez la única nación que carece de un himno

patriótico, sean dos músicos españoles los autores de los
himnos nacionales de Méjico y de Chile. En el concurso
convocado por el gobierno mejicano hacia fines del siglo XIX para adoptar un himno nacional, se adjudicó el
premio a la composición presentada por un modesto y
desconocido músico español, don Jaime Nunó, que a la
sazón residía en los Estados Unidos.

El himno nacional de Chile lo compuso, por encargo
del ministro de aquella República en Londres, el músico
español don Ramón Carnicer, director que fué del Teatro
Real de Madrid, y que se hallaba accidentalmente en la
capital de la Gran Bretaña.

Venera tú, como símbolo sagrado, la bandera de tu
Patria; sus altivas ondulaciones son como los latidos del
corazón de todo un pueblo y no olvides que en sus plie-
gues va envuelto tu honor, el de tu familia y el de la nación entera.

Descúbrete al verla pasar, con cariño y con respeto, y
evoca en tu mente, como yo le tributo, esta

### SALUTACION A LA BANDERA

¡Cómo palpita el corazón al verte,
bendito emblema de la Patria mía!
¡Cómo se siente el pecho noble y fuerte
al contemplar tu hermosa gallardía!
Enseña invicta, de mi pueblo escudo,
¡con qué amor y entusiasmo te saludo!

La unidad de la Patria simbolizan
tus fajas de oro y grana y tus blasones,
y sus vivos colores sintetizan
mil hazañas de intrépidos varones,
cuya *sangre*, vertida por España,
trazó en páginas de *oro* cada hazaña.

Tú paseaste triunfante el orbe entero,
ganando tierras y salvando mares:
contigo el valeroso pueblo ibero
llevó doquier su patria y sus altares,
y a tu sombra creció el germen fecundo
de la vida española en medio mundo.

Siempre flotando airosa, siempre enhiesta,
del huracán resiste los embates,
y de igual modo alegras una fiesta
que llevas el soldado a los combates;
pues cuando el patriotismo te enarbola
va reflejada en ti el alma española.

A ti volvemos con afán los ojos
buscando el faro que señala el puerto,
pues mientras luzcan tus destellos rojos,
no perderá la nave el rumbo cierto
que nos conduce a un porvenir de gloria,
más grande que el pasado en nuestra historia.

════════

La patria tiene derecho a que nuestra alma, nuestro talento y nuestra razón le consagren sus mejores y más nobles facultades. — CICERÓN.

Si nosotros dejamos de pensar y conducirnos como corresponde, esto deberá justamente atribuirse, no a la pequeñez de la patria, sino a nosotros mismos. — PLUTARCO.

La verdadera grandeza de las naciones está en aquellas cualidades que constituyen la grandeza del individuo. — CHARLES SUMNER.

La Patria —la Patria grande, la Patria chica— es una abstracción que no tiene más realidad que la suma de abnegaciones. La Patria no existe sin el amor de sus hijos... La Patria, como Dios, está siempre delante y siempre con nosotros. — ANTONIO MAURA.

¡La Patria! A la Patria se la sirve de muchas maneras: enalteciéndola con el trabajo, con la ciencia; a la Patria se la sirve sacrificando la vida por defender su honor, que es el honor de todos; a la Patria se la agranda, se la glorifica rindiendo culto a la justicia, porque la justicia es la única que da en el mundo la fuerza moral de las naciones. — MELQUÍADES ALVAREZ.

> ¿Cuál es tu magia, tu inefable encanto,
> oh patria, oh dulce nombre,
> tan grato siempre al hombre?
>                         MARTÍNEZ DE LA ROSA.

El que de pequeño respeta la bandera, sabrá defenderla cuando sea mayor. — EDMUNDO DE AMICIS.

Pena de muerte al que hable de rendirse. — Bando de PALAFOX en Zaragoza. — Idem de ALVAREZ DE CASTRO en Gerona.

# Capítulo XI

# CIVISMO

Interés de cada ciudadano en el procomún. — "Egoísmo" colectivo. — Derechos y deberes de ciudadanía. — El precio de la libertad. — La Justicia ha de ser inmaculada. — Es preciso combatir el caciquismo y el favoritismo. — Civismo nacional y municipal.

Así como el amor de Dios exige de nosotros la práctica de ciertos actos piadosos a que llamamos religión, así el amor a la Patria nos impone el cumplimiento de ciertos deberes a que llamamos civismo.

El civismo es, pues, respecto a la Patria, lo que la religión es hacia Dios.

En otras palabras: el civismo es la conducta con que se evidencia el amor patrio; es el celo con que el ciudadano vela, defiende y fomenta los intereses de su país, como si fuesen los suyos propios.

Y, en realidad, lo son.

En el acervo común, en ese conjunto de intereses y riqueza que con razón llamaban los romanos *res publica*, esto es, "cosa de todos", tienes tú —como cada hijo de vecino— una parte integral, como si se tratase de una herencia indivisa.

¿No has de mirar, pues, con vivísimo interés todo lo que afectar pueda, en pro o en contra, esa herencia en que tienes una parte?

No hay duda que el civismo entraña un sentimiento de justificado y laudable egoísmo que, por ser general, obra —cuando no sale de sus límites— en beneficio de la colectividad.

Amamos a la Patria porque es *nuestra;* nos enorgullecen sus glorias por ser *nuestras,* y vemos con júbilo o con dolor su prosperidad o su desgracia por lo que la una o la otra nos alcanza a *cada uno.*

Pero este egoísmo debe sentirse y manifestarse de la misma manera que aquel que encierra el precepto en que se sintetiza la doctrina social cristiana: "No quieras para otro lo que no quieras *para ti".*

Es decir, que nuestro egoísmo debe servirnos de rasero para medir lo que sienten y desean los demás; lo que quieren y lo que no quieren para sí.

¿Verías con indiferencia que un desconocido se introdujese en tu casa y se instalase en ella como si fuese la suya? ¿Permitirías que abriese tus cartas y se enterase de su contenido? ¿Consentirías que se apoderase de tu ropa, de tus libros, de tus alhajas y de tu dinero? ¿Tolerarías con pasividad que otro te injuriase o calumniase públicamente de palabra o en hojas impresas? ¿Sufrirías impasible que alguien prendiese fuego a tu casa o la volase con explosivos?

Pues si nada de eso quisieras para ti, ¿cómo vas a quererlo para los demás? Si pudieran cometerse impunemente toda clase de atropellos, ¿en qué se diferenciaría una sociedad civilizada de una horda de salvajes?

La civilización ha tendido precisamente, desde tiempos muy antiguos, a establecer y sancionar los derechos y los deberes de los hombres para con la Patria y para los conciudadanos.

Con ese fin se dictan las leyes, y para castigar a los que las infringen se han instituído los tribunales de justicia.

Las leyes de tu país te reconocen, como a todos tus conciudadanos, ciertos derechos, a la vez que te imponen ciertos deberes.

Estos últimos son pocos: te obligan a defender la Patria con las armas, cuando seas llamado por la ley, y a contribuir, en proporción de tus haberes, para los gastos del Estado, de la Provincia y del Municipio. Quedas obligado asimismo a acatar las leyes vigentes y las que emanen de legítima autoridad, así como las ordenanzas municipales de la población en que vivas.

A cambio de estos deberes, las mismas leyes te garantizan el goce de varios derechos, como son: el disfrute de la libertad, mientras no des motivo para que se te coarte o prive de ella, lo cual sólo podrá hacerse en virtud de mandamiento de juez competente; la inviolabilidad de tu domicilio y de tu correspondencia, a no ser con motivo justificado; el respeto y protección a tu propiedad; la tolerancia a tus opiniones religiosas; la libre elección y estudio de tu profesión; la facultad de fundar establecimientos docentes con arreglo a las leyes; la libre emisión de tus ideas y opiniones; la libertad de reunión y de asociación pacífica para los fines de la vida humana; la facultad de dirigir peticiones a las autoridades; el derecho de admisión a los empleos y cargos públicos, según tu mérito y capacidad.

Es evidente, pues, que hay una mutua correspondencia, una justa reciprocidad entre los deberes de los unos y los derechos de los otros. Cualquier derecho que tú tengas obliga a los demás a respetarlo, del mismo modo que quedas tú obligado a respetar los derechos de los demás.

Fíjate en el mecanismo de un reloj y verás cómo funciona mediante el engranaje de sus ruedas. Todas, mayores o menores, están provistas de dientes y de muescas que encajan las unas en las otras. Si no estuviesen perfectamente ajustadas, no funcionaría el mecanismo. De igual modo, en toda nación, son los ciudadanos como ruedas dentadas: los dientes de cada una, que son los *derechos*, engranan con las muescas de las otras, que son los *deberes*. Muévense las ruedas merced al impulso inicial de un muelle, que es el *procomún*, y regula su movimiento un escape, que es la *ley*.

En la fiel observancia del principio moral antedicho, la reciprocidad, estriban el orden, la paz y la justicia: tres condiciones esencialísimas para la bienandanza de un pueblo. Los trastornos, los atropellos y las guerras provienen siempre del quebrantamiento de ese principio.

Queda sentado que los derechos y deberes de los ciudadanos se regulan por medio de leyes, y que a estas leyes están sometidos así los particulares como los mismos jueces que las administran, las autoridades y los funcionarios públicos.

Por lo tanto, el civismo, o sea el interés tuyo y de todos que llamamos procomún, te obliga no sólo a respetar las leyes, sino a exigir que las cumplan tus conciudadanos, y hasta los mismos jueces, autoridades y funcionarios. El patriota irlandés Curran repetía en sus discursos esta frase: "El precio de la libertad es una eterna vigilancia."

Sí; vigilancia para que no se dicten leyes injustas; vigilancia para que las justas no se tuerzan; vigilancia para que se cumplan las buenas y se deroguen las malas;

vigilancia para que la justicia se administre con estricta imparcialidad; vigilancia para evitar que las autoridades cometan abusos y los funcionarios públicos prevariquen; vigilancia, en fin, para que ningún ciudadano infrinja la ley en perjuicio de los demás o contravenga las ordenanzas municipales causando daños y molestias a los vecinos.

Cuando un pueblo sabe cumplir sus deberes y defender sus derechos, da muestras de virilidad, de fortaleza, de estar poseído de un espíritu justiciero; en una palabra: de verdadero civismo.

Sin preocuparte del "¿qué dirán?", ten, pues, el valor moral de protestar enérgicamente contra cualquier hecho que sea atentatorio a las leyes, a la moral o a la recta administración de justicia.

Vela, sobre todo, por la pureza de esta última institución, que es base y asiento de todas las otras. Flaquea y se tambalea un Estado cuando está carcomido y corrompida esa base por el soborno, el interés personal o las poderosas influencias que se hacen pesar sobre tribunales y juzgados.

Platón, en su *Diálogo sobre la República*, pone en boca de Sócrates estas palabras: "La justicia es la virtud que contiene a cada ciudadano en los límites de su deber, y anda a la par con la prudencia, la fortaleza y la templanza, en orden a la perfección de la sociedad civil. Ella impide que nadie se apodere de los bienes de otro o que sea despojado de los suyos; esto es, le asegura a cada uno su propiedad y el libre ejercicio del empleo que le corresponde."

No te dejes alucinar por la reputación del orador político de fácil palabra, como no haya demostrado tener otros méritos más positivos que su excesiva facundia y brillante fantasía. "Hombre que mucho habla, mucho yerra", dice el refrán, y para ser buen gobernante, buen legislador, buen administrador; para desempeñar los altos cargos de la política de un modo provechoso para el país, convienen hombres serios, de seso, de acción, y no los simplemente atacados de verborrea.

En un banco, en una gran casa de comercio, en un importante establecimiento industrial, ha de haber al frente, para dirigir las operaciones o los negocios, hombres de gran capacidad, de experiencia en el ramo a que se dedican y de una acrisolada honradez, y ¿acaso una nación no es un vasto establecimiento bancario, agrícola, comercial, fabril y minero, cuyos inmensos intereses, operaciones y negocios requieren todavía mayor aptitud, mayor pericia, mayor previsión y mayor integridad en los altos funcionarios a quienes están encomendados?

La política es algo más serio y más grave que la distribución de destinos, el trasiego de empleados y funcionarios o la chismografía que a ellos se refiere. Siendo a la vez la ciencia que más variados conocimientos exige y el arte que mayor pericia requiere, verás que, por desgracia y malaventura del país, a ella se dedican y la convierten en granjería para su propio provecho muchos hombres de escasa ilustración, de menguada experiencia y de aviesas intenciones.

Semejantes individuos son los causantes de lo que ha llamado un periodista "las veleidades, farsas, cuquerías, imposturas y vaniloquios de que tan pródiga se muestra en estos tiempos la política".

Guárdate de alentar con tu sufragio a esa ralea. Y procura, cuando seas mayor, combatir con todas tus fuerzas

y energías el caciquismo, el nepotismo y
el favoritismo, tres plagas que causan en
un país más daño que la cizaña en un
trigal.

Es un error en que muchos caen el
pensar que un solo individuo poco o nada
puede influir en la suerte o los destinos
de una nación. Sabe Dios adónde pueden
llevarte tu talento, tus empeños, tu fuerza de voluntad y el saber aprovechar las
oportunidades que se te presenten.

Cuando el niño Bonaparte dirigía a
sus compañeros de juego en las pedreas
que armaban en las afueras de Ajaccio,

Cuando el niño Bonaparte dirigía a sus compañeros
de juego en las pedreas...

¿quién podía pensar que algunos años más tarde llegaría aquel chicuelo a poner en jaque, al frente de un poderoso ejército, a todos los soberanos de Europa? ¿Cómo podían sospechar los estudiantes de Derecho de la Universidad de Göttingen, en 1832, que su compañero de aula Otto Bismarck, hijo de un capitán, llegaría, cuarenta años después, a unificar el imperio de Alemania y a dictar desde su cancillería la política de Europa?

Bismarck

Por modesta que sea tu posición y tu entidad, piensa que en el lugar que ocupas en la trabazón social puedes hacer un bien ó puedes causar un daño. Un mero tornillo que se afloje en una armadura de hierro puede debilitar y hacer que se desplome una techumbre. En la gran fábrica social, cada individuo es como una piedra o un ladrillo colocado en los cimientos o en las paredes. Unido a los demás, contribuye a la solidez del edificio; pero, si se desmenuza o se zafa, la oquedad puede hacer flaquear y desmoronarse el muro.

El *Romancero del Cid* lo dice de esta suerte:

"Que de un edificio grande,
si se le rompe una piedra,
por sólo su desencaje
se suele venir a tierra."

El descuido de un centinela puede poner en peligro a todo un campamento, y cuentan que, por habérsele desprendido a un caballo una herradura, fué derrotado un ejército.

De gran importancia, como ves, para lograr esa unión que da la fuerza, es saber mantenerse cada uno firme en su puesto, con ese "tacto de codos" que emplean los soldados para que no se rompan las filas.

No me cansaré de repetirte que la primera obligación que impone el civismo a los ciudadanos, en justa compensación de sus derechos, es la obediencia a las leyes.

Este deber lo comprendían y cumplían muy bien los espartanos. Así, cuando alguien dijo que Esparta se había salvado por sus reyes, que sabían mandar, replicó Teopompo: "Decid más bien por sus ciudadanos, que saben obedecer."

Pero esencial condición es también saber mandar. Así, pues, si algún día llegases a desempeñar un cargo público, sea el que fuere, haz que todos tus actos se inspiren en un espíritu de justicia; se ajusten a una línea de rectitud; obedezcan a un solo móvil: tu conciencia, y se encaminen a un solo fin: el bien de tu Patria.

Pero no debes esperar a que llegue ese caso. La misma norma de conducta debes seguir como simple ciudadano, en todos los actos de tu vida, ya sea pública o privada, y en eso estriba el verdadero civismo.

Empieza a manifestarlo mostrando amor a la población en que resides; obedeciendo tú y exigiendo que obedezcan tus vecinos las ordenanzas municipales; vigilando por el estricto cumplimiento de las leyes de sanidad e higiene, que son salvaguardia de la salud pública, a la que llamaban los romanos "suprema ley"; interesándote

vivamente por la limpieza, el ornato y embellecimiento de
sus calles, paseos y edificios; velando por que estén bien
atendidos los servicios públicos; haciendo sonar tu indig-
nada protesta contra cualquier abuso, vejamen, extorsión,
chanchullo o despilfarro que cometa o autorice el Ayuntamiento o alguno de los concejales.

Así se practica el civismo en aquellos pueblos que tienen empeño en estar bien regidos y administrados. Los
que no lo hacen, los ciudadanos que se encogen de hom-
bros y ven con indiferencia o sufren con resignación los
atropellos o el abandono municipal de que son víctimas,
merecen el dictado de parias y no tienen derecho a lamentarse del Ayuntamiento que padecen.

La libertad es el derecho de hacer todo aquello que no pueda perjudicar a otro...

La libertad civil consiste en la facultad de ejecutar todos
los actos y transacciones no contrarios a la moral...

La política es una ciencia que tiene por objeto la felicidad
de los hombres por medio del gobierno, la justicia y la defensa
exterior...

Son necesarios siempre hombres nuevos en un gobierno nuevo. — VILLIAUME.

La libertad consiste en poder hacer todo aquello que no está
prohibido por las leyes. — CICERÓN.

Sin orden no hay obediencia a las leyes y sin obediencia a
las leyes no hay libertad, porque la verdadera libertad consiste
en ser esclavo de la ley. — BALMES.

La libertad es igual en todos los hombres: no tiene en cada uno por límite sino la de los demás. — PI Y MARGALL.

La libertad es el instrumento que puso Dios en manos del hombre para que realizase su destino. — CASTELAR.

No es la forma de gobierno lo que constituye la felicidad de una nación, sino las virtudes de los jefes y de los magistrados. — ARISTÓTELES.

No puede perdurar la república donde no se da castigo a los malos ni honra a los buenos. — ANTÍSTENES.

Los que velan por la paz y las libertades públicas merecen que la Patria los coloque en el templo de la inmortalidad. — CONDE DE ARANDA.

La mejor guía del entendimiento práctico es la moral. En el gobierno de las naciones, la política pequeña es la política de los intereses bastardos, de las intrigas, de la corrupción; la política grande es la política de la conveniencia pública, de la razón, del derecho. — BALMES.

No es digno de mandar a los otros hombres aquel que no es mejor que ellos. — CIRO.

Cerremos el pasado. Hombres nuevos para cosas nuevas. — LARRA (Fígaro).

La república se salvará cuando al consejo de los ancianos se junte la fuerza de los jóvenes. — ESQUINES.

No esperemos a ser ricos para ser fuertes: es preciso ser fuertes para ser ricos. — BISMARCK.

En la lucha entre sociedades religiosas y heroicas con sociedades tan racionalistas y calculadoras que sus miembros no pueden decidirse ni a defenderlas con las armas ni a perpetuarlas con la maternidad, no cabe duda de que las últimas tendrán que sucumbir. — RAMIRO DE MAEZTU.

# Capítulo XII

# LA VOLUNTAD

Dinámica latente. — Es preciso excitarla. — Ejemplos de enérgica voluntad. Con ella se vencen las dificultades. — Ha de ser sostenida por el trabajo y la perseverancia. — Experimentos de sugestión y de autosugestión.

Hay en nosotros, esto es, hay en ti y en cada muchacho, como hay en todos los hombres, una fuerza escondida, una energía latente que se llama *voluntad*.

Con razón la califica de *potencia* el Catecismo, porque realmente tiene un gran poder.

Pero esa fuerza, esa energía está dormida: hay que despertarla.

Tú sabes que con los ejercicios corporales en el gimnasio se desarrolla la musculatura y adquieren los brazos y las piernas una resistencia y una fuerza asombrosas.

Muchachos endebles han llegado a ser, al cabo de algún tiempo, merced a la gimnasia, verdaderos atletas.

El griego Laomedonte, para curarse una enfermedad del bazo, se dió a andar mucho, y con la constancia en tan penoso ejercicio adquirió tal robustez, que concurrió a los certámenes gimnásticos y fué uno de los que más se distinguieron en la carrera.

Pero ese desarrollo muscular no se alcanza de improviso. Se necesita un ejercicio moderado, pero constante, diario, hecho con entusiasmo y perseverancia.

Pues exactamente del mismo modo se adquiere el desarrollo de esa otra fuerza que se llama voluntad.

Y si es deseable para un hombre el ser forzudo y vigoroso de cuerpo, muchísimo más le conviene, para las luchas que le esperan en la vida, la adquisición y el desarrollo en toda su plenitud de esa otra fuerza espiritual que lleva consigo la voluntad bien dirigida.

Porque los empleos, los éxitos, las riquezas, los honores no se los disputan los hombres con la fuerza de sus puños, sino con la fuerza de la voluntad que, como ha dicho Buffon, "puede más que todas las otras cuando la dirigimos con inteligencia".

Por lo expuesto comprenderás cuán necesario te es despertar tu voluntad, desarrollarla por medio del ejercicio y dirigirla hacia el bien.

Para lograrlo conviene que cada día te hagas un propósito y lo ejecutes. Principia hoy mismo; ahora, en este instante. Suspende por un momento la lectura, reconcentra tu atención en ti mismo. Piensa qué es lo que puedes hacer que te sea algo costoso: una contrariedad personal, el sacrificio de un gusto, una buena acción, un deber que has dejado de cumplir por desidia, algo, en fin, que te suponga un esfuerzo, pero algo cuya realización valga la pena. Y en seguida imponte la obligación de ejecutar hoy mismo ese acto. Empeña tu palabra de honor contigo mismo y cúmplela como si se la hubieses dado a otra persona.

Después que hayas ejecutado tu determinación, sentirás el goce y la satisfacción del que ha ganado una victoria.

Pues bien, repite el experimento cada día, haciendo lo mismo u otra cosa, y verás cómo tu voluntad va robusteciéndose y adquiriendo cada día nueva fuerza.

Un amigo mío, que era inveterado fumador, un día antes de acabar un cigarro lo tiró al arroyo diciendo: "Parece mentira que me esclavice el humo cuando no me dejo dominar por ningún hombre." Y desde aquel día no ha vuelto a fumar.

Este no es un caso insólito. Conozco a otros hombres que con un simple acto de voluntad han sabido dominar algún vicio o pasión funesta.

Te indicaré asimismo un procedimiento que recomienda el doctor Félix Regnault para reforzar la voluntad. Consiste en escribir con frecuencia en una hoja de papel y tenerlo constantemente a la vista en la mesa de estudio y en la alcoba, para que se graben bien en la memoria, leyéndolas y pensando en ellas, las siguientes frases:

*Tengo voluntad.*
*Hago lo que ella me ordena.*
*No cejo en mis propósitos.*
*Llevo a cabo lo que empiezo.*
*Mi voluntad me conducirá al éxito.*

Pero sin necesidad de escribir y ponerse delante esa pauta han sabido muchos hombres vencer terribles obstáculos, realizar grandes empresas y ver coronadas por el éxito grandiosas obras.

Impelido por una voluntad decidida, cruzó Julio César el Rubicón contra el mandato de Roma y pudo llegar hasta vestir la púrpura. Así también pudo Aníbal, perdiendo la mitad de su ejército, transponer los Alpes cubiertos de nieve y de enemigos, para ir a derrotar las legiones romanas. Así Colón, sin desalentarse por desaires y contrariedades, se lanzó a un mar desconocido y descubrió el nuevo mundo. Así Hernán Cortés, decidido a no retroceder en su empresa, quemó las naves que lo llevaron a Méjico, y con un puñado de hombres conquistó aquel imperio.

Demóstenes

Ahí tienes unos cuantos ejemplos notables de voluntad firme y decidida y de éxitos brillantes.

No quiere esto decir que debas lanzarte tú a empresas y conquistas de ese género. Hay otros modos y otros caminos por donde te es dado dirigir la voluntad.

Uno de los empleos más útiles que puedes hacer de ella es para corregir tus propios defectos, así físicos como morales.

Para que veas de lo que es capaz una fuerza de voluntad sostenida y empeñada en corregir defectos de la naturaleza, te citaré el ejemplo que nos ofrece Demóstenes, el gran orador ateniense, según lo refiere Plutarco en sus *Vidas paralelas*.

Oyendo un día al orador Calistrato pronunciar un discurso que fué muy celebrado por el público, se excitó de tal modo en Demóstenes el deseo de gloria, que, dando de mano a las demás enseñanzas y ocupaciones juveniles, púsose a trabajar con empeño para llegar a ser orador. No le favorecía su naturaleza delicada y enfermiza, y menos aún su escasa voz, su falta de aliento para terminar largos períodos sin cortarlos y, sobre todo, la torpeza de su lengua, que le hacía tartamudear en algunas palabras.

Esto le valió la rechifla y el abucheo de las gentes las primeras veces que habló en público, y tan corrido quedó en una de ellas, que se retiró alicaído tapándose la cabeza con la clámide.

Aleccionado por un actor llamado Sátiro, pronto "se convenció de que el esmero en la composición de poco sirve si el orador se descuida en la pronunciación y en los ademanes. En consecuencia de esto se hizo construir en el sótano de su casa un estudio, y allí se ejercitaba en formar y variar tanto la acción como el tono de la voz, y muchas veces pasó encerrado dos y tres meses continuos, afeitándose un lado de la cabeza para no poder salir aunque quisiera.

"Para remediar los defectos físicos empleó, además, otros medios, como el ponerse guijas en la boca y pronunciar así largos períodos para corregir su tartamudez, y ejercitar la voz en el campo, corriendo y subiendo empinadas cuestas, mientras recitaba trozos de prosa o algunos versos con aliento cansado; y, finalmente, poníase a declamar sus discursos mirándose en un espejo, para poder ver y corregir sus ademanes."

A estos ejercicios y a su incansable trabajo en estudiar los asuntos de que iba a tratar, y en componer por escrito y pulir sus discursos, debió Demóstenes la fama, que nadie ha eclipsado, de ser el más grande y elocuente de los oradores. Todo debido a la firme determinación de llegar a serlo, sostenida y alentada por su fuerza de voluntad y su trabajo en vencer todos los obstáculos.

Es de notar que de poco vale una volición si no es decidida y persistente y no va acompañada del trabajo. Sin estas condiciones, ni la Historia tendría gloriosos hechos que relatar, ni hubieran legado sus nombres a la posteridad los héroes, los grandes inventores y los genios que celebra la Fama.

¿Has visto forjar el hierro? ¿Te has fijado en que el herrero con una mano coloca una barra candente por un extremo sobre el yunque, y con la otra maneja un mazo que se llama "macho"? ¿Has observado cómo batiendo con fuerza y repetidas veces la barra con el macho la aplasta, la ensancha, la encorva, la redondea y forma con ella la labor que se le antoja?

Pues hazte cargo que la voluntad bien dirigida viene a ser como el macho en manos del herrero. Tiene que batir y batir, y batir muchas veces para lograr lo que se propone.

Dijo Ovidio: "Las gotas de agua horadan una peña, no por su fuerza, sino por la frecuencia con que caen."

Otra condición que necesita la voluntad para lograr el éxito es no arredrarse ni cejar ante ningún obstáculo por grande que sea.

Ha de ser como el viento que, aunque invisible y sutil, cuando embiste con fuerza arranca árboles de cuajo y destecha edificios. Ha de ser como el mar, que, aunque es líquido elemento, con los repetidos embates de las olas resquebraja peñascos y derrumba escolleras.

¡Si supieses cuánta labor, cuántos experimentos, cuántas privaciones, cuántos sacrificios costó a Bernard Palissy el descubrimiento del secreto de dar a la loza el esmalte metálico! Era Palissy un artífice francés del siglo XVI, y al ver unos hermosos ejemplares de mayólica procedentes de Italia, donde se había perdido ya el secreto del arte que allí creó el famoso Lucca della Robia, se propuso descubrirlo, y con una fuerza de voluntad indómita se dedicó a hacer experimentos en su horno *por espacio de dieciséis años*, pasando él y su familia en ese tiempo tantas privaciones, que para mantener el horno encendido, gastados ya todos sus recursos, llegó a usar como combus-

Palissy llegó a usar como combustible los muebles de su casa

tible los muebles y hasta el entarimado de su casa. Pero triunfó su voluntad: al fin descubrió el secreto, y tan primorosas obras salieron de sus manos, que el rey Francisco I le nombró vajillero real.

Otro ejemplo más reciente puedo citarte de lo que puede la voluntad que persigue un alto ideal cuando con el trabajo y la perseverancia se abre camino para llegar a él sin desmayar ante los obstáculos.

Ricardo Wágner. ¡El gran maestro, el genio inmortal, el coloso del arte lírico!

¡Qué decepciones, qué de contrariedades, qué de burlas, qué de amarguras no sufrió en los comienzos de su carrera artística! Sus primeras obras o fueron desechadas o fracasaron en la ejecución. Para no morir de hambre en París, donde no logró que se representaran las primeras óperas que compuso, tuvo que dedicarse a hacer reducciones y arreglos para toda clase de instrumentos, de óperas sin mérito que estaban de moda.

Ricardo Wágner

Pero a pesar de los fracasos y de las desilusiones que encontró en París, nunca dejó de trabajar con fe, puesta su esperanza en el triunfo, y cuando pudo reunir los recursos necesarios dejó aquella "ciudad llena de enormidad, de brillo y de cieno", como él mismo llamó a la capital de Francia. Después de las miserias y penas sufridas en ella, regresó a Alemania con la ambición y la firme voluntad de hacerse un nombre en el arte.

Treinta años tenía cuando empezó a tocar el fruto de su ímproba labor, y desde entonces fué creciendo y creciendo su figura merced a su constante y progresivo trabajo, que le ha llevado al pináculo de la gloria.

¿Ves cómo la voluntad es un poderoso talismán parecido a la sortija y a la lámpara maravillosa de Aladino que, restregándolas, le hacían dueño de inmensas riquezas y esplendorosos palacios?

Pues para que obre prodigios tu voluntad es indispensable que la restriegues también, a fin de que despierte y se ponga en movimiento.

Gustavo Lebon y otros físicos modernos han deducido, de varias experiencias, que en todo cuerpo o materia en estado de reposo hay, como almacenada, una gran energía inerte, capaz de desarrollarse cuando sus átomos se agitan y ponen en movimiento. Lo mismo acontece con las manifestaciones del espíritu.

Como ilustración de lo que puede lograrse excitando energías latentes en la materia, voy a explicarte un fenómeno que descubrió en el año 1727 un físico inglés, míster Stephen Gray, y que tú puedes observar también haciendo el mismo experimento.

Cogió míster Gray un tubo de vidrio, lo frotó con un pedazo de lana y comprobó que, en efecto, como ya se sabía, el tubo atraía algunos objetos ligeros. Ocurriósele entonces tapar el tubo con corchos por ambos orificios, y vió que después de frotar el tubo los corchos adquirían igual poder de atracción. Substituyó los corchos por trozos de metal y con éstos se repitió el fenómeno; Gray colocó entonces un hilo de metal largo, y también por su extremo atraía los cuerpos ligeros. Substituyó por otro más largo todavía y sucedió lo mismo. Subió al último piso de su casa, puso un alambre que por el hueco de la escalera llegaba hasta el suelo, frotó el tubo; un amigo suyo acercó cuerpecillos al extremo del alambre e igualmente fueron atraídos.

Esa fué la revelación de que la electricidad es una energía que puede transmitirse a largas distancias: ése fué el primer augurio del telégrafo eléctrico.

Una energía parecida e igualmente conductible y transmisible es la voluntad.

Otro experimento muy interesante, que pueden hacer en un salón unos cuantos muchachos serios, demostrará cómo la voluntad puede transmitirse a otros individuos, sin hilos conductores y sin contacto, como se transmite hoy la electricidad de una a otra antena a través del espacio por el sistema Marconi.

Colócanse sentadas en ruedo seis u ocho personas, las cuales convienen en que otra, que se ha alejado a suficiente distancia para no enterarse, ejecute tal o cual acto; verbigracia: coger un libro y abrirlo; sentarse sobre una mesa; poner la mano sobre el hombro de alguno de los presentes, etc. Una vez convenidos todos, entra el ejecutante y se coloca de pie en el centro del ruedo sin tratar de adivinar lo que debe hacer, sino poniendo su mente en actitud pasiva y haciendo aquello a que se sienta impulsado. Entonces todas las personas que forman el ruedo deben, mentalmente, sin hacer el menor gesto ni decir una palabra, imponerle su voluntad de que ejecute el acto convenido como si fuese un mandato. Y si nadie se distrae y todos concentran su atención y voluntad en aquel mandato, la persona que está en el centro, hacia la que convergen las voluntades, acaba por hacer inconscientemente lo que mentalmente se le ordena.

Esto es lo que se llama "sugestión", y a veces basta una sola persona, cuando es muy activa la energía de su voluntad, para hacer que otra diga o ejecute lo que a aquélla se le antoja.

Esto te indica hasta dónde puede llegar la fuerza de la voluntad cuando se la ejercita y desarrolla. A ella deben muchos hombres el dominio que tienen sobre otros. Son como esas baterías acumuladoras que tienen, como almacenada, una fuerte carga de energía eléctrica.

Comprenderás la inmensa importancia que tiene la voluntad en la vida del hombre cuando te fijes en que es el resorte que mueve todas las acciones humanas, como la voluntad de Dios es la que rige los movimientos de los astros.

Sin la voluntad no hay trabajo, no hay ahorro, no hay caridad, no hay ambición, no hay carácter, no hay virtud.

Pero conviene no confundir la voluntad con la voluntariedad, que es la inclinación a obrar irreflexivamente, por capricho o por ciego impulso. Esto lo hacen los niños, los ignorantes y las personas mal educadas y antojadizas.

La voluntad se educa lo mismo que el gusto, y la que el hombre de carácter debe cultivar es únicamente la voluntad que aspira a acciones nobles y elevados fines.

Toda volición o acto de voluntad, para ser eficaz, tiene que pasar por cuatro estados, tres mentales y uno de acción, a saber:

Atención concentrada en una idea.

Autosugestión, o sea la formación de un propósito.

Determinación de llevarlo a cabo.

Ejecución del mismo.

Haz una prueba: concentra tu atención en alguna buena idea que te sugiera algún noble propósito, hazte la firme resolución de ejecutarlo y no cejes ni desmayes en tu intento hasta haberlo realizado.

No se mueve la hoja en el árbol sin la voluntad de Dios. — CERVANTES.

Nada hay bueno ni malo excepto en la voluntad. — EPIC TETO.

Aun cuando el esfuerzo de hacer algo bueno falle, es laudable la voluntad. — OVIDIO.

Quien no puede lo que quiere, quiera lo que pueda. — LEONARDO DE VINCI.

Dijo el Creador al Hombre: "Señor has de ser de todas las cosas creadas, pero no esclavo de ellas: que te sigan, no te arrastren." Con la sabiduría se consigue el bien obrar, que ilustrado una vez el entendimiento, con facilidad endereza la ciega voluntad. — GRACIÁN.

El hombre superior hace la fortuna; conocedor de las circunstancias que se oponen al logro de sus planes, las esquiva o las dirige y las domina. — MARIANO JOSÉ DE LARRA *(Fígaro)*.

La palabra *imposible* no está en mi vocabulario. — NAPOLEÓN I.

Napoleón I fué un ejemplo de la Voluntad egoísta y corrompida. Jesucristo realiza la perfección de la Voluntad pura. — Cuanto más puro sea el móvil, más pura será la voluntad; y la más pura será la más fuerte y la más firme. — CHARLES LELAND.

Una voluntad enérgica es el alma de todos los grandes caracteres. Donde ella se encuentra hay vida; donde ella no existe, únicamente hay debilidad, impotencia y desaliento. — SAMUEL SMILES.

Conciencia tranquila, designio premeditado, voluntad firme: he aquí las condiciones para llevar a cabo las empresas. — BALMES.

El que sincerament lo desee puede dirigir su voluntad ejercitándola, y el que puede gobernar su voluntad es mil veces más afortunado que si pudiese gobernar el mundo. — CHARLES LELAND.

# Capítulo XIII

## EL CARÁCTER

En qué consiste. — Cómo se forma. — El escultor y el busto de Sócrates. — Carácter del gran filósofo. — Ejemplo de Carondas, de Arístides, de Platón, del Cid Campeador y de Churruca.

Quiero llevarte al estudio de un escultor amigo mío...

Estamos ya en su jardín, y, por la puerta entreabierta, puedes verle trabajando, de pie junto a su caballete.

Observa bien sus movimientos. De un montón de barro de plasmar que tiene al lado va cogiendo unos puñados, que coloca sobre el tablero giratorio del caballete hasta formar una a modo de bola del tamaño de una gran cabeza.

Luego, con unos palillos de boj y otros de alambre, va quitando, de aquí y de allá, parte del barro de la bola, hasta darle realmente la forma de una cabeza. Los trozos que quita, y que amasa con los dedos, los coloca en distintas partes de la cabeza, y ora con el pulgar, ora con los palillos, va formando la nariz, las orejas, el cabello, la barba y el bigote del busto que modela.

Todavía no podemos adivinar la individualidad que representará ese busto. La masa de barro sólo nos da indicios, por la barba y el cabello, de que será la efigie de un varón; pero todavía no están marcadas las facciones que nos revelen si ese varón es un joven o un viejo, un filósofo o un guerrero, sayón feroz y ceñudo o un humilde y piadoso anacoreta.

Aguarda... Mira con qué destreza el artista, con una pulgarada aquí y un toque de palillo allá, va dando expresión y vida a lo que antes era una masa informe. Ya las arrugas que surcan la noble y despejada frente nos anuncian que el busto es de un respetable anciano. Ya los labios predican con muda elocuencia una firme determinación.

El artista se separa del caballete para contemplar de lejos su obra. Entremos y sabremos a quién representa el busto.

—Es Sócrates —nos dice el artista—. Todavía tengo que darle algunos toques, algunos golpecitos y raspaduras acá y allá para darle carácter.

Ya oyes: para que el busto tenga *carácter* necesita unos cuantos *toques, golpecitos y raspaduras.*

Así es el hombre. Para formarse el carácter tienen que irse raspando ciertos defectos, recibir golpes de la adversidad y dar a su educación algunos toques.

Me preguntas: "¿En qué consiste, pues, el carácter?"

La feliz combinación de rayas regulares y bellas facciones es lo que llamamos hermosura; el conjunto de nobles cualidades y rasgos morales en un individuo es lo que constituye el carácter.

Habrás notado que la efigie de Sócrates no es la de un hombre hermoso. No lo era el gran filósofo y, sin embargo, pocos ejemplares que le aventajen, en punto a carácter nos presenta la historia de la humanidad. Y es que, como decía Séneca: "De la más humilde choza puede salir un héroe, y del cuerpo más deforme, el alma más bella."

Y tan bella era el alma de Sócrates, tan noble su carácter, tan sublime su doctrina, que Erasmo decía que la veneración que le inspiraba tentábale a rezarle como se reza a un santo.

Para que veas que no era exagerada la opinión de Erasmo, voy a trazarte a grandes rasgos la fisonomía moral de Sócrates, o lo que es lo mismo, su carácter.

Nació cerca de Atenas, de padres de baja esfera: su madre era comadrona, y Sofronisco, su padre, escultor, arte a que se dedicó también el joven Sócrates para ganarse el sustento mientras estudiaba filosofía, y se le atribuye un grupo de las Tres Gracias, vestidas, que adornaba la ciudadela de Atenas.

Tuvo después varios maestros de filosofía, de oratoria, de poesía, de geometría y de música.

Llamado a las armas, fué en una expedición con Alcibíades, y distinguióse en el sitio de Potidea no tan sólo por su valor, sino por su gran temple y sobriedad, pues andaba a pie descalzo sobre los hielos y no se resguardaba del frío, endureciendo así su naturaleza.

En una batalla vió caer a Alcibíades herido, y él, poniéndose al frente del ejército, ganó la victoria; no obstante, rogó a los jueces que diesen el premio y la gloria del triunfo a Alcibíades, con lo cual mostraba su magnanimidad.

A la edad de sesenta años fué elegido senador; pero desencantado de la política, y no queriendo cohonestar injusticias, se retiró y decidió dedicarse a la enseñanza de la filosofía, pública y gratuitamente, al aire libre.

Predicaba la analogía que reina entre la perfección

moral (bondad) y la perfección física o natural (hermosura), analogía que constituye la simetría. Por esto veía en los rasgos de la fisonomía una señal exterior del carácter, y por esto mi amigo el escultor se esmera en que exprese carácter el busto de Sócrates. Precisamente la palabra *carácter* se deriva de una voz griega que significa "grabar", porque parece como si el carácter se grabase en las facciones.

Los sofistas trataron de desprestigiar a Sócrates, porque sus doctrinas religiosas estaban en contradicción con las creencias paganas y porque encarecía la sabiduría y la virtud, y, no obstante, afirmaba que él era más sabio que los otros, puesto que sabía que no sabía nada.

Enseñaba haciendo preguntas con aire de humildad y de ignorancia, convenciendo a su contrario con sus mismas respuestas.

Su oración favorita era: "Gran Dios, concédednos lo que nos conviene, ora os lo pidamos, ora no, y alejad de nosotros cuanto pueda hacernos daño, aunque os lo pidamos."

A los setenta años fué acusado por el envidioso Mileto de corromper a la juventud enseñándole a no reconocer los dioses del Estado, sino que pretendía estar inspirado por un dios desconocido. Él mismo pronunció su defensa; no obstante, por sólo un voto de mayoría, fué sentenciado a beber la cicuta, lo cual hizo con la mayor serenidad, sin querer eludir la pena con la fuga, como le proponía su amigo Critón.

A éste le decía: "Nunca debe cometerse una injusticia ni volver mal por mal, sea el que fuere el que se nos haya hecho... Si, llegado el momento de nuestra fuga, las leyes de la República, presentándose a nosotros, nos dijeran:

"Sócrates, ¿qué vas a hacer? Llevar tu proyecto a cabo ¿no equivaldría a destruir completamente, en cuanto de ti depende, las leyes de la República? ¿Crees que puede subsistir un Estado cuando en él carecen de fuerza las sentencias legales y cuando se desprecian y huellan por los particulares?... ¿Llamarías a eso justicia, tú que haces profesión de practicar la virtud?"

Y Sócrates, razonando así con gran entereza de carácter prefirió morir, tomando con estoica calma la cicuta, antes que faltar a las leyes.

Porque el hombre de carácter íntegro considera el respeto a la ley, aun cuando sea injusta, como el primer deber del ciudadano.

Había en Sicilia, siete siglos antes de la Era Cristiana, un legislador llamado Carondas, el cual dictó una ley que prohibía entrar con armas en la Asamblea del pueblo. Un día en que regresaba de dar persecución a unos bandidos, se presentó en la Asamblea sin acordarse de que llevaba la espada al cinto. Uno de los ciudadanos le dijo que violaba la ley que él mismo había dictado. A lo que él repuso: "Al contrario: voy a mostraros cómo yo mismo la cumplo." Y con su propia espada se quitó la vida.

No te asuste la idea de que para ser un hombre de carácter sea preciso darse la muerte como Sócrates o Carondas. En el modo de vivir es como se forma el carácter: corrigiendo tus defectos, refrenando tus pasiones; adquiriendo buenos hábitos; tomando como modelo a los hombres que han dejado fama de laboriosos, de honrados, de incorruptibles, de valientes, de celosos en el cumplimiento de sus deberes para con Dios, para con la Patria, para con la familia y para con el prójimo.

Dice Orison Swett Marden: "El mundo anda siempre en busca de hombres que no se vendan; de hombres honrados, sanos desde el centro a la periferia, íntegros hasta el fondo del corazón; hombres de conciencia fija e inmutable como la aguja que marca el norte; hombres que defiendan la razón, aunque los cielos caigan y la tierra tiemble; hombres que digan la verdad sin temor al mundo ni al demonio; hombres que no se jacten ni huyan, que no flaqueen ni vacilen; hombres que tengan valor sin necesidad de acicate; hombres que sepan lo que han de decir y lo digan, que sepan cuál es su puesto y lo ocupen; hombres que conozcan su negocio y lo atiendan; hombres que no mientan, ni se escurran, ni rezonguen; hombres que no sean demasiado holgazanes para trabajar ni demasiado orgullosos para ser pobres; hombres que quieran comer lo que han ganado y no deber lo que llevan puesto."

En las cosas más triviales de la vida puede mostrar el hombre su fuerza de carácter. Basta con inspirarse para cada acto en sentimientos de justicia, de rectitud y de veracidad.

"El que se esfuerza en cumplir con su deber a conciencia —dice Samuel Smiles—, llena ya el fin para que ha sido puesto en la tierra, y está poseído de los principios de un carácter viril."

Procura, pues, cumplir estrictamente tus deberes si aspiras a ser un hombre de carácter como lo fué otro ateniense, Arístides, a quien sus conciudadanos dieron el sobrenombre de "el Justo", y la posteridad, después de veinticinco siglos, aún le cita como modelo de virtudes y patriotismo.

Cuando Arístides era un muchacho como tú, se mostraba siempre firme en sus propósitos, inflexible en su rectitud y enemigo de la mentira, del engaño y de las chanzas de mal género, aun en los juegos con sus compañeros. Siempre fué la justicia la norma de su carácter, porque entendía "que el buen ciudadano debe poner empeño en decir y hacer únicamente cosas justas y honrosas".

Por las intrigas de su rival Temístocles, fué condenado por el pueblo al ostracismo, y se refiere de él un rasgo que da una idea de su carácter. Para desterrar a un ciudadano, escribían los atenienses en la concha de una ostra el nombre del individuo que se quería proscribir (y a esta práctica se dió el nombre de "ostracismo"), y el número de conchas suscriptas daba el resultado de la votación.

Pues bien: un hombre del pueblo, que no sabía escribir, se acercó en la calle a Arístides, sin conocerle, y le pidió que escribiese el nombre de Arístides en la concha que llevaba para votar.

—¿Te ha hecho Arístides algún daño? —le preguntó éste.

—No; ni siquiera le conozco —contestó el patán—. Pero me encocora oír que todo el mundo le llame "el Justo".

Y Arístides, sin replicar, escribió su nombre en la concha y se la entregó.

Seis años había estado en el destierro cuando Jerjes invadió la Grecia, y Arístides, olvidando todo motivo de rencor, y movido tan sólo por su patriotismo, corrió a ponerse al lado de Temístocles, que le había desterrado, para combatir juntos contra el enemigo.

"Olvidémonos —le dijo— de nuestra vana y juvenil discordia, y entablemos otra contienda más saludable y digna de loor disputándonos el honor de pelear por la

Grecia: tú como general y caudillo, yo como soldado y consejero."

Más tarde, siendo juez en un proceso por difamación, el denunciante, con objeto de congraciarse con Arístides, declaró que el acusado también había proferido contra él palabras injuriosas, y entonces dijo el juez en tono severo: "Limítate a declarar el daño que te ha hecho, que yo estoy aquí para hacerte a ti justicia y no para administrármela yo mismo."

Este virtuoso varón, no obstante haber manejado los caudales de la República, murió tan pobre, que el pueblo tuvo que sufragar su entierro y dotar a sus dos hijas.

Otro ejemplo de esa acrisolada lealtad, que parece ser innata en los hombres de carácter, los cuales saben sobreponerse a las mezquinas pasiones del rencor y la venganza, nos lo ofrece la noble conducta de Rodrigo Díaz de Vivar, llamado el Cid Campeador, cuando el rey don Alfonso IV, mal aconsejado por envidiosos cortesanos, le condenó a destierro.

Así como Arístides al salir desterrado de Atenas rogó a los dioses que no llegara ocasión de que sus conciudadanos tuviesen necesidad de acordarse de él, así el Cid, al despedirse del rey, le dijo :

> Obedezco la sentencia
> maguer que non soy culpado;
> pues es justo mande el Rey
> y que obedezca el vasallo.
> Y plegue a Nuestra Señora
> que vos faga aventurado,
> tal, que non echedes menos
> la mi espada ni el mi brazo.

Ofreció el Cid poner a disposición del rey, a pesar de lo injusto de su sentencia, cuantas tierras y castillos conquistase. No tuvo carácter el rey para sustraerse a la intriga de los infanzones, no obstante que les dijo al partir el Cid:

Hoy deja nuestras banderas
el hombre más animoso
que sangre de moros riega...
Alongado va al destierro,
y veo que en su presencia
es sólo un home que parte
y mil voluntades lleva...
¡Gran lidiador es el Cid!
¡Fuerte y noble en gran manera!

Tan fuerte y noble, que cumplió con creces lo ofrecido, pues como dice el *Romancero:*

Tanto pudo el gran valor
de aquel noble Cid honrado,
que en poco tiempo conquista
hasta Valencia llegando,
donde alcanzó gran tesoro;
y un gran presente ha enviado
al ingrato rey Alfonso,
de cien hermosos caballos,
todos con ricos jaeces
de diferentes bordados;
y cien moros, que los llevan
de las riendas, sus esclavos;
y cien llaves de las villas
y castillos que ha ganado,
y también al rey envía
cuatro reyes, sus vasallos.

Cuando el Cid volvió a Castilla, victorioso de las guerras con los moros, al entrar en el templo a dar gracias a Dios, desahogó su pecho de este modo:

¡Oh envidiosos castellanos,
cuán mal pagáis la defensa
que tuvisteis en mi espada
ensanchando vuestra cerca!
Veis, aquí os traigo ganado
otro reino y mil fronteras,
que os quiero dar tierras mías
aunque me echáis de las vuestras.
Pudiera dárselo a extraños;
mas para cosas tan feas
soy Rodrigo de Vivar,
castellano a las derechas.

Ya ves cómo el Cid, lo mismo que Sócrates y Arístides, no quería volver "mal por mal", sino que, por el contrario, como varón magnánimo, pagaba con un beneficio el daño recibido.

En el diálogo de los perros, de Cervantes, verás cómo Berganza le decía a su compañero Cipión que "la venganza pensada arguye crueldad y mal ánimo". Y si un perro no se venga nunca del castigo o de los malos tratos que recibe de su amo, no querrás tú ser menos que un perro

«Puedo vengarme fácilmente: pero bueno es poder y no hacerlo.»

vengándote de alguna mala pasada que te haga un compañero. Antes debes mostrar grandeza de ánimo, esto es, de carácter, perdonando la ofensa y teniendo presente aquella hermosa frase con que el rey Felipe el Hermoso replicó a un cortesano que le excitaba a tomar venganza de un enemigo: "Puedo vengarme fácilmente; pero bueno es poder y no hacerlo."

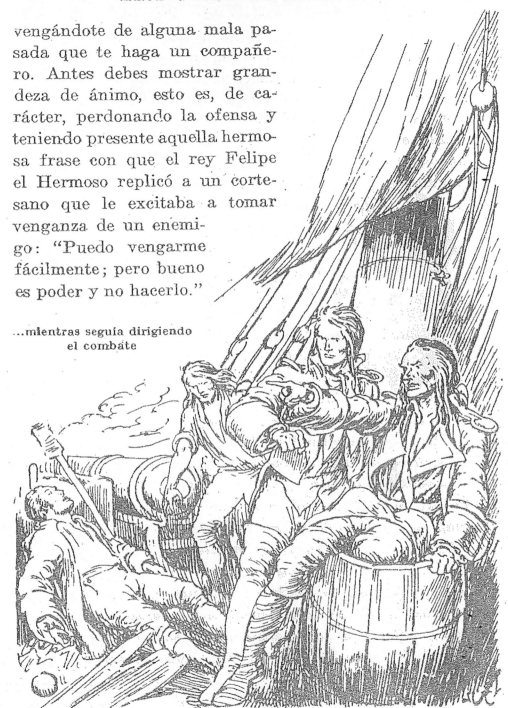

...mientras seguía dirigiendo
el combate

Platón, otro de los filósofos de gran carácter que nos presenta la historia de Grecia, también dió pruebas de saber dominarse en varias ocasiones. Una vez le dijo a un esclavo que había cometido una falta: "No te castigo porque estoy enojado." Y otra vez que levantó el brazo para castigar a otro esclavo, al darse cuenta de lo que hacía, se quedó inmóvil, con el brazo levantado. En aquel instante entró un amigo, quien al verle en aquella extraña postura le preguntó qué hacía, y el filósofo respondió: "Es un castigo que me impongo por haberme encolerizado."

El carácter no se improvisa: se va formando, poco a poco, a fuerza de actos de dominio sobre sí mismo que, con la acumulación, van redondeando nuestra índole, como se forma la bola de nieve con la aglomeración de muchos copos. Por esto conviene que desde muchacho vayas adquiriendo el hábito de vencer cualquier tentación o impulso de hacer una cosa que tu conciencia sospeche que se aparta de la rectitud. "En la duda, abstente."

Robert Browning ha dicho: "Cuando la lucha empieza dentro de uno mismo es cuando el hombre vale algo".

Acostúmbrate a ser veraz y a no tolerar la mentira; gózate en el cumplimiento de tus deberes como una acción meritoria; no te dejes desviar del camino recto por dádivas, por interés ni por amenazas; considera la honradez como una joya de gran valía, y no permitas que nadie te la robe; ama la justicia y la equidad y procura ajustar a ellas todos tus actos; cumple tu palabra y tus ofrecimientos, aunque sea a costa de un sacrificio; ten el valor moral de reconocer tus faltas y tus errores y suficiente energía para enmendarlos. Si todo esto hicieres, serás un hombre de carácter, y podrá decirse de ti lo que del "va-

rón justo y tenaz en su propósito" que pone Horacio
como modelo, a quien no arredraba ni el furor del pueblo, ni el rigor del tirano, ni las borrascas del mar, ni
los rayos del cielo, y el cual, "si se resquebrase y hun-
diese el orbe, se mantendría impávido entre sus ruinas".

Varón de este temple fué el insigne marino Cosme
Damián de Churruca, el cual, al zar-
par de Cádiz, antes del combate de
Trafalgar, escribió a un amigo: "Si
oye usted que ha sido tomado mi na-
vío, crea usted firmemente que he
muerto."

Por desgracia se realizó su vatici-
nio. En aquella gloriosa, aunque de-
sastrosa jornada, mandando Churruca
el *San Juan Nepomuceno,* después de
sostener un combate durante siete horas contra seis navíos ingleses, entre
la más espantosa carnicería, mandó

Churruca

clavar en lo alto del mástil la bandera para indicar que
el buque no se rendía. Una bala de cañón le llevó una
pierna, y Churruca, sin desmayar ni dar muestras de
dolor, mandó traer un barril de harina, y en ella colocó
él mismo el muñón tronchado para restañar la sangre,
mientras seguía dirigiendo el combate.

Espíritus de esta fortaleza, caracteres de este temple
no son lampos fugaces: a través de la edades sirven de
guía a la juventud para que siga sin desviarse la ruta del
deber y del honor.

El carácter es una voluntad desarrollada. — HARDENBERG.

En un libro habla el entendimiento; en la fisonomía se revela el alma. — V. DURUY.

Tu discurso está escrito en tu frente: lo he leído antes de que hables. — MARCO AURELIO.

El ser de mayor importancia en el mundo es el hombre, y la cosa más importante en el hombre es la fuerza potencial que reside en su carácter. — WILLIAM T. STEAD.

Es el carácter una de las fuerzas motrices más grandes que existen en el mundo, y en sus rasgos más nobles representa la naturaleza humana en toda su grandeza, porque nos muestra al hombre en su aspecto más favorable. — SAMUEL SMILES.

La educación, más que la naturaleza, es causa de la notable diferencia de caracteres que observamos en los hombres. — LORD CHESTERFIELD.

Un gran carácter, basado en la roca viva de los principios, no es un fenómeno aislado... Sobrevive al hombre que lo posee, sobrevive a su época; tal vez a su país y a su idioma. — ED. EVERETT.

El talento se cultiva en la soledad; el carácter se forma en las tempestuosas oleadas del mundo. — GOETHE.

Nunca muestra un hombre tan claramente su carácter como cuando describe el carácter de otro hombre. — JUAN PABLO RICHTER.

# CAPÍTULO XIV

# LA HONRADEZ

Una de las novelas ejemplares de Cervantes, *La gitanilla,* empieza con este exordio:

"Parece que los gitanos y gitanas solamente nacieron en el mundo para ser ladrones: nacen de padres ladrones, críanse con ladrones, estudian para ladrones, y, finalmente, salen con ser ladrones corrientes y molientes a todo ruedo; y la gana de hurtar y el hurtar son en ellos como accidentes inseparables que no se quitan sino con la muerte."

Suelen dedicarse los gitanos con preferencia, cuando no hurtan, como dice Cervantes, al tráfico de caballerías, oficio que les permite chalanear y valerse de mil artimañas para embaucar a los incautos que prenden en sus redes.

De aquí que a toda acción innoble, a todo trato de mala fe, a todo timo o trapaza se le dé el calificativo de chalanería o gitanada.

Pero no quiere esto decir que sean los gitanos los únicos capaces de engañar o estafar al prójimo. Por desgracia, joven lector, tropezarás en el mundo con algunas gentes que, sin ser gitanos de nacimiento, son tan cucos, taimados y bellacos, que parecen maestros en las artes y las prácticas del gitanismo.

Ya verás cuántos granujas, callejeros y de sociedad, cuántos pillastres, haraposos y de levita, andan sueltos por el mundo. Quizás los haya entre tus mismos compañeros, y conviene, por lo mismo, que no peques de confiado, y que, en tu trato con la gente, ahora y cuando seas mayor, tengas bien abiertos los ojos de la cara y los del entendimiento para no ser víctima de alguna bribonada.

Pero así como se encuentran sobrados pícaros, también hay en esta viña del Señor muchísima gente honrada, de buena fe y de sanos principios, como me propongo demostrarte con varios ejemplos, los cuales te exhorto a que tomes como pauta. Porque si el ser bellaco y tunante no sólo es un oprobio que no permite levantar la frente, sino que además le lleva a uno por pendiente resbaladiza que tiene al final la cárcel o el presidio, en cambio, el ser hombre de bien, pundonoroso y honrado, sobre la propia satisfacción que ello produce, le aquista a uno el prestigio que da la estimación y el respeto de la gente.

La honradez es una excelsa cualidad moral, una principilísima virtud, que, a manera de brillante, tiene muchas facetas, que son la integridad, la probidad, la caballerosidad, la hidalguía, el pundonor, la veracidad, la fidelidad y el desinterés.

Todos estos sentimientos se inspiran en un principio que se llama "rectitud", y es la regla a que deben ajustarse todas las acciones humanas al modo que se usa una regla para trazar sobre el papel una línea recta. Tú sabes que la distancia más corta entre dos puntos la determina una línea recta, o sea aquella que sigue en su trazado una sola dirección sin desviarse o inclinarse a un lado o a otro.

Esa misma "rectitud" aplicada a la moral, es decir, a los actos y costumbres de los hombres, es lo que sirve de pauta al "derecho", que equivale a decir la "justicia", porque lo que es "justo" es "recto", y, por consiguiente, no se tuerce a ningún lado.

Por esto el hombre verdaderamente honrado se siente tan inflexible, por efecto de su misma rectitud, que ninguna tentación puede torcer su propósito ni hacerla desviar de su línea de conducta.

Los griegos y los romanos nos han dejado hermosos ejemplos de incorruptible integridad. La que caracterizó todos los actos de la vida de Arístides le valió a éste, como ya te he dicho, el sobrenombre de "el Justo". Cuando Pompeyo terminó su expedición al Asia había tomado en tres años mil quinientas ciudades y sometido doce millones de almas, y regresó a Roma tan pobre como se fué, no obstante haber enriquecido el tesoro público con un valioso botín de guerra.

Manio Curio, siendo cónsul de Roma, venció a los Samnitas, y éstos, más tarde, le enviaron delegados con objeto de sobornarlo con dádivas. Halláronle en un modesto cortijo, guisando nabos para su comida, y cuando le hubieron manifestado el objeto de su misión, ofreciéndole una respetable suma de dinero, contestóles Curio que por la frugalidad con que vivía podían ver lo poco que necesitaba; que prefería ser conquistador de pueblos ricos, a poseer riquezas, y que el que no había sido vencido con las armas no podía serlo con el dinero.

Noble también fué la respuesta que dió el general romano Cayo Fabricio a Pirro el macedonio, rey de Epiro, cuando por encargo del Senado de Roma fué a tratar con él sobre la paz y el rescate de prisioneros. Sabiendo Pirro que Fabricio era muy pobre, lo recibió con mucho agasajo y trató de inducirle a que aceptase condiciones desventajosas para Roma, ofreciéndole en cambio grandes riquezas. Fabricio rechazó la oferta con dignidad, diciendo: "Si yo codiciase dinero, podía haberme enriquecido con el botín de las batallas que he ganado. ¿Qué ejemplo daría yo a mis conciudadanos si ahora aceptase el oro y la plata que me ofrecéis? No: guardad vuestro tesoro, que yo prefiero mi pobreza y mi reputación."

Otro rasgo de Fabricio demuestra también su integridad. El médico de Pirro se ofreció a envenenar a su soberano por una cantidad alzada; pero Fabricio, indignado por tamaña deslealtad, no obstante ser Pirro su enemigo, denunció a éste el malvado intento de su médico, a fin de que se guardase de él y no se atribuyese a los romanos semejante villanía.

Pero no han sido únicamente los griegos y los romanos los que se han señalado por su rectitud e integridad. Se encuentran ejemplos de honradez en todas las clases sociales, en todos los países, en todas las razas.

No hace muchos años, el rico periodista inglés míster Labouchere, recibió de la empresa del ferrocarril de Eastern Counties, en pago de una servidumbre a través de su finca de Chelmsford, la cantidad de 35,000 libras esterlinas. Después del fallecimiento de míster Labouchere, se terminó la construcción de la vía y se inauguró el

servicio de trenes. Y algún tiempo después, el hijo y here-
dero de míster Labouchere, calculando que la compensación pagada por la servidumbre era excesiva, devolvió
espontáneamente a la compañía la cantidad de quince mil
libras esterlinas. Este hecho, que ocurrió no hace muchos
años, fué muy celebrado por la acrisolada honradez que
revela.

Un caso más reciente de integridad, que no ha tras-
cendido al público, voy también a relatarte. Hace algunos
años, el Conde de las Navas, bibliotecario mayor de S. M.,
descubrió que se había cometido en la Real Biblioteca de
Palacio un robo de importancia. Convicto y confeso, entregó a los Tribunales al ladrón, que era un empleado de
corto sueldo en la dependencia, inducido por un famoso
traficante en libros. Sostenía el Conde de las Navas relaciones con el opulento caballero norteamericano míster
Archer M. Huntington —quien cultiva con fruto su afición a la literatura y a las Bellas Artes de España, y con
mano libérrima lo ha exteriorizado fundando en Nueva
York un suntuoso Museo y Biblioteca, en el que ha invertido algunos millones de francos para dotarlo de valiosas
obras de nuestros artistas y de millares de libros españoles, algunos de ellos rarísimos y otros incunables—, y sos-
pechando que dicho bibliófilo hubiese podido comprarlas,
puso en su conocimiento el hecho del robo y la lista de los
libros sustraídos.

Míster Huntington, que en efecto los había adquirido
en París del librero madrileño, se apresuró a enviarlos a
Palacio desde Nueva York, y cuando por encargo del rey,
don Alfonso XIII, se le propuso indemnizarle reintegran-
do la cantidad que había desembolsado para su adquisición, el distinguido hispanófilo se negó a aceptar esa oferta

alegando que no le permitía su conciencia ni retener los libros que le constaba habían sido vendidos ilegalmente, ni consentir que lo que había desembolsado para adquirirlos le fuese abonado por su legítimo dueño, que había sido víctima del hurto. En este nobilísimo proceder se trasluce un elevado sentimiento de hidalguía.

De los ejemplos citados no debe deducirse que la integridad y la nobleza de ánimo sean patrimonio exclusivo de los ricos. También los pobres pueden y suelen ser honrados.

¡Cuántos actos de honradez no se practican y pasan inadvertidos todos los días: devolución de objetos y valores hallados en tranvías, en coches y en la calle, por conductores, cocheros y gente del pueblo! Son actos tanto más meritorios por tratarse de gente pobre, y sirven de compensación moral por los hurtos y bellaquerías de que antes hemos hablado.

El siguiente caso presenta un vivo contraste entre la probidad y la mala fe.

En un tribunal de Florencia que presidía Alejandro, duque de Toscana, entró un labriego diciendo que había tenido la suerte de encontrar una bolsa con sesenta ducados, y que, habiéndose enterado de que el mercader Friuli había hecho pregonar dicha bolsa y ofrecía diez ducados de recompensa al que se la devolviese, había ido a entregársela, pero Friuli se negaba a darle la recompensa. Mandó el juez que compareciese el mercader, y éste declaró que aquélla era su bolsa y que el labriego seguramente se había adjudicado él mismo la recompensa, pues si bien en el pregón de la bolsa se decía que contenía sesenta ducados, en realidad había setenta. Entonces el duque de Toscana dictó una sentencia digna de Sancho Panza cuando gobernaba la ínsula Barataria; y fué que, pues la bolsa del mercader contenía, según declaraba éste, setenta ducados, no podía ser la que encontró el labriego, que sólo contenía sesenta, y como el juez consideraba a este último como un hombre honrado, dispuso que Friuli le devolviese la bolsa. Y así quedó puesta en evidencia y castigada la falta de honradez del mercader.

Esta virtud, que en un particular se consideraba como un relevante mérito, es un deber ineludible en todo aquel que ejerce una profesión o desempeña un cargo público. Por esta razón se impone una sanción muy dura al funcionario o empleado que prevarica o que cede al cohecho y al soborno. Algunos hay de espíritu débil que sucumben por codicia o por aprieto a la tentación que se les ofrece, y como reciben en oculto, a cencerros tapados y con muchas precauciones y misterio el precio de su deshonra, que ellos por eufemismo llaman "un dulce que a nadie amarga", se imaginan que nadie se entera de sus chanchullos y pretenden pasar por hombres probos; pero no tarda en saber la gente, como lo saben ellos mismos, que son unos pícaros redomados.

A algunos infelices que desempeñaban cargos de confianza les ha cegado la codicia o el deseo de satisfacer con dinero una pasión o vicio dominante al extremo de hacerles cometer un desfalco o una estafa bajo la ilusión de que nunca serían descubiertos. Pero como esos delitos no pueden permanecer ocultos mucho tiempo, muy pronto paga el malhechor su fechoría, ya sea en la cárcel, si la justicia le echa mano, ya sea con una vida de inquietud, de temor y de zozobra si logra fugarse y ponerse a salvo. Entonces empiezan los remordimientos a torturar su conciencia; anda a salto de mata, temiendo a cada momento ser aprehendido, y este temor le obliga a llevar un nombre supuesto, renunciando al de su familia, que ha cubierto de baldón. ¡Ya ves cuán caro se paga, por toda la vida, el momento de ofuscación y debilidad en que uno falta a sus deberes!

Porque no consiste la honradez únicamente en no robar, ni en recibir dinero que no sea legítimamente ganado, ni en resistirse al soborno, sino también en la rectitud y corrección con que se ejecutan los actos de la vida y se cumplen los deberes que la moral social impone al hombre. Entiende bien que si ejerces un oficio o desempeñas un empleo y no le dedicas las horas estipuladas ni haces bien el trabajo que se te encomienda, robas el tiempo y el dinero al que te paga, y, por consiguiente, no eres honrado.

Y de ninguna manera debes dejarte influir por sentimientos de compadrazgo, ni por altas recomendaciones, para hacer una injusticia, faltar a tu palabra, cometer una deslealtad o decir una mentira.

El acto de Guzmán el Bueno, arrojando a los sitiadores de Tarifa su propio puñal para que matasen con él a su hijo antes que ser desleal y cobarde entregando la ciudad, es una muestra de la exaltación a que puede llevar la integridad de un guerrero.

En cambio, qué contraste tan grande presenta la villana conducta del sitiador, el infante don Juan, a quien Pérez de Guzmán le había confiado su hijito de diez años para llevarlo a la Corte. Con el malvado intento de apoderarse de aquella fortaleza, la asedió el Infante acaudillando a los moros, y no sólo amenazó a Guzmán con matar a su tierno hijo si no se rendía y entregaba la ciudad, sino que llevó a cabo su vil amenaza degollando al niño

...arrojando a los sitiadores su propio puñal..

con el mismo cuchillo de su padre. Esa infame conducta merece la execración de la gente honrada.

Y para que nadie dude de que los imperativos patrióticos sigan hablando en nuestros días con tanta fuerza como en tiempo de Guzmán el Bueno, ahí está el rasgo inolvidable del entonces coronel Moscardó, cuando, requerido por teléfono a rendir el Alcázar de Toledo bajo amenaza de que, si no lo hacía, su hijo sería pasado por las armas, sobreponiéndose a su ternura de padre, limitóse a recomendar a aquél que tuviese valor para morir dignamente por España.

La palabra que empeñes cúmplela religiosamente como hizo Ruy Díaz de Vivar cuando devolvió a unos judíos de Burgos el dinero que le habían prestado para hacer una campaña contra los moros. Habíales dejado como seguro o garantía,

> ...dos cofres cerrados,
> entrambos llenos de arena,

que los judíos, confiados en su palabra, creyeron que estaban llenos de plata.

Cuando el Cid hubo entrado victorioso en Valencia, cuidó de restituir el préstamo, y a su pariente Alvar Fáñez confió el encargo con estas razones que pone en su boca el *Romancero:*

> A los honrados judíos
> Raquel y Vidas, llevad
> doscientos marcos de oro,
> tantos de plata y non más,
> que me endonaron prestados
> cuando me partí a lidiar,
> sobre dos cofres de arena
> debajo de mi verdad.

Rogaries heis de mi parte
que me quieran perdonar,
que con acuita lo fice
de mi gran necesidad;
que, aunque cuidan que es arena
lo que en los cofres está,
*quedó soterrado en ella*
*el oro de mi verdad.*

¡Cuánta razón tenía el Cid! Tesoro de gran valor es la integridad de un hombre, su "verdad", como él la llamaba, y prueba de ello es que se consideraba como la base del "crédito" en el mundo comercial. La misma palabra "crédito" significaba la creencia y confianza que merece la palabra de una persona.

Preguntaron una vez a Aristóteles: "¿Qué gana un hombre con decir una mentira?" Y él contestó: "Que nadie le crea cuando dice la verdad." La fábula del pastor que, por bromear, gritaba: "¡Al lobo!", ilustra esa sentencia. Y en verso lo dijo también Ruiz Alarcón, de esta suerte:

De aquí, si lo consideras,
conocerás claramente
que quien en las burlas miente
pierde el crédito en las veras.

Un muchacho embustero nunca llega a ser un hombre honrado, porque la veracidad es una de las condiciones de la honradez. Estudiando las biografías de los hombres célebres que se han distinguido por la virilidad de su carácter, se observa que cuando niños fueron leales y sinceros, esto es, incapaces de mentir.

La historia de los Estados Unidos celebra el rasgo de veracidad de un niño de pocos años, que después fué un grande hombre. Su padre vió que en el jardín de su casa alguien había destrozado con un hacha el tronco de un hermoso cerezo, y lleno de cólera llamó a sus hijos y a los criados para saber quién de ellos había causado aquel destrozo. Entonces el niño se adelantó y dijo: "Padre, yo no quiero mentir. Lo hice yo con mi hachuela."

Ese niño se llamaba George Wáshington y fué más tarde el libertador de su patria, el fundador y primer Presidente de aquella república, y por sus rasgos de honradez y rectitud es tenido su nombre en gran veneración.

Ya ves cómo la honradez puede practicarse de varios modos: con actos, con palabras y hasta con el pensamiento, y todas sus manifestaciones se inspiran en la rectitud y la justicia y se amoldan al principio fundamental de la moral cristiana: "No desees ni hagas a otro lo que no quieras para ti."

———

Espero tener siempre suficiente firmeza y virtud para conservar lo que considero que es el más envidiable de todos los títulos: el carácter de Hombre Honrado. — GEORGE WÁSHINGTON.

La conciencia y la reputación son dos frenos sin cuyas riendas queda el hombre a solas con su naturaleza, y tan indómito y feroz en ella como los brutos más enemigos del hombre. — ANTONIO DE SOLÍS.

El honor es lo mismo que la nieve: una vez perdida su blancura ya no puede recobrarla. — DUCLÓS.

La honradez es siempre digna de elogio, aun cuando no reporte utilidad, ni recompensa, ni provecho. — CICERÓN.

Y las honras consisten no en tenerlas,
sino sólo en llegar a merecerlas.

ERCILLA

Si Dios quisiese hacerse visible al hombre, escogería la *luz* para su cuerpo y la *verdad* para su alma. — PITÁGORAS.

El que de verdad se ayuda
de Dios siempre es ayudado.

ROMANCERO DEL CID

La verdad adelgaza y no quiebra, y siempre nada sobre la mentira como el aceite sobre el agua. — CERVANTES.

La mentira que es casi verdad es la peor de todas las mentiras. — TENNYSON.

Toda chapucería es una mentira y una falta de honradez. Cuando uno paga por un trabajo es para que esté bien hecho; si se hace mal, se roba el dinero. — ORISON SWETT MARDEN.

Lo único cierto, fundamental, que hay en el mundo es el cumplimiento del deber; todo lo demás vuela, todo lo demás se va, dejando algo amargo en la existencia y en el recuerdo. Cuando se ha cumplido con el deber parece que queda el hombre tranquilo, sereno, levantado, orgulloso de haber hecho este noble sacrificio. — SEGISMUNDO MORET.

Serás sabio y feliz si eres virtuoso,
que la virtud y la verdad son una.
Sólo en su posesión está la dicha,
y ellas tan sólo dar a tu alma pueden
segura paz en la conciencia pura;
en la moderación de tus deseos,
libertad verdadera, y alegría
de obrar y hacer el bien, en la dulzura.
Lo demás..., viento, vanidad, miseria.

JOVELLANOS

# Capítulo XV

# LOS IDEALES

La vida es un viaje que requiere itinerario. — Antes de navegar se marca el derrotero que ha de seguir la nave. — Fuera insensato salir a viajar sin saber el puerto a que uno se encamina. — El ideal es como un faro que guía al puerto. — El éxito se alcanza con el esfuerzo y la constancia.

Cuando un hombre emprende un viaje para gestionar algún negocio, debe saber ante todo el punto adonde se dirige, y después el itinerario que ha de seguir —ya sea por mar o por tierra— para llegar cuanto antes y con seguridad a su destino. Se entera minuciosamente de las líneas de vapores o bien de los trenes que más le conviene tomar, y, por último, se provee del equipaje y de los recursos que puede necesitar en el camino.

Pues bien: en este viaje de la vida que vas a emprender es preciso que sepas a dónde vas y por dónde tienes que ir; debes formarte un plan, a modo de itinerario, para llegar a tu destino, es decir, al lugar o puesto que te propongas alcanzar.

Tal vez hasta ahora no te ha preocupado la idea de tu porvenir. Quizá no has pensado aún que has venido a este mundo para ser algo. Este *algo* depende en gran parte de tu voluntad. No esperes que la suerte te conduzca. "Un hombre con suerte —ha dicho Juvenal— es más raro que un cuervo blanco."

El marino, al salir del puerto, marca su rumbo; consulta cartas, estrellas; atiende a la aguja de marear; dirige el timón; maneja el sextante; vigila, evita escollos; sigue el derrotero más corto para llegar a su destino. Y tú, en el mar de la vida, ¿vas a flotar a merced de las olas, sin brújula ni timón, sin rumbo ni derrotero?

Cuando te trasladas en ferrocarril de una ciudad a otra, ¿crees tú que es el azar el que ha construído esa vía férrea o que la casualidad ha hecho que pase por otras poblaciones? No; para enlazar las dos ciudades que están a sus extremos ha tenido el ingeniero que practicar muchos trabajos, hacer muchos cálculos y resolver muchos problemas. Antes que todo ha debido estudiar el país que ha de atravesar, la topografía del terreno, la relativa importancia de los pueblos en él situados; y en vista de todos estos datos procede a hacer un trazado general de la vía, determinando los puntos principales por donde es conveniente hacerla pasar, a fin de que produzca mayor rendimiento. Después viene el replanteo, o trazado definitivo de la línea y entonces se determinan los trabajos más ventajosos que hay que realizar para vencer los obstáculos que presenta el terreno; los planos inclinados, los terraplenes, las curvas, los puentes o viaductos y los túneles.

Hecho este trazado y aprobado el proyecto, se da comienzo al movimiento de tierras; se hacen barrenos donde hay rocas que obstruyen el paso; se fabrican las obras de mampostería; se colocan puentes sobre ríos u hondonadas; se tienden traviesas y paralelas de rieles sobre el afirmado de la vía; se aseguran aquéllas con balasto, y ya está la línea en disposición de que la locomotora, arrastrando un tren de vagones, salga majestuosa y lentamente del punto de partida, para avanzar con creciente impulso hasta llegar a la estación terminal.

Pues ahí tienes una imagen de lo que debes hacer para alcanzar en este mundo el puesto que te propongas. Ya es hora de que te ocupes en trazar el plan general de tu vida. ¿Qué quieres ser? ¿Adónde quieres llegar? Mucho tienes que trabajar, muchos obstáculos que vencer, muchas obras que construir para replantear tu camino.

Por lo mismo te conviene empezar temprano tu trazado. Pero antes calcula bien los recursos que necesitas y los medios de que puedes disponer. Porque así como para construir un ferrocarril se necesita un fuerte capital, muchos braceros y toda clase de materiales, así para labrarse el camino de la vida es menester inteligencia, un caudal de conocimientos, gran energía, una firme voluntad e indefectible perseverancia.

¿Cuentas con todos estos elementos? Pues según la medida y proporción de ellos, podrás ir más o menos lejos. Lo esencial es determinar de antemano el punto adonde quieras llegar, y no "caminar a la ventura", como Cortadillo o don Quijote, pues esas andanzas sin rumbo fijo suelen tener un desastroso fin.

Fórmate un ideal a tu gusto, por ejemplo: llegar a ser una personalidad notable, ocupar un elevado cargo, producir una obra meritoria, llevar a cabo una empresa magna, alcanzar fama y renombre por tus acciones. Y traza el camino que ha de llevarte hasta la meta. Con el pensamiento fijo en ese ideal, como la aguja imantada apunta al norte, avanza en tu camino siempre adelante, poniendo cada día unas traviesas, tendiendo unos rieles, aproximándote más y más al ideal que persigues.

Tal vez los obstáculos con que tropieces te obliguen a

desviarte y hacer algún rodeo; pero siempre que te sea posible vencerlos debes procurar seguir la línea recta, ya que ésta es siempre la más corta y la que menos riesgos ofrece.

Cuentan del zar Nicolás que, para establecer una comunicación rápida entre San Petersburgo y Moscovia, encargó a los ingenieros militares la construcción de un camino de hierro. Y cuando los ingenieros le preguntaron por qué puntos deseaba que pasase la línea, el zar extendió sobre una mesa el plano de Rusia, cogió una regla y un lápiz, y, trazando una línea recta desde la capital a Moscovia, dijo con tono enérgico: "Por aquí". Nicolás Pavlovitch no era hombre a quien hiciesen retroceder o desviarse los obstáculos, y de ese modo se lo dió a comprender a los ingenieros.

Por mucho que estudies, por muchos conocimientos que adquieras, si no tienes un ideal que te sirva de faro, ni ambición que te empuje para llegar hasta él, serás como un buque abarrotado de valioso cargamento, pero sin velas y encalmado; serás como un vapor sin calderas y sin combustible; serás como un lujoso automóvil que no puede ponerse en marcha por falta de gasolina, o como un aeroplano que no puede elevarse por carecer de motor.

La ambición es la fuerza motriz de las acciones humanas; pero advierte que hay dos clases de ambición: la legítima, la que nace de nobles aspiraciones, la que se encamina hacia honrosos ideales, y la ambición desenfrenada y loca, que nace del egoísmo y de la codicia y todo lo atropella en su vertiginosa carrera.

En el *Coloquio de los perros* dice Berganza: "Ambición es, pero ambición generosa, la de aquel que pretende mejorar su estado sin perjuicio de tercero."

Y le contesta Cipión: "Pocas o ninguna vez se cumple con la ambición que no sea con daño de tercero."

Procura tú que la ambición no te impulse a cometer un atropello; procura "mejorar tu estado" y alcanzar el fin que te propones sólo por tus merecimientos y tu diligencia, pero sin hollar los derechos de los demás, esto es: "sin daño de tercero".

Cuando la aspiración hacia un ideal se convierte en loca, ciega y desenfrenada ambición por alcanzar fama, honores o riqueza a toda costa, puede compararse con un automóvil lanzado por el chofer a una velocidad vertiginosa, que todo lo arrolla y atropella; pero que también corre el peligro de volcar y estrellarse.

A los jóvenes que tienen aspiraciones, vehementes anhelos de llegar a un alto puesto, les recomienda el filósofo Emerson que "enganchen su carroza a una estrella", es decir, que apunten muy alto.

Más acertado está Balmes cuando dice que "proponerse un blanco fuera del alcance es gastar inútilmente las fuerzas".

¿De qué le serviría a un cazador tirar a un águila que se cierne en las alturas si su escopeta sólo tiene carga para matar aves rastreras? ¿No fuera un gasto inútil de tiempo y de municiones?

Cuando busques un blanco a que tirar, esto es, un ideal que perseguir, calcula bien el alcance de tus armas, que equivale a decir: mide bien tus fuerzas. ¿Puedes llegar? Pues no te arredres ni vaciles.

Condición esencial para dar en el blanco es apuntar bien y tener el pulso firme. Asimismo, en cualquier asunto que emprendas, si no tienes firmeza y confianza en ti mismo, nunca alcanzarás el fin que te propones. Los pusilánimes, los medrosos, los que vacilan, éstos se quedan siempre rezagados; sólo los intrépidos, los decididos pasan delante y llegan a la cima.

¿Has subido alguna vez a una montaña? ¿No has experimentado, al trepar, un verdadero gozo que iba en

¿Has subido alguna vez a una montaña?

aumento a medida que te acercabas a la cumbre? Y cuando llegaste a ella, ¿no sentiste un inmenso júbilo al poder contemplar el panorama que dominabas desde aquella altura?

Pues hazte cargo de que toda obra, todo trabajo o todo estudio que emprendas es como una montaña que tienes que trepar hasta llegar a la cima y dominar el asunto. Allá arriba, en lo más encumbrado, está el trono del *Éxito,* visible desde todas partes.

Para llegar hasta un trono regio no hay que subir más que dos o tres gradas. El trono del Éxito está más elevado. Para llegar hasta él hay que subir una alta y empinadísima escalinata.

El ascenso es más penoso que el de la pirámide de Cheops. Es tan difícil, que son muchos los que no pasan de los primeros escalones. En ellos se apretuja la multitud; pero en los de arriba hay mucho espacio vacío, porque sólo llegan hasta la cima los que no descansan ni desmayan en sus esfuerzos; los que suben con fe, con entusiasmo y con perseverancia.

La frase, ya famosa, de "la faja o la caja", que lanzó Juan Prim en sus juveniles años, denotaba la firme resolución de un espíritu valiente de ganar el fajín de general o perecer en la demanda. Muy alto apuntó el joven militar; pero estaba seguro del alcance de sus armas, seguro de sí mismo y de sus fuerzas, y dió en el blanco, conquistando con su arrojo y su valor no sólo el grado de capitán general y los títulos de vizconde del Bruch, conde de Reus y marqués de los Castillejos, con grandeza de España de primera clase, sino también el primer puesto en el gobierno de la nación, muchas páginas brillantes en sus anales y la aureola de la fama para su nombre.

Tal vez en tu pecho no sientas latir un corazón como el de Prim, que no todos han nacido en el mundo para ser héroes; tal vez la Naturaleza no te ha dotado del talento necesario para ser un gran filósofo, una lumbrera de la ciencia, un esclarecido artista, un insigne literato: no importa. En tu carrera, en tu profesión, en tu oficio, sea cual fuere, ha de haber un primer puesto. Aspira a ocuparlo. Esa ha de ser tu ambición. Gánalo con tu estudio, con tu aplicación, con tu trabajo, con tu diligencia; procurando saber más que el que más sepa en tu ramo y haciendo mejor que él lo que mejor él haga.

En esto consiste el éxito, y ten por seguro que vale más tener éxito en un modesto oficio que fracasar en una brillante profesión. Ya lo expresó Gracián con frase breve: "Ser eminente en profesión humilde es ser grande en lo poco, es ser algo en nada."

Gracián

Un abogado, un ingeniero o un ministro inepto y fracasado no merece tanta consideración como el industrial o el artesano que con su honradez, su laboriosidad y la perfección de su trabajo ha sabido crearse la reputación de ser el primero de su gremio. Procura, pues, hacer tuyos los sentimientos y propósitos que se expresan en los siguientes versos:

### EL IDEAL

La juventud nos brinda
mil goces y placeres
en bailes y orgías
de vino y mujeres.
Con zambras y locuras
y alegres aventuras,
la vida nos ofrece
continuo Carnaval.
Mas yo el placer no busco
en tunas ni en jolgorios,
ni en el azar del juego,
ni en lances de Tenorios.

A mí no me deslumbra
la viva luz que alumbra
los mórbidos excesos
de torpe bacanal.

   Mi goce y mi deleite
los hallo en la penumbra
los hallo en mi trabajo
por el deber impuesto,
que es mi mejor amigo
y un valedor leal.

   Para subir de abajo
a un elevado puesto,
el éxito persigo
que lejos se vislumbra;
y el éxito que encumbra
es sólo mi ideal.

Un reloj puede tener las ruedas perfectas, puede tener una caja engastada con ricas piedras; pero si le falta el muelle no sirve para nada. Del mismo modo, el joven que ha recibido una brillante educación en el colegio y que goza de cabal salud, si le falta la ambición de ser algo, de nada le aprovecha lo demás. — ORISON SWETT MARDEN.

Aspira a la perfección en todo, por más que en muchas cosas es difícil de lograr. Los que a ella aspiran y perseveran, llegarán más cerca de alcanzarla que aquellos que, por pereza o por desaliento, desisten, creyéndola inasequible. — LORD CHESTERFIELD.

Al proponernos un fin debemos guardarnos de la presunción y de la excesiva desconfianza. — BALMES.

El que entra con señorío, ya en la conversación, ya en el razonamiento, hácese mucho lugar y gana de antemano el respeto; pero el que llega con temor, él mismo se condena de desconfiado y se confiesa vencido. Con su desconfianza da pie al desprecio de los otros; por lo menos, a la poca estimación. — B. GRACIÁN.

¡Oh corte, que alargas las esperanzas de los atrevidos pretendientes y acortas las de los virtuosos encogidos: sustentas abundantemente a los truhanes desvergonzados y matas de hambre a los discretos vergonzosos! — CERVANTES.

No es culpa de nuestra estrella, sino de nosotros mismos, el que sólo seamos subalternos. — SHAKESPEARE.

Causa es de perder lo seguro ir en busca de lo incierto. — PLAUTO.

Es fácil detenerse cuando uno sube; pero es difícil hacerlo cuando uno baja. — NAPOLEÓN.

Todos pueden aspirar a lo que constituye la verdadera nobleza del hombre, que consiste en una razón recta, un alma justa, la sabiduría y la virtud. — SÉNECA.

¿A quién no asombra
ver que la humanidad, cobarde o ciega,
al éxito se rinde y se doblega?

NÚÑEZ DE ARCE

...Mas no vos ensoberbezcan
los triunfos que heis alcanzado,
que es la jactancia un borrón
que borra fechos muy claros.

ROMANCERO DEL CID

# CAPÍTULO XVI

# EL TRABAJO

Ley universal e ineludible. — El trabajo que se hace con gusto no cansa. — Dedícate con amor a tus tareas. — Hay que emplear el trabajo en cosas de provecho. — Los hombres "desmigajados". — Lo que puede el trabajo. — El goce que produce.

El trabajo es acción, es movimiento, es vida. No es posible la vida sin trabajo.

Cuando estás dormido o en estado de reposo funciona tu corazón para hacer circular la sangre por tus venas y tus arterias; trabajan tus pulmones para oxigenarla y purificarla; todo tu organismo está en movimiento y en acción para mantener tu vida.

Tiende la mirada a tu alrededor y verás cómo todo trabaja en la Naturaleza: las nubes recogen los vapores del agua y de la tierra y los devuelven convertidos en benéfica lluvia; los arroyuelos y los ríos que de ella dimanan, corren hacia el mar fecundando la tierra; las plantas que de ella extraen los jugos, renuevan sus hojas y flores y frutos para nuestro regalo; el sol nos envía sus rayos y esparce la vida y la alegría; los astros recorren sus órbitas siguiendo el curso que la mano de Dios les ha trazado en el firmamento.

La luz, el calor, la electricidad, el sonido, son átomos que están en continua vibración y movimiento.

Las ideas, los deseos, las sensaciones, los sentimientos, las palabras, son producto del trabajo del cerebro.

Hasta la misma muerte es una labor de transformación.

Por un decreto divino, desde que nace el hombre está sujeto al trabajo. Es una ley universal de la que ni tú ni nadie puede evadirse.

Dios dijo a Adán en el Paraíso: "Ganarás el pan con el sudor de tu rostro." Y todos los hijos de Adán se ven obligados a trabajar para vivir.

Porque el pan es símbolo de la vida, pero "no tan sólo de pan vive el hombre". Otras cosas hay que se necesitan para vivir en sociedad, y esas cosas, así materiales como espirituales, sólo se consiguen a fuerza de trabajo.

Hay mucha gente que sólo considera como trabajo el que se hace con las manos o el que representa un esfuerzo corporal, como el del albañil, del carpintero, del mecánico, del marinero, etc.

Pero también trabajan los que se dedican a tareas mentales: trabajo es el estudio, trabajo es la enseñanza, y así estudiantes, maestros, escritores, artistas, médicos, abogados, comerciantes, todos son trabajadores.

Por lo tanto, cualquiera que sea el oficio, la profesión o la carrera que emprendas, no podrás eximirte de trabajar.

A muchos jóvenes se les hace pesado el trabajo porque lo hacen con repugnancia y de mala gana.

Para que te resulte agradable cualquier estudio o tarea, empréndelo con gusto, con amor, como si fuese una diversión o un recreo.

Si juegas a la pelota, al fútbol o corres en bicicleta, tienes que hacer un esfuerzo así corporal como mental; tienes que concentrar tu atención en lo que haces; te agitas, pones los músculos en acción, sudas y, sin embargo, no sientes el cansancio. ¿Por qué? Porque lo consideras como un juego o una distracción.

Pues haz lo mismo con el estudio o con cualquier trabajo que se te imponga.

Cuentan de un maestro de obras que, viendo un día

Si juegas a la pelota, al fútbol...

que sus peones trabajaban ya cansados de subir y bajar cuezos, les dijo: "Chicos, basta de trabajo; os voy a proponer un juego. Vamos al sótano a ver quién saca más esportillas de tierra para hacer un jardín."

Y los manobres, creyendo que se trataba de un juego, se pusieron a llenar y sacar esportillas con vigor y con presteza para ver quién sacaba más. Hicieron esta labor como si fuese un recreo, y no se dieron cuenta de que era un trabajo tan pesado como el otro.

El fin que debes proponerte al emprender cualquier trabajo —y hemos quedado en que también lo es el estudio—, es que te resulte en algo de provecho. Si tal es tu propósito y a su consecución diriges la voluntad y el esfuerzo, verás con qué ánimo, con qué afición, con qué entusiasmo trabajas hasta verlo realizado.

Hay chicos que andan, sin fatigarse, dos o tres leguas de una aldea a otra, únicamente para ir a una capea o a bailar a una romería, y después vuelven a desandar lo andado sin cansancio y muy satisfechos del ejercicio. ¡Cuán laudable no sería ese esfuerzo si se emplease en una obra de provecho, en un acto de cultura y de progreso en beneficio propio o de los demás!

Para que un trabajo sea fructuoso es preciso que, además de hacerlo con gusto, se concentre en él toda la atención, todo el interés, todo el entusiasmo.

"Es de la mayor importancia —dice Balmes— adquirir un hábito de atender a lo que se estudia o se hace; porque, si bien se observa, lo que nos falta a menudo no es la capacidad para entender lo que vemos, leemos u oímos, sino la aplicación del ánimo a aquello de que se trata."

Y Silvain Roudès, autor del libro *Para abrirse camino en la vida*, cuya lectura te recomiendo, dice: "El gran defecto del hombre moderno es emprender cinco, seis, diez cosas a la vez; querer dominar los asuntos financieros, los deportes, la política y las artes; intentar todas las experiencias, comenzar todos los estudios y abarcar el mundo con sus débiles brazos."

Y en efecto: verás cómo en ciertos países hay hombres que, sin la preparación necesaria, ocupan elevados puestos en las esferas del Gobierno, y con la misma insuficiencia e ineptitud desempeñan sucesivamente varios cargos, pasando de un ministerio a otro. Con este insensato trasiego de funcionarios no es posible tener una buena administración, y sufren los intereses nacionales y por ende los de cada ciudadano. Esto lo tocarás por experiencia propia cuando tu edad te permita ejercer una carrera o tener parte activa en los negocios.

Huye tú, por lo tanto, de ser uno de esos, que un escritor francés, Jules Claretie, llama "hombres desmigajados", porque desmigajan su atención y la reparten entre diversos asuntos u ocupaciones heterogéneas, como quien echa migas de pan a las aves de un corral.

Cualquiera que sea el estudio que emprendas, el trabajo que acometas, el oficio o profesión que adoptes, procura enterarte bien de todas sus partes y detalles; infórmate de cuantos datos con él se relacionan; busca y lee con atención todos los libros que de él tratan; domínalo, en fin, hasta llegar a ser en él un perito, un maestro.

Verás que el hombre que más prospera y más se distingue en el oficio, negocio o carrera que emprende, es aquel que tiene la mejor preparación, es decir, el que ha hecho mayor acopio de conocimientos referentes a su ramo, obteniendo así una superioridad sobre todos sus competidores.

Cuando el gran novelista sir Walter Scott, por malgastar su hacienda, quedó arruinado, continuó trabajando con redoblado ahinco, diciendo que la adversidad le servía de tónico y estimulante para el trabajo.

Henry Ward Beecher decía: "No es el trabajo lo que mata, sino la angustia. El trabajo es salutífero: no es fácil darle a un hombre más del que puede hacer. La angustia es como la herrumbre que corroe la hoja de acero.

No son las revoluciones de las ruedas lo que desgasta la maquinaria, sino el rozamiento."

Por lo tanto, debes procurar que en tu trabajo haya la menor fricción posible, es decir, que no lo hagas a regañadientes, sino interesándote en que salga del mejor modo posible. Esto mismo le recomendaba lord Chesterfield a su hijo en una de sus famosas cartas, agregando: "Todo aquello que vale la pena de que se haga, vale la pena de hacerlo bien."

Y, en efecto, lo que se hace de mala manera, para salir del paso, es trabajo y tiempo perdidos. Resulta un chapuz, y, en muchos casos, hay que volverlo a hacer. El obrero que se estima y tiene amor a su oficio se esmera en hacerlo todo con primor. De un hombre chapucero no puede esperarse nada bueno. Para hacer las cosas bien se necesita tiempo, cuidado, aplicación y trabajo. Por la calidad de la obra se conoce el carácter de su autor.

La seda es producto de una oruga limpia, que necesita para vivir aire puro y se alimenta de hojas de moral. Emplea varios días en labrar su capullo, del que se extrae la seda, y de él sale a las tres semanas convertida en mariposa. En cambio, la telaraña es una red de sutilísimos hilos sin consistencia, hecha con presteza por ese repugnante insecto que llamamos araña, que vive en rincones obscuros y empolvados y tiende esa tela únicamente para atrapar las moscas que le sirven de alimento.

Por eso Iriarte en su conocida fábula, cuando la araña se jacta de labrar su tela más aprisa que el gusano de seda su capullo, pone en boca del último esta réplica:

"Usted tiene razón: así sale ella."

Siete años empleó Virgilio en componer el más perfecto de sus poemas, las *Geórgicas,* el cual, impreso en un periódico moderno, apenas llenaría dos planas. Entre componerlos, podarlos y pulirlos, no hacía más que cuatro versos por semana. Pero el poema ha vivido mil novecientos años y vivirá muchos siglos más.

El gran maestro y retórico ateniense Isócrates empleó nada menos que diez años en componer, corregir y pulir su célebre *Oración panegírica*.

Sólo a fuerza de incesante laboriosidad y perseverancia podrás llegar a ser un hombre de provecho, crearte una fortuna, dejar obras meritorias o legar a la posteridad un nombre imperecedero.

El famoso pintor norteamericano James Whistler pidió un precio muy crecido por un cuadrito que le habían encargado. El comprador acudió a los tribunales de justicia, creyéndose poco menos que estafado. El juez, considerando también por el tamaño del cuadro que el precio era excesivo, preguntó al artista cuánto tiempo había empleado en pintarlo. Y Whistler contestó que cuarenta años.

—¡Cuarenta años!—exclamó sorprendido el juez.

—Sí; cuarenta años de estudio y de trabajo para poder pintarlo así.

Por alta que sea la posición de un hombre, no debe desdeñar el trabajo ni considerarlo como un desdoro.

Pedro el Grande, emperador de Rusia, en sus viajes por Europa, visitaba las fábricas y talleres, enterándose prácticamente del modo de manejar las herramientas, y en un astillero de Amsterdam trabajó algún tiempo como carpintero de ribera para saber cómo se construía un buque. Esta educación práctica que adquirió en su juventud le permitió después adoptar e introducir en su imperio notables reformas, mejoras y adelantos, que lo llevaron a un alto grado de prosperidad y de grandeza.

Cuando Lisandro visitó los jardines de Ciro, rey de
Persia, y se admiró al saber que este fastuoso monarca no
sólo había trazado los planos de su vergel, sino que con
sus propias manos había plantado muchos de sus árboles
y arbustos, Ciro le dijo: "¿Esto te sorprende? Pues por
el dios Mithras te juro que, cuando me lo permite la salud,
nunca me siento a la mesa sin haber sudado antes con
algún ejercicio, ya sea el de las armas, una labor agrícola
o cualquier trabajo pesado, al cual me dedico con deleite
y con todo mi vigor." A lo cual repuso Lisandro: "Ciro,
eres realmente feliz y mereces tu gran fortuna."

Porque, en efecto, no hay satisfacción comparable a
la que siente un hombre cuando ha hecho un trabajo con
entusiasmo o terminado una obra a su gusto y, bien merecido tiene el premio o galardón que por ello alcance. Raro
es el trabajo bien hecho que no recibe tarde o temprano
alguna compensación.

Tiene mucha enjundia esta fabulilla de Antonio de
Trueba:

—Caballito que sudas
    uncido al carro,
dime: para que el pelo
    te brille tanto,
¿cómo te las compones?
    —¿Cómo? Sudando.

Y muchos hombres también, con el sudor del trabajo
han logrado medrar y que, como vulgarmente se dice, les
"luzca el pelo".

Entre nosotros es muy raro encontrar hombres ilustrados y de alta posición que dediquen algunos ratos a
labores manuales, mientras que en los países del Norte
se nos ofrecen numerosos ejemplos de altas personalida-

des que buscan en ello una distracción, un ejercicio higié-
nico o una enseñanza.

Sir Isaac Newton, el gran matemático, físico y astrónomo, descubridor de la forma esferoidal de la Tierra y
de las leyes de gravitación, se entretenía en sus ratos de
ocio en trabajos de ebanistería, y regalaba a sus amigas
mesitas, sillas, estantes, muñecas, etc., hechos por sus manos, y llegó a construir un cochecito de cuatro ruedas de
autopropulsión.

Míster Gladstone, el venerable estadista inglés que
murió a fines del siglo pasado, solía, durante su veraneo
o sus asuetos en el campo, manejar la destral para talar
árboles, ejercicio muscular que le servía de compensación
a sus trabajos mentales y que le permitió vivir sano y
robusto hasta los ochenta y cuatro años.

Sabido es que en los Estados Unidos, algunos jóvenes
hijos de familias archimillonarias, como los Vanderbilt y
los Gould, poseedores de cuantiosos intereses en aquellos
ferrocarriles, han seguido la carrera de ingenieros mecánicos, y han hecho viajes en trenes manejando las palan-
quetas y válvulas de las locomotoras, no por necesidad,
como fácilmente se comprenderá, sino para conocer prácticamente cómo funcionan esas monstruosas máquinas a
las que deben y de las que depende su inmensa fortuna.

Este último ejemplo demuestra la importancia que en
aquel país se da al conocimiento en todos sus detalles del
negocio que uno tiene entre manos. Y además la afición
que hay al trabajo aun entre los jóvenes acaudalados.

Aun cuando entre nosotros no son tan frecuentes semejantes ejemplos, no deja de haber alguno, como el que
nos presentó el ilustre duque de Zaragoza, prócer aficionado a la maquinaria, a quien se vió muchas veces bajar

en su automóvil a la estación del ferrocarril de esa ciudad del Ebro, ponerse allí la blusa del obrero y situarse en la locomotora al lado de la manivela para guiar con mucha pericia el tren hasta Madrid.

Las personas que de suyo son laboriosas o que desde jóvenes han adquirido el hábito del trabajo, le cobran tal afición y tanto apego, que no pueden nunca permanecer ociosas. ¡Cuántos, como el citado sir Isaac Newton, dedican los ratos de tregua en sus tareas y estudios serios a otras labores de distinto género que les sirven de descanso y distracción y hasta de contrapeso para el equilibrio de sus facultades mentales! ¡Y cuántos también que se gozan tanto en el trabajo, que en él hallan su diversión y su recreo!

Edison

Decían los latinos: *Labor ipse voluptas*, el trabajo es en sí mismo un placer.

Edison, el célebre sabio americano, a pesar de haberse enriquecido con sus numerosos inventos —caso raro, pues la mayoría de los inventores viven y mueren modestamente— continuó hasta su muerte trabajando en el laboratorio con la misma actividad y constancia de sus días mozos, durmiendo apenas cinco horas diarias o privándose enteramente del sueño y olvidándose de comer cuando estaba enfrascado en algún experimento.

De todo lo expuesto se desprende que es necesario trabajar y luchar para vivir. Bien dice Homero en su *Ilíada:*

Aquí en la tierra el sino del hombre es la labor:
si Jove nos dió la vida, también nos dió el dolor.

Prepárate, pues, a luchar y a vencer obstáculos, que muchos encontrarás en cualquier estudio, obra o trabajo que emprendas. Todos los principios son dificultosos. No hay nada más fácil que el andar, y mira lo que le cuesta al niño el aprenderlo. Tiene que empezar por hacer pinitos y darse algunos coscorrones. Los que ensayan a montar en bicicleta no saben guardar el equilibrio, se tambalean y caen, o van a dar encontrones con los árboles y las vallas. Mas, después de alguna práctica, ¡con qué soltura manejan el "caballo de acero" y lo hacen evolucionar a su antojo, y qué placer tan grande experimentan al recorrer velozmente largas distancias!

Para tocar el violín con la maestría de un Paganini, un Sarasate o un Manén; para dominar el piano como un Chopin, un Rubinstein o un Paderewski; para cantar como un Manuel García, una Malibrán, una Patti o un Gayarre, ¿sabes tú los años de estudio, de enojosos ejercicios, de ímproba labor que eso impone? ¿Sabes las enormes dificultades que es preciso vencer; la infatigable paciencia, la pertinaz perseverancia que se necesita?

Así, pues:

Sea cual fuere la obra en que te ensayes,
si falla acaso tu primer intento
no te descorazones ni desmayes,
antes vuelve a empezar con nuevo aliento.
No habrá dificultad ni resistencia
que dominar no puedas con talento,
con firme voluntad y con paciencia.
"Es muy breve la vida, el arte es largo";
la perfección se alcanza, sin embargo,
a fuerza de trabajo y de experiencia.

No hay atajo sin trabajo. — (REFRÁN POPULAR).

Con tiempo y con trabajo, la hoja de morera se convierte en raso. — (PROVERBIO ORIENTAL).

Nada es imposible para la industria. — PERIANDRO DE CORINTO.

No hay cosa que sea imposible al hombre trabajador. — ALONSO DE BARROS.

No te rindas a los trabajos: al contrario, procura vencerlos. — VIRGILIO.

El trabajo nos hace sentir fuertes, y en esto consiste nuestro mayor placer. — MÜLLER.

Los hombres que han llegado a hacerse célebres y que han influído poderosamente en los destinos de su país, han sido todos grandes trabajadores. — SAMUEL SMILES.

La verdadera grandeza es la del hombre que se educa en medio del trabajo y de la virtud. — LABOULAYE.

Gracias a Dios que los muertos han dejado a los vivos algunas buenas obras por hacer. — LORD LYTTON (*Owen Meredith*).

El trabajo no ensucia. No digas nunca de un obrero que sale de su trabajo: "Va sucio." Debes decir: "Tiene en su ropa las señales, las huellas del trabajo." Recuérdalo. — EDMUNDO DE AMICIS.

Quien siembra la tierra con cuidado y diligencia, adquiere más mérito a los ojos de Dios que el que repite diez mil oraciones. — ZOROASTRO.

Lo que hagas sin esfuerzo y con presteza,
durar no puede, ni tener belleza.

PLUTARCO

Las cosas que presto llegan a su perfección, valen poco y duran menos; una flor presto es hecha y presto deshecha; mas un diamante; que tardó en formarse, apela a lo eterno. — BALTASAR GRACIÁN.

La más deleitosa obra
que en este mundo se cree,
es do más trabajo sobra,
que lo que sin él se cobra
sin deleite se posee.

RODRIGO DE COTA

Y gloria a ti, ¡oh fecundo
sol del trabajo, alegrador del mundo!
Sin ofensa de Dios, que fué el primero,
tú el creador segundo
bien te puedes llamar del mundo entero.

GABRIEL Y GALÁN

CAPÍTULO XVII

# LA PEREZA

Parásito fecundo. — Los hijos que procrea. — Ladrón del tiempo. — Armas para combatirlo. — El charco y el arroyo. — Pereza física y pereza moral.— La ociosidad y la indolencia. — La inconstancia. — "A Dios rogando y con el mazo dando".

Uno de los vicios más comunes y arraigados en los pueblos meridionales, y que más conviene combatir, es la *pereza*.

Ella es la causa primordial de muchos de los males que padecen esos pueblos. Todas las cosas que están por hacer y no se hacen; todas las obras, reformas y mejoras que se quedan en proyecto, pasarían a ser hermosas realidades si aquellos que podrían darles vida no tuviesen la voluntad atrofiada por la pereza moral, que es tan parasitaria como su compañera inseparable, la pereza física.

Son los dos verdaderos parásitos que chupan la substancia medular del cuerpo que invaden, y en él depositan los gérmenes de numerosa progenie, a saber: la ociosidad, la indolencia, la pigricia, la apatía, la desidia, la galbana, la holgazanería, la ignavia, la inercia de ánimo, la dejadez, la haraganería, la incuria, la negligencia, la flojedad, la vagancia, la inacción, la gandulería, la briba, la tuna y la mendicidad profesional, que no hay que confundir con la pobreza.

Como puedes observar, todas son hembras, y deján-
dolas crecer son muy fecundas. Sus hijos son los vicios,
los pecados y los crímenes. Repugnante familia, ¿no es
cierto?

Pues toda esa tribu de miseria puede apoderarse de ti
si te dejas dominar por la pereza. Sacúdela y échatela de
encima como si fuese un mal bicho.

Vamos a ver: si teniendo tú un arma en la mano te
sorprendiese un ladrón y quisiese maniatarte para robarte el reloj y el dinero, ¿no forcejearías para deshа-
certe de las ligaduras? ¿No usarías el arma para defenderte? Pues con igual tesón debes luchar para impedir
que la pereza te ate de pies y de manos para robarte un
tesoro que vale más que tu reloj, y es el tiempo. Y para
defenderte contra la pereza tienes un arma poderosa: la
voluntad.

La pereza y la ociosidad son ladronas que roban no
solamente el tiempo, sino las buenas obras que en ese
tiempo podrían llevarse a cabo.

Cuando veas un charco de agua estancada que se
corrompe, exhala miasmas y cría gusarapos, allí está la
imagen de la pereza y la inacción. En cambio, un límpido
arroyo que corre y serpentea por un prado, fecundizando
la tierra y reflejando el azul del cielo, es fiel imagen del
hombre activo y diligente.

Si dejas que se apodere de ti la pereza, ya sea para
levantarte de la cama o para estudiar o emprender alguna
labor; si por ociosidad e indolencia te pasas en los cafés
o en otros sitios de holganza las horas que debieras dedicar al estudio y al trabajo, nunca serás un hombre de
provecho. Los ratos así perdidos en la inacción son pedazos
de tu vida que se disipan sin beneficio; son jirones que

arranca la desidia a tu juventud y que, empleados en algo útil, podrían serte sumamente provechosos.

Benjamín Franklin ha dicho: "Se reputaría como un gobierno muy exigente el que impusiese a su pueblo una prestación de la décima parte del tiempo, sin pensar que pagamos a la ociosidad un tributo mucho mayor. La desidia, que suele ser causa de algunas enfermedades, nos acorta la vida. La pigricia, como la herrumbre, consume más aprisa de lo que gasta el trabajo, mientras que la llave que constantemente se usa tiene siempre pulimento. ¡Cuánto más tiempo del necesario no empleamos en dormir, olvidando que la zorra que duerme no caza gallinas, y que bastante dormiremos en la tumba!"

Tenemos un refrán que dice: "Quien mucho duerme, poco aprende". Pero no consiste únicamente la pereza en dormir demasiado; hay otra pereza, que es la mental o la moral, de que antes te he hablado, y del consorcio de esas dos nacen la negligencia en el cumplimiento del deber; la demora en la ejecución de un buen propósito; la indecisión e irresolución en dar cima a un asunto; el aplazamiento para otro día de lo que puede hacerse en el acto; la lentitud en la tramitación y curso de expedientes, la imprevisión, la incuria, el abandono.

¿Te has detenido a reflexionar alguna vez si realmente ganas el pan que comes? Quiero suponer que no necesitas trabajar para ganarlo, porque tus padres te mantienen en su casa o te pasan una pensión si estás ausente. Pero ¿te permite tu dignidad y tu pundonor recibir ese beneficio sin corresponder a él de modo alguno? Gratitud debes a tus padres por cuanto han hecho por ti; el mejor modo de demostrarla es con tu aplicación al estudio o tu asiduidad al trabajo, a fin de que puedas cuanto antes costear todos tus gastos y dejar de serles gravoso.

Teniendo siempre la idea fija en este objetivo, que debe ser el de un hijo amante de sus padres, verás la necesidad de no desaprovechar ni desperdiciar un solo instante, y eso te servirá de estímulo para sacudir la pereza y no entregarte a la ociosidad.

Tampoco consiste la ociosidad únicamente en estarse con los brazos cruzados o pasarse las horas muertas en el café o en la tertulia; hay varios modos de estar ocioso, o por mejor decir, de malgastar el tiempo, y es empleándolo en cosas inútiles o de poco provecho, en frivolidades y bagatelas.

No hace mucho nos contaba un periódico que un artesano de Suiza había terminado la construcción de un reloj cuyo mecanismo era todo de paja, y en esa tarea había invertido *¡quince años* de paciencia y de trabajo! No puede decirse realmente que ese hombre estuviese ocioso; pero sí que dedicó los mejores años de su vida a una ímproba labor que equivalía a no hacer nada. Compara el resultado de esa constancia de quince años con la de Bernard Palissy, de que te hablo en otro capítulo.

La eficiencia del hombre activo y diligente no consiste, pues, en moverse mucho, como la ardilla de la fábula, ni en dedicar el tiempo a varias ocupaciones y estudios, sino en que el resultado de sus afanes sea algo de provecho, algo útil o beneficioso para sí mismo y para la sociedad.

En *Educación de la voluntad*, su autor, M. Jules Payot, llama "trabajo perezoso" al de todo individuo que distrae su atención en varias cosas, sin fijarla en lo que hace. Y el mismo concepto forma de él nuestro insigne

Balmes cuando dice: "La inconstancia —que en aparien-
cia no es más que un exceso de actividad, pues que nos
lleva continuamente a ocuparnos de cosas diferentes—
no es más que la pereza bajo un velo hipócrita. El incons-
tante substituye un trabajo a otro, porque así se evita la
molestia que experimenta con la necesidad de sujetar su
atención y acción a un objeto determinado."

A esos hombres voltarios que pellizcan de aquí y de
allí, se aplica aquel refrán de "quien mucho abarca, poco
aprieta", y aquel otro que dice: "Aprendiz de todo, maestro de nada." Entre ellos y los que se dedican con ahinco
a una labor, hay la misma diferencia que entre las mariposas y las abejas. Aquéllas revolotean por un jardín sin
sacar nada de él, mientras que las abejas extraen de las
flores los jugos que convierten después en miel y en cera
con su trabajo.

Los perezosos son los que pretenden que todo se les dé
hecho, sin poner ellos nada de su parte: cuando muchachos, quisieran saber las lecciones sin tomarse el trabajo
de estudiarlas; cuando hombres, sólo saben lamentarse si
sus asuntos van mal, sin poner la menor diligencia para
encauzarlos. Esos son los que sólo tienen quejas y cen-
suras contra todo lo establecido; eternos remolones que
todo lo esperan del gobierno y le atribuyen su malandanza.

Cuando oigas a uno de esos incorregibles haraganes
lamentarse de su mala suerte, busca ocasión de contarle el
cuento de un perro que aullaba lastimeramente junto a
una casa de labranza.

—¿Qué tiene ese perro, vecino? —preguntó un viandante al labrador, que estaba escardando allí cerca.

—¡Pereza! —contestó secamente el labrador.

—¡Cómo pereza! Por pereza no aúlla un perro.

—Ese sí, vecino. Es un haragán. Está echado sobre unos cardos, que le pinchan, y por pereza no se levanta. Y aúlla porque le duele.

Ya lo sabes, joven lector: si alguna vez una contrariedad o la mala suerte te lastima, levántate y muévete, que sacudiendo la pereza sacudirás también el mal.

Entre los discípulos de Hillel, sabio maestro de los hijos de Israel, había uno, llamado Sabot, que adquirió el vicio de la holgazanería. Esto causó a Hillel profunda pena, y resolvió ponerle correctivo. Fué paseando con su discípulo al valle de Hinnon, cercano a Jerusalén, donde había una gran charca llena de culebras y gusarapos y cubierta de hierbas cenagosas.

—Vamos a descansar aquí —dijo el maestro.

—Aquí no —repuso Sabot— ¿No percibís las pestíferas emanaciones que salen de esa agua encharcada?

—Tienes razón, hijo mío; este pantano es como el alma de un hombre indolente y ocioso.

De allí el maestro llevó a su discípulo a un campo lleno de cardos y abrojos, y le dijo:

—Ahí tienes una tierra feraz que podría producir frutos buenos y abundantes; pero está abandonada y sin cultivo. Hace un momento viste el alma de un haragán; en este campo puedes ver la imagen de su infructífera vida.

Esta enseñanza impresionó de tal modo a Sabot, que le movió a adoptar una vida más activa. Un día Hillel le condujo a un fértil valle, por donde corría un claro arroyuelo entre árboles frutales y olorosas flores, y le dijo:

—Aquí tienes la imagen de tu nueva y laboriosa vida.

La Naturaleza, que te sirvió de aviso, ahora te recompensará tu trabajo. Su hermosura y su larqueza sólo complacen al que sabe ver en ella un trasunto de su propia vida.

A poco que reflexiones verás que realmente es así: que

—Este pantano es como el alma de un hombre indolente y ocioso.

ni la tierra daría cereales y legumbres al labrador que no la cultivase, ni de un bloque de mármol sacaría el artista una hermosa estatua si en vez de trabajar con el cincel se dedicase a la holganza.

Para que veas cómo en situación pareja, y en igualdad de circunstancias, el hombre trabajador medra y prospera, y el indolente viene a menos y se arruina, voy a relatarte lo que aconteció a dos hermanos labradores, Pablo y Lorenzo, que poseían dos granjas contiguas, de igual extensión y de idéntico terreno.

Cuando crecieron el trigo, la avena y el maíz que habían sembrado, empezaron a crecer también en aquel suelo feraz las malas hierbas y la cizaña entre las mieses. Una tarde le dijo Pablo a Lorenzo:

—¿Ves, hermano, cómo crece y se propaga la mala hierba? Si nos descuidamos nos va a destruir la cosecha.

—¡Qué le vamos a hacer! Dios lo quiere así. No hay más remedio que resignarse.

Y, como tenía por costumbre, se fué a dormir la siesta.

—Yo sólo me resigno a lo que no tiene remedio —dijo Pablo.

Y, cogiendo una azada y el escardillo, se puso a trabajar hasta dejar el campo libre de hierbas.

Otro día le dijo Pablo a Lorenzo:

—Hay una plaga de orugas en los campos vecinos y se viene hacia acá.

—¡Estamos aviados! —exclamó Lorenzo—. Se me comerá lo poco que me han dejado en pie las hierbas. Voy a rogar a Dios que detenga su marcha o la desvíe.

—Yo ruego a Dios cada mañana que me dé fuerza para el trabajo del día —repuso Pablo.

Y mientras Lorenzo se estaba en su casa rezando el rosario, Pablo abrió una zanja alrededor de su campo, bastante ancha para detener el avance de la oruga.

Una mañana fué Pablo a avisar a Lorenzo:

—¡Corre, hermano! Vengo del río, que con las lluvias de anoche se ha crecido y amenaza inundar nuestros campos.

—¡Dios tenga piedad de nosotros! —exclamó Lorenzo,

cayendo postrado de hinojos ante una imagen— Eso es
un castigo que nos envía por nuestros pecados.

—No hay peores castigos que los que nos causa la pereza —dijo Pablo, y se fué corriendo a buscar sus braceros, quienes le ayudaron a formar un terraplén que contuvo la inundación de su campo, al paso que Lorenzo, ape-
lando a la misericordia divina, estaba lívido de espanto
contemplando la anegación de su sembrado.

—Estoy arruinado —exclamó—. Sólo un consuelo me
queda, y es que Dios me conserva a mis hijos.

Pero ¡ay! mientras los de Pablo, educados por éste a
ser trabajadores y activos, crecieron buenos hijos y fueron
hombres honrados y virtuosos, los de Lorenzo, contagia-
dos por el ejemplo del padre, fueron indolentes y holgazanes, contrajeron vicios y acabaron por ser, el mayor un
borrachín, el segundo un jugador y el más joven un sui-
cida.

Lorenzo se lamentaba de su desgracia y mala suerte
diciendo:

—Dios ha sido más piadoso contigo que conmigo.
¿Cómo es que tú has prosperado y tienes buenos hijos,
mientras que yo, en mi vejez, me veo pobre y mis hijos me
han deshonrado?

—Lo único que sé decirte —contestó Pablo— es que
el cielo me ayudó siempre a corregir las faltas de mis
hijos del mismo modo que evité los males de la cizaña, de
las orugas y de la crecida del río, y que nunca dirigí una
plegaria al cielo sin enviarla por medio de un mensajero
de toda mi confianza, que es el trabajo. Este es el secreto,
Lorenzo: *A Dios rogando y con el mazo dando.*

La ociosidad, raíz y madre de todos los vicios...

La gente baldía y perezosa es en la república lo mesmo que los zánganos en las colmenas, que se comen la miel que las trabajadoras abejas hacen...

Advierte ¡oh Sancho! que la diligencia es madre de la buena ventura; y la pereza, su contraria, jamás llegó al término que pide un buen deseo. — CERVANTES.

La mano perezosa, pobreza es; la que sabe obrar, la mano industriosa del trabajador, ayunta y alcanza riquezas. — SALOMÓN.

Un hombre con pereza es un reloj sin cuerda...

En lo intelectual como en lo físico, el órgano que no funciona se adormece, pierde su vida; el miembro que no se mueve, se paraliza. — BALMES.

Substituye el ocio y los vicios que te hacen infeliz por el trabajo y las virtudes, y serás dichoso y no pedirás al cielo que te libre de unos males cuyo remedio está en tu mano. — ARISTÓTELES.

Es cosa cierta que nunca grande obra se hubo sin trabajo; las cosas que con él se alcanzan dan más gusto. Quien quita el trabajo quita el descanso; al cansado y trabajado todo le es sabroso y dulce: el comer le da sabor, el dormir descanso y los otros placeres todos los toma con deseo. — PEDRO MEJÍA.

Si yo dejase un solo día de hacer ejercicios en el piano, yo notaría esa falta; si me abstuviese tres días, lo notarían mis amigos, y si estuviese una semana, el público lo notaría. — PADEREWSKI.

No es perezoso únicamente el que nada hace, sino también el que podría hacer algo mejor que lo que hace. — SÓCRATES.

Aquel que todo lo aplaza, no dejará nada concluído ni perfecto. — Demócrates.

El laborioso gana su vida; el perezoso la roba. — Focílides.

Primero trabaja; descansa después. — John Ruskin.

# Capítulo XVIII

## EL TIEMPO

Arenilla de oro que se escurre. — Valor del tiempo. — Importa aprovechar las oportunidades. — Lo incierto del "mañana". — ¡Matar el tiempo! — Lo que puede hacerse a "ratos perdidos". — Cómo han empleado su tiempo algunos hombres ilustres.

¿Has visto alguna vez uno de esos relojes de arena que inventaron los antiguos para medir las horas? ¿Has observado con qué rapidez van cayendo por el estrecho cuello que separa las dos ampolletas de vidrio unos finísimos granos de arena?

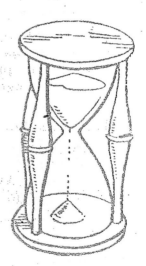

Pues imagínate que esos menudos granos son de arenilla de oro y tendrás una fiel imagen del tiempo. La ampolleta de arriba representa el futuro; el angosto cuello, el presente; la ampolleta inferior, el pasado. La arena de oro es el tiempo que se desgrana y va escurriéndose suavemente y con presteza; es el porvenir, que, por el brevísimo espacio de "ahora", cae y se hunde en el pasado.

Reloj de arena

Así, cada segundo, cada instante que pasa, el necesario para leer una breve palabra, es un grano de arena que se escurre, una partícula de tu vida que ya se fué.

Los anglosajones, que son muy dados a medir y contar el valor de las cosas, dicen que "el tiempo es dinero". No es, pues, exagerado decir que se desgrana en arenilla de oro.

Si vieses a un joven cargado con una talega, de la cual se escapan por un agujero monedas de oro que van regando el suelo, ¿no dirías que es un descuidado? Y si supieses que él está advertido de que pierde el dinero y no hace caso, ¿no juzgarías que es un insensato?

Pues mayor insensatez comete el joven que pierde el tiempo sin provecho, porque el dinero que se pierde puede recuperarse con el trabajo, pero el tiempo perdido no se recobra jamás.

> Pasan las horas y raudas se van
> sin poder ya desandar su camino;
> rueda con ellas veloz el Destino;
> las que se fueron jamás volverán,
> y "agua pasada no muele molino".

Hay que tener en cuenta la brevedad de la vida. Como dice Bécquer:

> ¡Al brillar un relámpago nacemos,
> y aun dura su fulgor cuando morimos!
> ¡Tan corto es el vivir!

Cuando los antiguos enterraban a un muerto, solían poner junto al cadáver un reloj de arena como símbolo del tiempo exhausto.

Es el tiempo un patrimonio vitalicio que recibiste al nacer. De su empleo tendrás que dar cuenta a Dios. Si lo utilizas bien, podrás hacerlo sumamente productivo, no tan sólo para ti mismo, sino también para los demás. Si lo malgastas, tu vida habrá sido infructuosa como un campo sin cultivo; habrás pasado por este mundo sin dejar la menor huella; habrás vegetado como una hierba que no da ni flor ni fruto.

Pitaco, uno de los sabios de Grecia, predicaba estas máximas: "Aprende a conocer el valor del tiempo. No pierdas un minuto. Aprovecha las oportunidades".

¡Cuántos, por no saber o no atreverse a aprovechar una oportunidad, han perdido aquello que, una vez logrado, hubiera hecho su felicidad o su fortuna!

El cazador que cuando se le pone una liebre a tiro vacila en apuntar y disparar la escopeta, se expone a perder la caza.

Bécquer

No vaciles, pues, en sacar partido de las oportunidades que se te presenten;

porque las dilaciones
pierden las ocasiones,
porque en la calva tiene un copete,
que sólo se lo coge el que acomete,

como dice Lope de Vega en su poema *La Gatomaquia*.
También la musa popular te dice:

Dios te guarde
de un "ya es tarde".

Lo cual te indica que no debes descuidarte, porque al "camarón que se duerme se lo lleva la corriente", y "la calle de *luego* y el camino de *mañana,* conducen siempre a la plazuela de *nunca*".

¡Mañana! Ese es el desván de la pereza; el gran refugio de los indolentes. Todo lo van hacinando y dejando para "mañana".

Pero ese "mañana", para ellos, es como el horizonte para el que navega, que por mucho que ande el barco nunca se llega a alcanzar.

Casi todos los fracasados son hombres que dejan para "mañana" lo que pueden hacer "hoy".

A menudo oirás decír: "Mañana será otro día."

—¡Quién sabe! Procura tú recordar lo que voy a decirte en estas redondillas:

### AYER, HOY Y MAÑANA

En esta vida mundana
olvida el hombre prever
que hoy, el "mañana" de ayer,
será el "ayer" de mañana.

No hay nada más inseguro,
puesto que el tiempo no para,
que el breve "hoy", que separa
el pasado del futuro.

No echemos, pues, en olvido
lo que en la vida es más cierto,
y es que el "ayer" ya está muerto
y el "mañana" no ha nacido.

¿Y quién afirmar podrá
si ese "mañana" que ansía
será un nuevo y claro día,
o eterna noche será?

Voy a demostrarte con un incidente histórico que refiere Plutarco, en la vida de Pelópidas, lo peligroso que es aplazar para mañana los asuntos que pueden resolverse hoy mismo.

Llegó a presencia de Arquias durante el banquete

Arquias, uno de los polemarcas de Tebas, se había hecho odioso por su tiranía a los tebanos, y algunos de éstos se conjuraron para darle muerte en una orgía. Súpolo un tocayo de Arquias, que era hierofante en Atenas y amigo suyo, y para prevenirle contra la aparejada traición, le envió una carta por medio de un mensajero. Este llegó a presencia de Arquias durante el banquete y le entregó la carta diciendo: "El que la envía encarga mucho que se lea al punto, porque el asunto es muy urgente." A lo que, sonriéndose, contestó Arquias: "Los asuntos urgentes quédense para mañana". Y poniendo la carta, sin leerla, debajo de su cojín, siguió bebiendo hasta que los conjurados, viéndole ya ebrio, penetraron en la sala disfrazados con ropas de mujer y le dieron muerte.

Muchos casos podría contarte en los que el aplazamiento de una resolución ha causado fatales consecuencias.

El capitán de un buque que hacía la travesía del océano, avistó una noche a un vapor que pedía auxilio. Era el llamado *Central América*, y cuando el capitán del velero se puso al habla, el capitán Herndon gritó desde el vapor: "Estamos haciendo agua y nos vamos a pique".

El capitán del velero gritó: "¿Quiere usted trasbordar los pasajeros a mi barco?" "¿No podría usted estar a la capa cerca de mí hasta la madrugada?" —preguntó el capitán Herndon. "Lo probaré —dijo el otro marino—; pero mejor sería hacer el trasbordo *ahora mismo*." Y el capitán del vapor dijo: "Manténgase a la capa hasta que amanezca".

"Procuré capear —dijo después el capitán del velero al relatar el siniestro—, pero había mucha mar de fondo aquella noche y me llevó a la deriva, de modo que no volví a ver el vapor. Una hora y media después de decirme el capitán que capease *hasta la mañana*, se fué a pique el vapor y perecieron ahogados el capitán, la tripulación y muchos de los pasajeros. Si no se hubiese aplazado el trasbordo, *todos* se hubieran salvado."

Tan censurable como aplazar los asuntos para otro día, es lo que en frase vulgar se llama "matar el tiempo". ¡Matarlo! Cuando él nos mata a nosotros, y por eso verás que le pintan con una guadaña, porque va segando nuestras vidas.

Generalmente los que emplean mal el tiempo son los que se lamentan de que no les alcanza para nada.

Muchos jóvenes que pasan las tardes en el café y las noches en el teatro o van de juerga, suelen llevar calabazas en los exámenes de fin de curso, porque "no han tenido tiempo para estudiar".

Orison Swett Marden ha dicho, y fíjate bien en estas palabras: "¡Cuántas maravillas se han hecho trabajando una hora diaria! Si de pasatiempos frívolos se sustrae una hora cada día y se emplea en provecho, puede un hombre de mediana capacidad dominar toda una ciencia. Con una hora diaria de estudio puede un ignorante llegar a ser en diez años un hombre instruído...

"En una hora puede un muchacho o una muchacha leer concienzudamente veinte páginas al día, o sea siete mil páginas al año, que equivalen a dieciocho gruesos tomos. Una hora al día puede transformar una árida existencia en una vida provechosa y feliz. Una hora al día podría hacer, o por mejor decir ha hecho, de un desconocido un hombre famoso; de un ente inútil, un bienhechor de la humanidad. Juzgad, pues, las posibilidades de dos, de cuatro, de seis horas al día que, por término medio, malgastan los jóvenes de uno y otro sexo en su insaciable ansia de frívolas diversiones."

Ciencia, fama, fortuna: todo lo puedes conseguir pagando por ellas con tu tiempo, moneda que nada te cuesta, pero que vale mucho. Sabiéndolo, ¿vas a malgastar ese dinero en inútiles frivolidades?

Esos que llamamos "ratos perdidos" pueden aprovecharse para hacer grandes cosas. ¿No has visto esas hermosas estalactitas que en las cuevas subterráneas van formando gota a gota las filtraciones?

Pues, así, aprovechando pequeños ratos, que son como gotas del tiempo, han ido algunos hombres acumulando trabajo para hacer obras notables o para aumentar el caudal de sus conocimientos.

James Watt, que en su juventud se ganaba la vida fabricando instrumentos de precisión, dedicaba los ratos libres al estudio de la química y las matemáticas, y más tarde, el perfeccionamiento de la máquina de vapor le produjo una fortuna y universal-nombradía.

Ercilla compuso su poema épico *La Araucana* en los ratos que no peleaba contra las hordas indias de Chile, y escribía sus octavas reales en trozos de papel y, cuando no los tenía, en pedazos de cuero. También Darwin, el autor del *Origen de las especies*, compuso muchas de sus obras anotando en trozos de papel, en la calle o dondequiera que se hallase, las ideas que acudían a su mente.

Un herrero norteamericano, Elihu Burritt, hijo de un zapatero, se dedicó a estudiar idiomas en los ratos que le dejaba libres su trabajo en la herrería, y llegó a conocer dieciocho lenguas, entre ellas el sánscrito y otras orientales, y veintidós diferentes dialectos. Sin abandonar su oficio de herrero, dió después conferencias varias en favor de la paz universal y dejó, al morir, varias obras impresas. Ahí tienes un hombre que no desperdició su tiempo.

Otro ejemplo más reciente y más cercano te ofrece la prodigiosa labor realizada durante sus no muy prolongadas vidas, por dos eximios polígrafos españoles, que han dejado numerosas y substanciales obras de derecho, de historia, de crítica y de literatura: Joaquín Costa y Marcelino Menéndez y Pelayo. De este último dijo Antonio Maura en una oración fúnebre: "Tenía uncido a su carro triunfal el tiempo. ¡Nombradme nonagenarios que hayan vivido tanto como él!"

Ahí tienes el secreto de vivir una larga vida en pocos años: saber aprovechar el tiempo.

Para no perderlo, otro que también trabajó mucho, Plinio, el naturalista, según cuenta su sobrino, se hacía leer o dictaba mientras se bañaba y le secaban el cuerpo.

Menéndez y Pelayo

Y a propósito, voy a traducir un párrafo de una de las cartas de lord Chesterfield a su hijo: "Conocí a un caballero el cual sabía aprovechar tan bien el tiempo, que no desperdiciaba ni aun aquellos momentos que las exigencias de la naturaleza le obligaban a pasar en un lugar necesario, sino que en esos ratos leía gradualmente las obras de todos los poetas latinos. Por ejemplo: compró una edición barata de Horacio, de la que iba arrancando un par de hojas todos los días; las llevaba a ese lugar y después de leerlas las destinaba como sacrificio a Cloacina. Así no perdía el tiempo, y te recomiendo que sigas su ejemplo".

Cuanto mayores son las empresas que se acometen, más se aprecia el valor del tiempo.

Uno de los hombres que más sabía estimarlo era Napoleón el Grande, como se desprende de algunas de sus memorables frases.

Cuando disponía su expedición a Egipto, dijo a uno de sus ayudantes: "Dése usted prisa. Recuerde que el mundo se hizo en seis días. Pídame todo lo que quiera menos *tiempo:* eso es lo único que no está en mi mano dar".

Cuando con treinta mil hombres derrotó en Rívoli a un ejército austríaco de cincuenta mil, hizo este comentario: "Los austríacos han maniobrado admirablemente, pero han sido derrotados porque son incapaces de calcular el valor de unos minutos".

En una carta que, siendo emperador, dirigió al ministro de la Gobernación acerca de unas leyes, le decía: "Es triste ver pasar el tiempo sin aprovechar todo su valor. En un asunto como éste debiéramos tratar de hacer algo, a fin de poder decir que no hemos vivido en vano y que hemos dejado huellas de nuestra vida sobre la arena del Tiempo".

No se han borrado las páginas que ha dejado en el libro de la Historia, pero, ¿sabes por qué? Él mismo va a decírtelo:

Cuando era un simple teniente estaba alojado con otros oficiales en la casa de un barbero de Auxona cuya esposa era bonita y coqueta y se dejaba cortejar por los jóvenes militares. Años después, cuando Napoleón mandaba el ejército de Italia y se dirigía a Marengo, pasó por Auxona, se detuvo delante de la barbería y preguntó a su antigua patrona, que no le reconoció, si se acordaba de un oficial llamado Bonaparte que años atrás estuvo alojado en su casa. "Bien que me acuerdo —dijo la mujer del barbero—. Por cierto que era muy hurón; no se parecía a sus camaradas, que eran muy alegres. Él, o se estaba encerrado en su cuarto con sus libros, o si salía a la calle no se paraba a hablar con nadie". — "Ah, mi buena mujer —repuso Napoleón—; si yo hubiera pasado el tiempo como usted quería, no mandaría hoy el ejército de Italia."

No lo olvides: los laureles de la gloria no se ganan malgastando el tiempo.

———

Aprende a conocer el verdadero valor del tiempo: arrebata, coge y aprovecha cada momento. Nada de ociosidad; fuera pereza; nada de aplazamientos; nunca dejes para mañana lo que puedas hacer hoy. — LORD CHESTERFIELD.

El que aguarda para hacer mucho de una sola vez, nunca hará nada. — DR. JOHNSON.

Si teniendo ocasión no la aprovechas, por demás la esperas después de pasada. — SALUSTIO.

Lo presente, producto de lo pasado, engendra a su vez lo futuro. — LEIBNITZ.

Vela eres: luz de la vela es la tuya, que va consumiendo lo mismo con que se alimenta; y cuando más aprisa arde, más aprisa te acabarás...

¿Quién te ha dicho que lo que ya fué volverá, cuando lo hayas menester, si lo llamares? Dime: ¿has visto algunas pisadas de los días? No, por cierto, que ellos sólo vuelven la cabeza a reírse y burlarse de los que así los dejaron pasar. — QUEVEDO.

*Pérdida.* — Ayer se perdieron, entre el amanecer y la puesta del sol, dos preciosas horas de oro, cada una de ellas engastadas con sesenta minutos de diamante. No se ofrece gratificación, porque es imposible recuperarlas. — HORACE MANN.

¿Qué es nuestra vida más que un breve día
do apenas sale el sol cuando se pierde
en las tinieblas de la noche fría?

Fernández de Andrada (?)

¡Triste *hoy* que anhela el *mañana*
para trocarlo en *ayer*!

P. A. de Alarcón

Y, cuando débil, el combate esquivo,
"mañana —digo— llegará en mi ayuda".
¡Y *mañana* es la muerte; y mi ansia vana,
deja mi redención para mañana!

Adelardo López de Ayala

# CAPÍTULO XIX

# EL AHORRO

Valor del dinero. —Su adquisición es indispensable para los fines de la vida.— El ahorro es fuente de riqueza. — Arbol genealógico del capital. — Quiénes pretenden su favor. — Lo que puede una buena inversión. — Resultados sorprendentes del ahorro. — No confundir la economía con la avaricia.

¿Has nacido pobre? No importa. No te descorazones, que puedes llegar a ser rico. ¿Has nacido rico? Ten cuidado. No te envanezcas, que puedes llegar a verte en la pobreza.

Todo depende de la conducta que sigas desde joven. La rueda con que pintan a la Fortuna da continuamente vueltas, y sus rayas ora suben, ora bajan.

Quiere decir que no hay nada tan voltario y mudable como los bienes de este mundo, y que es preciso mucha diligencia para alcanzarlos y mucha prudencia para retenerlos.

El dinero no es realmente otra cosa que un medio tangible y convencional que permite satisfacer una necesidad o un capricho.

Y como todos los hombres, cuanto más civilizados y más cultos sienten más necesidades y caprichos, les es indispensable disponer de dinero para satisfacerlos.

En este mundo todo tiene su valor, ya sea positivo o relativo.

El valor de una cosa depende de la necesidad que tengamos o del aprecio que hagamos de ella.

Y la medida que tenemos para expresar ese valor es el dinero. Con él se mide y se tasa desde un palacio hasta una choza; desde un precioso joyel hasta una baratija; desde la obra maestra de un genio hasta el jornal de un gañán.

Por eso dijo Quevedo en una letrilla:

> Y, pues es quien hace iguales
> al duque y al ganadero,
> poderoso caballero
> es don Dinero.

Y, en efecto, triste es confesarlo, pero ya lo palparás a medida que te hagas hombre: en este mundo, por desgracia, aún son muchos los que prestan adoración a

Quevedo

Mammón y a Pluto, dioses paganos de las riquezas (véase APÉNDICE).

Con razón decía Gracián:

"Hasta las riquezas dan autoridad. Dora las más veces el oro las necias razones de sus dueños; comunica la plata su argentado sonido a las palabras, de modo que son aplaudidas las necedades de un rico, cuando las sentencias de un pobre no son escuchadas."

Excuso decirte cuánto mayor será tu autoridad entre los hombres si, a una posición desahogada que te permita vivir con entera independencia, reúnes una cultura poco común, que puedes adquirir con el estudio.

Te conviene, pues, coordinar y metodizar tus trabajos y

el régimen de tu vida de tal manera, que puedas dedicar tu atención y tu empeño a la consecución de estos dos fines: aumentar el caudal de tus conocimientos y labrarte una fortuna.

Es tanto como decir dos caudales, porque la cultura es también una riqueza.

Esta se adquiere con el estudio y la observación; la del dinero, con el trabajo y la economía.

Con el trabajo podrás ganar dinero; pero si no eres económico en tus gastos; si inviertes tus ganancias en innecesarias fruslerías, en costosos caprichos, en vanidosa ostentación o en arriesgados negocios, nunca podrás reunir un capital en tus arcas o en el Banco. Es como si tratases de llenar de agua un cesto de mimbres, que por mucha que eches en él siempre se escurrirá por las rendijas.

Por esto se ha dicho que "la economía es el guardián del dinero, el ángel bueno que guía los pasos del hombre trabajador hacia la prosperidad y la bienandanza".

El capital se forma no con lo que se gana, sino con lo que se ahorra.

Los ahorros que uno va acumulando son como los manantiales y arroyos que desembocan en un riachuelo y van engrosando su corriente hasta convertirlo en un caudaloso río.

Y no sólo contribuye el ahorro a la riqueza del que lo practica, sino que constituye un sumando que, agregado a los ahorros de los demás, aumenta grandemente la riqueza de la nación. Así, Francia es un país muy rico, debido principalmente al hábito del ahorro que practican sus ciudadanos.

El capital que se gana honradamente procede de una

dignísima y esclarecida prosapia, y bueno será que conozcas su árbol genealógico:

Dos jóvenes vecinos, el *Entendimiento* y la *Voluntad*, contrajeron matrimonio, y de ese enlace nació un arrogante y fornido mozo, que se llamó el *Trabajo*. Conoció este mancebo a una garrida muchacha, llamada *Economía*, que vivía cerca, y a la que habían educado con esmero sus padres, el *Orden* y la *Previsión*. La requebró de amores y casó con ella, con gran contentamiento de los padres. Medró la joven pareja, y al poco tiempo les nació un hijo a quien bautizaron con el nombre de *Ahorro*. Creció el chico, se desarrolló con gallardía y enamoróse de una prima suya, llamada *Constancia*, hija del *Honor* y la *Firmeza* y nieta del *Carácter* y la *Rectitud*. El cielo bendijo esa unión, y el fruto de ella fué un robusto infante, a quien por nombre de pila le pusieron *Capital*.

Este es hoy un gran señor que vive querido y respetado de todo el mundo. Como está orgulloso de su familia se ha hecho trazar, y tiene a la vista en su despacho, su árbol genealógico, que constituye su escudo de armas y su timbre, que es como se indica en la página siguiente.

Cinco mujeres aspiran al amor y la preferencia del *Capital*. Dos son muy buenas y virtuosas: la hacendosa *Industria* y la modesta *Caridad;* otras dos son descocadas y desenfrenadas: la manirrota *Prodigalidad* y la empecatada *Crápula*, y la quinta, que quiere ser su ama de llaves, es una vieja enjuta y huraña: la insaciable *Avaricia*.

La enseñanza de esta parábola es tan clara, que no necesito explicártela. Ella te indica las virtudes que has de practicar para llegar a reunir un capital que te permita vivir con holgura y con la satisfacción que proporciona el lograr una cosa por el esfuerzo propio.

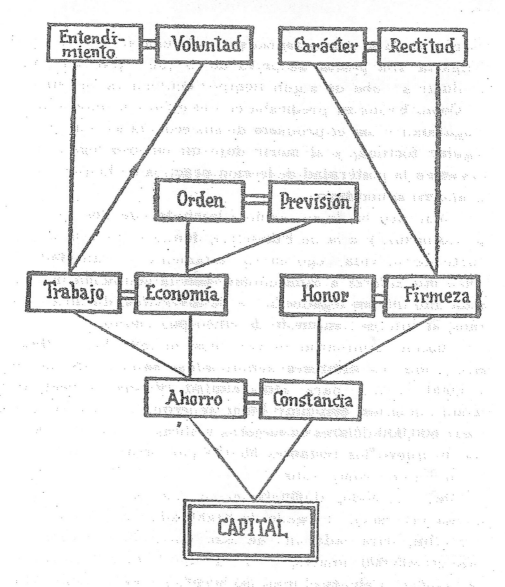

El poder reproductivo del ahorro bien empleado a interés compuesto, lo ilustra Benjamín Franklin diciendo: "El dinero puede engendrar dinero, y su prole puede engendrar más, y así sucesivamente. Cuanto más hay, más produce, y las ganancias van creciendo. El que mata una puerca, mata su descendencia por mil generaciones. El que malgasta una peseta, se priva de lo que hubiera podido producir al cabo de algún tiempo: centenares de duros."

Como Franklin predicaba con el ejemplo, pudo con su frugalidad y con el producto de sus economías reunir una regular fortuna, y al morir dejó un curioso legado que sirviese a la posteridad de lección práctica de lo que puede el ahorro acumulado.

Como prueba de su cariño a la ciudad de Boston, donde vió la luz, y a la de Filadelfia, donde residió la mayor parte de su vida, legó en su testamento la cantidad de *cinco mil dólares* a cada ciudad, con la condición de que cada uno de esos legados había de invertirse, durante cien años, al interés compuesto de cinco por ciento.

Cuando terminaron los cien años, en 1890, los 5,000 dólares, con los intereses acumulados, habían producido 655,000 dólares para cada ciudad, y sus respectivos Ayuntamientos, con muy buen acuerdo, resolvieron emplear 600,000 dólares en mejoras y obras públicas, e invertir de nuevo los restantes 55,000 por otros cien años al mismo interés compuesto.

De este modo, al finalizar, en 1990, el primer siglo de esa inversión, el legado de 5,000 dólares que instituyó Franklin, para cada una de esas ciudades habrá producido 20.305,000 dólares, o sea más de *ciento y un millones de pesetas*. ¡Calcula el inmenso beneficio que con su legado y su previsora condición hizo Franklin a los municipios de Boston y de Filadelfia!

No hay duda que el hábito adquirido del ahorro, aun en las cosas más triviales, ha servido para enriquecer a muchos hombres.

Cuentan de Mayer Anselm Rothschild —fundador de

la casa y de la familia de archimillonarios banqueros de
ese apellido— que, siendo muchacho, hijo de una pobre
familia israelita, fué a solicitar colocación en una casa
de banca de Hannover. Al decirle que no había allí ningún puesto vacante, iba a marcharse cuando, cerca de la
puerta, vió en el suelo un alfiler, y se agachó a recogerlo,
clavándoselo en seguida en la solapa. El jefe de la casa,
que vió la acción, le llamó y le preguntó qué era lo que
había recogido del suelo.

—Un alfiler, señor —dijo el joven Mayer mostrán-
doselo.

—¿Y por qué lo has cogido?

—Porque tengo la costumbre de coger lo que veo en
el suelo y puede ser útil. Si el señor cree que he hecho
mal...

—Al contrario, ése es un buen hábito, y desde luego
te daré un empleo en esta casa.

Y en ella estuvo empleado el joven Rothschild hasta
que se estableció en Francfort, su ciudad natal, por cuenta propia, produciéndole sus economías y sus prudentes
inversiones una inmensa fortuna.

Nunca llegó a ganarla un chico que, yendo por una
carretera con su padre, no quiso agacharse para coger una
herradura que había en el camino. Cogióla el padre, y al
llegar a un pueblo la vendió a un herrero por dos reales.
Con este dinero compró un kilogramo de cerezas, fruta
que gustaba mucho a su hijo, y cuando éste, cansado y
sediento, le pidió algunas, el padre las dejaba caer una a
una, y de trecho en trecho. Cuando el chico las hubo co-
mido todas, le dijo su padre: "¿Tú ves, hijo mío? Si te hubieses agachado una sola vez para coger la herradura, no
hubieras tenido que agacharte tantas veces para coger las

cerezas. Ni hubieras tenido cerezas si yo no me hubiera
agachado a coger la herradura que tú despreciaste."

Pero no consiste el ahorro únicamente en coger cosas
del suelo y en guardar objetos que algún día pueden aprovecharse, sino también, y muy principalmente, en abste-
nerse de vicios y de caprichos que, sobre ser costosos, son
nocivos e innecesarios.

Seguramente has oído hablar de la colosal fortuna que
posee en los Estados Unidos la familia Vanderbilt. Pues
esa fortuna la creó con su trabajo, su perseverancia y sus
economías Cornelius Vanderbilt, hombre emprendedor,
quien a los dieciséis años compró un bote en el que, re-
mando, conducía pasajeros desde Nueva York a la isla
Staten, que está en aquella bahía. Dos años después tenía
ya tres botes de su propiedad. Pero quiso comprar más, y
como necesitaba dinero, fué a ver si podía prestárselo su
amigo Jacob Baker, cajero del Farmers Bank de Nueva
York. Durante la conversación, Baker le preguntó si tomaba aguardiente, y Vanderbilt respondió que de vez en
cuando tomaba un trago.

—Eso es malo —le dijo Baker—; procura no beber,
y si en un año no has tomado ni una copa de licor, vuelve
y te prestaré el dinero que necesitas.

Al año volvió Vanderbilt, que era muy honrado y sincero, y le dijo a Baker que se había abstenido por completo de beber, y que, por consiguiente, le prestase el
dinero.

—Está muy bien —dijo Baker—; pero antes quiero
saber si juegas.

—Alguna que otra vez, por entretenerme cuando no
tengo nada que hacer, juego con otros marineros —respondió Cornelio.

—Pues prestar dinero al que juega es muy expuesto. Deja de jugar y de aquí a un año ven a verme.

Así lo hizo el joven barquero, y cuando se presentó a su amigo asegurándole que había dejado de jugar en todo el año y solicitaba el préstamo, le dijo míster Baker:

—Pues prestar dinero al que juega es muy expuesto.

—Se me olvidó preguntarte una cosa. ¿Fumas?

—Sí; cuando acabo de remar y he desembarcado a mis pasajeros, suelo encender mi pipa.

—Ese es un gasto inútil, y la nicotina es un veneno. Abstente de fumar y vuelve de aquí a un año.

Al finalizar el plazo, Vanderbilt fué a ver a míster Baker, y le dijo:

—Vengo a dar a usted las gracias por sus buenos consejos, que fielmente he seguido, y a decirle que ya no necesito el préstamo, pues con los ahorros que he hecho en estos tres años tengo bastante dinero para comprar dos chalupas y una goleta.

A los veinticuatro años tenía Vanderbilt 9,000 dólares en el Banco. Se dedicó a empresas navieras; tuvo varias líneas de vapores, que le produjeron 40 millones de dólares; compró más tarde varios ferrocarriles, y al morir, a una edad avanzada, dejó una colosal fortuna, que han sabido acrecentar, siguiendo el plan por él trazado, sus hijos y sus nietos.

No pretendo con estos ejemplos inculcarte el amor al dinero por el solo afán de acumular riqueza. Esto se llama "avaricia", y es uno de los pecados capitales. El que guarda sus ahorros o sus ganancias en ollas bajo tierra o en arcas cerradas, o en estancados depósitos en un Banco, impidiendo así la "reproducción del dinero", según la frase de Franklin, es culpable de un delito de mutilación o de secuestro. Porque el dinero no se ha hecho para una sola persona, sino para facilitar el intercambio, esto es, la industria y el comercio.

Pero observa que Vanderbilt no emparedaba su dinero, sino que lo empleaba en bien de la comunidad, creando líneas de vapores y construyendo ferrocarriles, con lo cual no solamente contribuía a desarrollar la industria y el comercio del país, y por ende su riqueza, progreso y bienestar, sino que daba ocupación y sustento a millares de familias. ¿No crees tú que tenía derecho a gozar de una fortuna tan bien adquirida? La riqueza obtenida así, por medios legítimos y haciendo bien a los demás, es justo motivo de satisfacción propia y de admiración ajena.

La verdadera riqueza no estriba en la posesión de más o menos dinero, pues no hay cantidad fija que sirva de medida de la riqueza, sino que consiste en el buen empleo que del dinero se hace. Ha dicho un pensador: "Considero que es verdaderamente rico el hombre que vive con lo que tiene, que a nadie debe y que está contento con su suerte. Ningún hombre puede llamarse rico si desea tener más de lo que tiene, porque ese deseo es realmente una necesidad, y la necesidad que no puede satisfacerse equivale a la pobreza."

Y otro ha dicho: "El corazón y no el dinero es lo que hace rico al hombre. Porque la verdadera riqueza consiste en lo que uno *es*, y no en lo que *tiene*."

Por lo tanto, pueden llamarse doblemente ricos aquellos que comparten sus bienes de fortuna con los desheredados de ella, o que los dedican a obras de beneficencia, de misericordia o de cultura.

George Peabody, que cuando era muchacho se costeó un viaje a pie trabajando en diversas alquerías, llegó a ser millonario, y dedicó su riqueza a remediar necesidades de los pobres, conquistando el título de gran filántropo. Andrew Carnegie, el emigrante escocés que ganó en los Estados Unidos una inmensa fortuna en empresas de fundición, emplea sus ganancias en dotar de bibliotecas a muchos pueblos, y ha repartido ya muchísimos millones con ese objeto. El químico sueco Alfred Nobel, inventor de la dinamita, ha consagrado una gran parte de su fortuna a la fundación de premios anuales para recompensar méritos literarios y científicos y actos de benevolencia (véase APÉNDICE).

Estos descuellan sobre otros muchos ejemplos que pudiera citarte de hombres que han logrado enriquecerse con su constante trabajo y la prudente inversión de sus ahorros, y que han demostrado ser también ricos en sentimientos empleando sus ganancias en bien de la Humanidad.

Si llegas, pues, a tener fortuna, acuérdate de mi parábola y de las cinco mujeres que solicitarán que les tiendas la mano. Cierra la puerta a dos: la Prodigalidad y la Crápula, pues éstas te robarían y dejarían sin blanca; cásate con la Industria y toma como ama de llaves a la Caridad en lugar de la Avaricia, porque ésta encerraría en cofres tu dinero y te dejaría morir de hambre.

Escucha el soneto que escribió Gerardo Lobo acerca del hombre avaro:

> ¿Qué importará que el avariento cobre
> oro a quintales, perlas ciento a ciento,
> si la sed mismo de que está sediento
> le obliga siempre a que ruindades obre?
>
> Más rico que ese rico es aquel pobre
> que, de ambición y de codicia exento,
> hace que lo que falta al avariento,
> como no lo apetece, a sí le sobre.
>
> Las riquezas el uno desestima,
> el propio engaño al otro lisonjea;
> me agrada aquél cuando éste me lastima.
>
> Pues ¿quién será tan ciego que no vea
> que éste es siervo del oro, pues le estima,
> y aquél señor de sí, pues no desea?

Gran renta es la economía. — CICERÓN.

El hombre tiene en sus propias manos el molde de su fortuna. — BACON.

> No hay pobre que no sea rico
> si lo que tiene le basta.

Alonso de Barros

Yo soy de parecer que el pobre debe contentarse con lo que hallare, y no pedir cotufas en el golfo. — Cervantes.

No es pobre el que tiene poco, sino aquel que, teniendo mucho, desea todavía tener más. — ¿Quieres ser rico? Pues no te afanes en aumentar tus bienes, sino en disminuir tu codicia. — Epicuro.

Cuidados acarrea el oro, y cuidados la falta dél; pero los unos se remedian con alcanzar alguna mediana cantidad, y los otros se aumentan mientras más parte se alcanza. — Cervantes.

La fortuna es como un vestido: muy holgado nos embaraza, y muy estrecho nos oprime. — Horacio.

La fortuna es como el vidrio: cuanto mayor es su brillo, más fácilmente se rompe. — Publio Syro.

La fortuna se ha de temer cuando más se tenga en la mano. Antonio Pérez.

Más vale el buen nombre que las muchas riquezas. — Salomón.

> No debieras de contar
> por tuya cosa ninguna
> que te diere la fortuna,
> pues te la puede quitar.

Séneca (por Francisco de Guzmán)

La pobreza produce obras maestras; la riqueza las ahoga. Pueden contarse con los dedos de la mano las producidas por los hombres ricos. La mayoría proviene de genios acosados por el hambre. — LORD ROSEBERRY.

El que trata de excitar el trabajo contra el capital es enemigo del trabajo, y el que trata de excitar el capital contra el trabajo es enemigo del capital. — ANDRÉS CARNEGIE.

# Capítulo XX

# EL COMERCIO

Este mundo es una gran feria. — Todos vendemos y compramos. — La piedra angular del comercio es la buena fe. — Precauciones necesarias para hacer tratos y abordar un negocio. — Requisitos para proteger los intereses de cada uno. — Etica del comercio. — Consejos y advertencias saludables.

Nuestra vida es un continuo comercio. El mundo en que vivimos es un inmenso mercado en el que todos tenemos algo que comprar y que vender.

La permuta, intercambio o compra y venta que en ese mercado hacemos, no es únicamente de productos, artículos o efectos materiales; también los servicios, el trabajo, el talento, los conocimientos, las ideas, las aptitudes se avaloran, se cotizan, se permutan o se pagan.

Frédéric Passy lo ha expresado de este modo: "Todos los hombres son comerciantes, puesto que todos, sin excepción, venden y compran, y sólo venden para comprar, del mismo modo que sólo trabajan para vender. ¿Y acaso esto no es comercio? ¿Escribo libros de los cuales pienso sacar provecho; represento en un teatro o toco en los conciertos; soy médico, abogado, profesor, agricultor, panadero o mozo de cuerda; vivo de mis rentas y procuro pasarlo bien sin trabajar? Pues siempre me hago pagar mi trabajo, mi talento, mis productos o el uso de mis propiedades, y mi objeto, al hacerlo, es poder pagar, para disfrutarlo yo, el trabajo, el talento, los productos o el goce de los bienes de los demás. Compra y venta, permuta de servicios, comercic y todo comercio."

Esa constante permuta es la trabazón que mantiene en constante comunión a los hombres, y ésto lo sintetiza Bastiat con esta frase lacónica: "Sociedad es el intercambio."

Sea cual fuere, pues, la profesión, carrera, empleo, arte u oficio a que te dediques, conviene que estés aleccionado en los rudimentos o principios elementales del comercio, y con ese fin voy a exponer en este capítulo algunas nociones de ética mercantil.

La base de todo trato, operación o convenio ha de ser la confianza mutua, y ésta sólo puede existir cuando los contratantes obran de buena fe.

No hagas, pues, trato con persona alguna que no te merezca absoluta confianza.

Antes de cerrar trato con algún sujeto que no conozcas a fondo, averigua sus antecedentes, su reputación y el crédito de que goza, acudiendo a los que puedan darte noticias fidedignas. Si los informes no son favorables, abstente de toda relación con él, pues a la larga saldrías perjudicado.

Todo arreglo o convenio que hagas (aunque sea con parientes o amigos), debes exigir que se haga constar por escrito, ya sea por medio de contrato, de escritura o por intercambio de cartas, sobre todo si el asunto se refiere a cuestiones de interés. Esta precaución debes tomarla por dos motivos: para evitar olvido o mala inteligencia de lo pactado y para constancia en caso de morir uno de los contratantes.

Los escrúpulos de delicadeza que tienen algunos de no exigir estas formalidades, que son de rigor entre comerciantes y hombres de negocios, han ocasionado muchos y gravísimos disgustos y hasta costosos litigios, acabando por pelear y odiarse amigos o parientes que en un principio se portaron con tanta consideración y miramiento.

Con razón se ha dicho que "una cosa es la amistad y el negocio es otra cosa", y que "al buen pagador no le duelen prendas".

Estas máximas encierran principios fundamentales de comercio, y ningún hombre ordenado y formal en sus asuntos debe apartarse nunca de ellos. Y como todos estamos expuestos a olvidos, equivocaciones, reveses, enfermedades y a la inevitable muerte, nadie debe ofenderse de que el hombre previsor tome las precauciones necesarias para dejar a salvo sus intereses.

Teniendo presente estas razones, procura amoldar siempre tu conducta a las siguientes advertencias:

Nunca pidas dinero prestado sin tener la seguridad de poder devolverlo; ni compres nada al fiado si no tienes con qué pagarlo.

Si recibes un préstamo que puedas reembolsar en un plazo dado, no vaciles en reconocer tu deuda por medio de un pagaré o de una letra aceptada. Si eres tú quien hace el préstamo a otro, exige igual formalidad.

Considera el pago de esa deuda como una obligación sagrada, y por ningún concepto dejes de satisfacerla el día del vencimiento. En toda comunidad mercantil el protesto de una letra o pagaré por falta de fondos es una falta grave que desprestigia a un individuo y da lugar a una demanda ante el tribunal y a sentencia ejecutoria. Viene a ser esa falta como la nota de cobarde o desertor en la hoja de servicios de un militar.

En cambio, si tú fueres el tenedor de un pagaré o letra

que no se pagase a su vencimiento, no dejes de hacerla
protestar por un notario el mismo día, pues de lo contrario perderías tu derecho a una reclamación por la vía
judicial.

Toda entrega de dinero en pago de efectos o de servicios requiere, en cambio, un recibo como resguardo. Si tú
haces el pago, exige el recibo; si cobras, no repares en
darlo.

Cuenta el dinero delante de la persona que te lo entrega, y no te ofendas si otro cuenta en tu presencia el
que entregas tú. Si hubiese equivocación (y cualquiera
puede padecerla), es más fácil comprobarla y subsanarla
en el acto que después de separados el que paga y el que
cobra.

Guarda todos los recibos durante algún tiempo; por no
tomar esta precaución algunos han tenido que pagar dos
veces una misma factura.

No hay ente más despreciable en sociedad que el que
vive de prestado, de trampas y de sablazos. Ponte en guar-
dia cuando se te acerque alguno y para bien la primera
estocada, con lo cual evitarás sucesivos mandobles.

Puedes valerte de la misma excusa que dió un hombre muy avisado a un petardista que le pedía prestado
un duro. "El duro que suelo prestar —le dijo—, hace
un mes que lo tiene Fulano, y para cuando él me lo de-
vuelva, hay otros tres granujas que están esperando
turno."

No cometas nunca la torpeza de endosar una letra para
hacer un favor. Si es un amigo a quien de veras quieres
servir, préstale desde luego el importe de la letra, pues
en muchísimos casos el endosarla equivale a pagarla a su
vencimiento y a tener muchos disgustos.

No firmes ningún papel
sin enterarte bien de él,
y no olvides este aviso:
si firmas un compromiso
deberás guardarlo fiel.

Ya has visto cómo lord Chesterfield recomendaba a su hijo que no intentase sacar indebida ventaja sobre persona alguna con quien hicieses un trato. Este consejo concuerda con aquella ley divina que manda no querer para otro lo que uno no quiere para sí.

En toda negociación o convenio que hagas, procura, por tanto, que se base sobre la equidad. Ni te dejes explotar, ni explotes tú al prójimo. Ponte en su lugar y que él se ponga en el tuyo: modo de evitar toda injusticia, toda desventaja.

El duro que suelo prestar...

Cuando seas mayor tropezarás con gente que te propondrá entrar en algún negocio. Huye de aquellos que te presenten proyectos para ganar una fortuna con poco dinero. Los tales se parecen a esos charla-

tanes que, siendo calvos, pregonan un remedio infalible
para hacer salir el pelo.

Te aconsejo que no emprendas ningún negocio cuyos
detalles y funcionamiento no conozcas al dedillo, y menos
que intereses dinero en él en sociedad con algún "vivo"
que no tenga dinero y domine el negocio. Porque el resultado, al cabo de algún tiempo, será que, habiendo puesto
tú el dinero y él la experiencia, os llevaréis tú una triste
experiencia, y él o la trampa tu dinero.

Enseña la realidad que esos negocios fantásticos que
ofrecen pingües ganancias, o son lazos que se tienden a
los incautos para birlarles el dinero, o son empresas des-
cabelladas en las que se hunden los capitales. Es un axio-
ma mercantil que cuanto mayor es la ganancia mayor es
el riesgo. Hay un refrán inglés que, traducido, dice:

> El dinero del tonto
> se escurre muy pronto.

Si algún día pones dinero en algún negocio y ves que
éste va de mal en peor y no tienes remedio, no cedas a la
tentación de gastar más dinero para salvar el perdido.
Hay casos en que un clavo no saca otro clavo, sino que
los dos se quedan dentro.

Muchos negocios que serían buenos y darían grandes
utilidades, fracasan por no haberlos estudiado a fondo,
y, sobre todo, por haberse quedado corto en el cálculo del
capital necesario para llevarlos a feliz término. Los que los
emprenden, para no asustarse o no asustar a los capita-
listas, hacen presupuestos galanos, rebajando el de gastos
y aumentando el de ingresos, cuando debiera hacerse todo
lo contrario a fin de ver si tiene cuenta el negocio y no
exponerse a un fracaso.

Tal vez, a tu edad, pienses que no es pertinente o no te interesa lo que en este capítulo te digo. No lo creas. Yo te garantizo que algún día, si recuerdas y sigues mis advertencias, hallarás que te son muy útiles y provechosas; como que son dictadas por la experiencia.

Y observa también las siguientes con que pongo fin al capítulo.

La promesa u oferta que hagas de palabra, guárdala y cúmplela con la misma religiosidad que si la hubieses dado por escrito con tu firma.

Guarda la mayor seriedad y formalidad en tus asuntos y negocios y cumple escrupulosamente todos tus compromisos. De ahí nace el crédito y el prestigio en la sociedad.

Sé breve en las cartas que escribas, así como en tus visitas a los hombres que tienen ocupaciones.

En algunos despachos de Inglaterra y los Estados Unidos hay un cartel que dice: "Hoy estoy muy ocupado." Y el cartel no se quita nunca, con el fin de evitar que se prolonguen las visitas.

Si con el tiempo llegas a tener un establecimiento de comercio, no trates, por afán de lucro, de engañar a tus parroquianos en el peso, medida o calidad de los artículos. El público no tarda en averiguar cuándo le dan "gato por liebre", y quien a la postre saldría más perjudicado serías tú mismo, porque perderías la clientela. La honradez, la liberalidad y el buen trato son poderosos imanes de compradores.

Por mucha confianza que te merezcan las personas que te sirvan o manejen tus intereses o despachen tus asuntos, vigila, vigila sin cesar; no te descuides, que "en la confianza está el peligro", y como dice el vulgo condensando en adagios su experiencia: "el ojo del amo engorda el caballo" y "el que tiene tienda que la atienda, y, si no, que la venda".

En todos los actos de la vida, y especialmente en los negocios, hay reveses y contratiempos. Sobrellévalos con calma y ecuanimidad. No te angusties. Un revés de fortuna no mata. La angustia sí.

Para evitar desengaños y sinsabores, no te forjes nunca ilusiones respecto de algún negocio estimando como ciertas las ganancias. No hagas como la lechera de la fábula, que, al pensar cuántas cosas podría hacer con el producto de la leche, saltó de júbilo y se le cayó el cántaro, rompiéndose en mil pedazos.

Recuerda la moraleja que Samaniego saca de la fábula:

¡Oh loca fantasía,
que palacios fabricas en el viento!
Modera tu alegría,
no sea que, saltando de contento
al contemplar dichosa tu mudanza,
quiebre su cantarillo la esperanza.

Todos los negocios y empresas se hallan expuestos a inesperados cambios y contratiempos, y el hombre cauteloso tiene que estar siempre alerta y prevenido, aun cuando más cercano y seguro considere el éxito.

Esa inseguridad la ilustra Mira de Mescua con estos versos:

Sobre frágiles leños, que con alas
de lienzo débil de la mar son carros,
el mercader surcó sus claras olas;
llegó a la India y, rico de bengalas,
perlas, aromas, nácares bizarros,
volvió a ver las riberas españolas.

Tremoló banderolas,
flámulas, estandartes, gallardetes;
dió premio a los grumetes
por haber descubierto
de la querida patria el dulce puerto.
Mas ¡ay! que estaba, ignoto
a la experiencia y ciencia del piloto
en la barra un peñasco,
donde, tocando de la nave el casco,
dió a fondo, hechos mil piezas,
mercader, esperanzas y riquezas.

---

El mundo es un vasto mercado; el comercio de las ideas forma la común riqueza, en tanto que el aislamiento no engendra más que la pobreza universal. — LABOULAYE.

¡Cuántos se empeñan en negocios funestos, dan pasos desastrosos, se desacreditan o se pierden sólo por haberse entregado a su propio pensamiento de una manera exclusiva, sin dar ninguna importancia a los consejos, a las reflexiones o indicaciones de los que veían más claro! — BALMES.

Para que vuestro negocio prospere, para que vuestra empresa tenga éxito, sea cual fuere su género y su importancia, necesitáis tener orden; el orden es la pared maestra, la piedra angular, la clave que sostiene el edificio y permite elevarlo gradualmente. — SILVAIN ROUDÉS.

Hay dos maneras de ser rico: elevar sus rentas al nivel de los deseos o bajar éstos al nivel de aquéllas. — ALFONSO KARR.

Hay dos clases de comercio: el bueno y el malo, el comercio honrado y legítimo y el comercio desleal y fraudulento. El comercio honrado es el que no engaña, el que entrega a los compradores buenos artículos, el que busca, ante todo, aun antes del beneficio del dinero, el más seguro, mejor y más fecundo de los beneficios: la buena reputación, que es también un capital. El mal comercio, el comercio fraudulento, es el que tiene la fiebre de las fortunas rápidas, el que envía a todos los mercados del mundo productos adulterados; es, en fin, el que prefiere la ganancia a la estimación, el dinero al buen nombre. — Víctor Hugo.

Aquel hombre que pierde la honra por el negocio, pierde el negocio y la honra. — Quevedo.

Engaño hace el que recibe lo que no puede pagar. — Séneca.

Quien se deleita en defraudar al prójimo,
no se ha de lamentar si otro le engaña.

Petrarca

¡Cuántas veces resulta de un engaño
contra el engañador el mayor daño!

Samaniego

# Capítulo XXI

## LA HIGIENE

La higiene es la policía de la salud. — Cómo la practicaban los antiguos. —
Modo de llegar a una senectud sana y vigorosa. — El ejemplo de Spurina. —
Reglas de higiene: aire, alimentos, bebidas, ropa, aseo, baño, habitación,
ejercicio, etc. — Higiene física e higiene moral.

La Higiene, palabra derivada de otra griega que significa "salud", es el arte de vivir sano y de precaverse de toda clase de enfermedades.

Como la salud es el más preciado de los beneficios de que puede gozar el hombre, y el que hace más agradable la vida, es de la mayor importancia saber conservarla.

Desde muy antiguo se han preocupado los hombres en procurar la conservación de la salud, pues, como decía Juvenal, "nuestras preces deben ser que tengamos la mente sana en un cuerpo sano"; y otro poeta satírico, Marcial, afirmaba que "el goce de la vida no consiste en vivir, sino en tener buena salud".

En los tiempos más remotos y en los primitivos pueblos de la India, de la Arabia y del Egipto se observaban, porque así lo prescribían las leyes, algunas reglas de higiene, como eran la abstinencia de ciertos alimentos, las frecuentes abluciones y baños, los ejercicios corporales, etcétera, y algunas de esas prácticas se impusieron al pueblo hebreo y a los secuaces de Mahoma como obligación religiosa.

También Licurgo, en las leyes que dictó para el pueblo de Esparta, impuso algunas reglas de higiene con el objeto de fortalecer a los jóvenes de uno y otro sexo: a los varones para que fuesen aptos para la guerra, y a las hembras para que diesen a luz hijos sanos y vigorosos.

Entonces era la guerra la ocupación principal, casi exclusiva, de aquellos pueblos orientales, y el hecho de que para tener buenos guerreros y ciudadanos robustos se les obligase desde sus tiernos años a observar rigurosamente ciertas prácticas higiénicas, demuestra la importancia que aquellos hombres de gobierno concedían a la higiene como base de la educación, así física como moral de la juventud.

Y, en efecto, por el orden, método y moderación que exige en los hábitos y costumbres, la higiene influye tanto en la formación de la parte moral como en el desarrollo físico de un individuo.

Plinio, el joven, nos describe un ejemplo de lo que puede la práctica de la higiene para alcanzar una buena salud y en el cumplimiento de los deberes, es decir, para llegar a ser un hombre física y moralmente perfecto.

Ese tal era un anciano llamado Spurina, que vivía cerca de Roma, bajo el imperio de Trajano. Fué un valiente soldado en su juventud, y por sus proezas le erigieron estatuas, lo cual demuestra que cumplió con sus deberes cívicos peleando por su patria. Después, disgustado por las costumbres licenciosas de los romanos, se retiró a la vida del campo; allí madrugaba y alternaba el paseo con el estudio; daba útiles enseñanzas a los campesinos; visitaba y confortaba a los pobres y a los enfermos; esparcía el ánimo en juegos divertidos con sus amigos, y, para conservar la agilidad del cuerpo y fortalecer los músculos, jugaba cada día a la pelota. Tenía su vida muy metodizada, con horas fijas para el baño, para la comida, para el estudio, para el ejercicio y para el descanso. Cuidaba de los animales; aleccionaba a los niños a no causarles daño y a tratarlos con cariño; cultivaba las plantas, y le quedaba tiempo para escribir, improvisar, recitar y cantar para el cultivo de la voz.

La impresión que causó a Plinio el trato de ese hombre, la refiere de este modo: "Nunca he visto un anciano cuyas costumbres me sirvan mejor de guía si llego a su avanzada edad. Nada más sano y metódico que su vida. Confieso que

Plinio el Joven

este orden en un hombre de tantos años y con el cuerpo erguido, el cutis terso, los ojos vivos y la inteligencia despejada, atrae mi admiración tanto como cuando contemplo la regularidad con que se mueven los astros"

El método, la regularidad: éste es precisamente el secreto de una vida sana y longeva.

Supongo que tú querrás vivir luengos años y que los querrás vivir con buena salud. Y dime: para cuando llegues a una edad provecta, ¿qué prefieres ser: un vejestorio enclenque, valetudinario, gruñón, de mirada turbia, de manos temblorosas y que arrastra los pies, o bien un anciano bien plantado, de faz venerable, de gesto simpático, ágil y sano como Spurina?

Pues según el método de vida que adoptes y sigas desde ahora, llegarás a ser lo uno o lo otro si Dios te da vida para comprobarlo.

Ya ves, pues, si te importa observar las prescripciones de la higiene.

Y éstas son muy sencillas. Consisten principalmente en adoptar un buen régimen de vida y en tomar ciertas precauciones para evitar enfermedades. Las únicas "drogas" que recomienda la higiene son: el sol, el aire y el agua. Las tres se encuentran en abundancia y por poco precio en la gran farmacia de la Naturaleza.

La higiene es un preservativo de las enfermedades; es como un perro de presa que ahuyenta los ladrones. Si éstos, a pesar del perro, logran penetrar en la casa, hay que pedir auxilio a la policía; si una persona se enferma, no obstante las precauciones higiénicas, es preciso llamar al médico.

Pero no son el médico y las medicinas los que curan o matan al enfermo. El que lo cura o lo mata es su propia naturaleza. El médico es el auxiliar inteligente de la naturaleza, y los medicamentos son los recursos de que se vale para ayudar a la naturaleza en su lucha para destruir los gérmenes patógenos, es decir, la causa de la enfermedad.

Un médico alemán, el doctor Deitl, discípulo del gran patólogo Rokitanski, se expresaba de esta suerte: "Sólo la Naturaleza puede curar; ésta es la gran ley de medicina práctica, y a ella tenemos que ajustarnos. La Naturaleza crea y mantiene, y, por lo tanto, ella es la que puede curar".

Quiere decir que, puesto que los médicos con sus estudios y conocimientos de la patología y la terapéutica sólo pueden acudir en auxilio de la naturaleza para ayudar a

¿Qué prefieres ser: un vejestorio enclenque... o un anciano bien plantado?

remover las causas de cualquier enfermedad, lo que conviene a cada uno es poner a su naturaleza en tal estado de salud, de vigor y de resistencia, que o bien la haga inmune contra todo germen morboso o tenga bastante fortaleza y energía para eliminarlo o destruirlo.

Esto se logra por medio de la higiene. Descuidar sus preceptos es como dejar un campamento sin alambradas y sin centinelas cuando está cercado de enemigos; es como dejar que un vapor marche a toda velocidad en una noche de neblina o en un mar lleno de témpanos. Entonces ocurren las sorpresas y los choques que producen hecatombes.

A tu edad es cuando hay que empezar a tomar precauciones y adquirir los hábitos de higiene. Si los dejas para cuando seas mayor, ya será tarde. Hay afecciones y enfermedades que tardan mucho tiempo en manifestarse y que después se hacen crónicas. Son como el fuego lento que consume las vigas y paredes de una casa cerrada y que, cuando se descubre porque las llamas salen por el techo, ya el interior está carbonizado.

En cambio, si por naturaleza o por herencia has nacido con una constitución endeble o enfermiza, puedes, por medio de la higiene, corregirla y llegar a ser un hombre sano.

Si en algo, pues, estimas tu salud, observa escrupulosamente las siguientes reglas:

## EL AIRE

Conviene respirar siempre aire puro.

A este fin hay que ventilar bien las habitaciones y los lugares donde se reúna mucha gente.

Los casos incipientes de tuberculosis pulmonar pueden curarse permaneciendo mucho tiempo al aire libre durante el día, y durmiendo por la noche con las ventanas abiertas.

Siempre hay que procurar evitar las corrientes de aire colado.

Para oxigenar bien los pulmones es preciso que al respirar se hagan largas aspiraciones, y que las espiraciones sean más largas todavía a fin de expeler todo el ácido carbónico.

Es preciso respirar siempre por la nariz y con la boca cerrada.

## LOS ALIMENTOS

Como estás en la edad del crecimiento, debes nutrirte bien. Pero no te atiborres: evita los empachos.

No hagas más que tres comidas diarias. Suprime la merienda, que hace trabajar el estómago más de lo conveniente.

Come la menos carne posible; los cereales y las legumbres son más nutritivos que la carne: ésta es el agente del artritismo.

Come despacio y, sobre todo, mastica bien.

La irregularidad en las horas de las comidas es causa de muchos desarreglos fisiológicos.

## LAS BEBIDAS

Evita cuanto puedas toda bebida alcohólica. Si te es preciso tomar vino, que sea sólo con las comidas, y eso con mucha parsimonia.

No bebas agua que no sea muy pura: si puede ser filtrada, mejor. En tiempo de epidemia, ya sea de tifus o de cólera, no bebas agua que no haya cocido. Cuando viajes, bebe agua mineral, para evitar los trastornos que produce el cambio de aguas.

Es más saludable beber agua entre comidas que durante las mismas.

En verano procura ser muy parco en el uso de bebidas frías.

## LA ROPA

Debe adaptarse la ropa a la estación del año. Muchos, por descuidar esta precaución, esto es, por no ponerse a tiempo ropa de abrigo, se exponen a enfriamientos repentinos que pueden ser peligrosos. Igualmente conviene no descartar la ropa gruesa antes de tiempo, y seguir la máxima popular que dice: "Hasta el cuarenta de mayo no te quites el sayo."

Los enfriamientos, catarros y pulmonías se cogen generalmente en las habitaciones frías, en parajes húmedos, en las corrientes de aire o en la calle cuando el cuerpo no está en movimiento.

## EL ASEO

Este es uno de los principales requisitos de la higiene, tanto por lo que toca a las personas como a las habitaciones.

La limpieza es enemiga de los microbios y bacterias, y por ende de las enfermedades.

Donde hay polvo, telarañas o basura, hay microbios en acecho esperando ocasión de penetrar en nuestro organismo por las narices o por la boca.

Huye de la suciedad como de la peste; casi siempre ésta proviene de aquélla.

Entre los dientes y entre las uñas se esconden y propagan muchos microbios: no dejes de usar cepillos a diario para limpiar los unos y las otras.

En los tiempos primitivos el hombre tenía que luchar con fieras alimañas; hoy, los enemigos que amenazan la

Hoy, los enemigos que amenazan la salud son animales microscópicos

salud y la vida del hombre, son animales microscópicos, más de temer precisamente por ser imperceptibles.

## EL BAÑO

No hay ninguna operación de aseo tan necesaria, tan higiénica y tan agradable como el baño.

Si no te es posible tomar uno todos los días, tómalo, por lo menos, cada semana. Lo que no debes dejar de hacer a diario es un buen lavatorio de cara, manos y pies y parte central del cuerpo.

Las duchas frías son muy recomendables a tu edad. En su defecto, un baño de esponja es muy conveniente para dejar limpios todos los poros del cuerpo. Si primero te frotas bien la epidermis con la esponja seca, verás cuán agradable te será después el agua fría que te eches con ella.

Después de cada baño, fricciónate bien con una toalla turca o de grano duro.

## LA HABITACIÓN

La primera condición sanitaria que debe tener una casa es que el drenaje sea perfecto, para lo cual conviene que esté situada en punto relativamente elevado.

La mejor orientación es al mediodía.

Como en la cama se pasa el tercio de la vida, debe procurarse que el dormitorio sea amplio y que tenga buena ventilación. Las alcobas sin ventanas son muy perjudiciales.

Conviene airear la casa una vez al día, abriendo todas las ventanas para que penetre el oxígeno.

Los retretes deben ser inodoros y tenerse siempre muy limpios. Los que abren a la cocina son una aberración.

## EL EJERCICIO

No hay mejor aperitivo, ni mejor tónico, ni más eficaz preservativo de enfermedades que un ejercicio diario al aire libre.

Pero ya consista en un paseo a pie, a caballo o en bicicleta; ya en un deporte como fútbol, pelota, etc.; ya en ejercicios gimnásticos, el ejercicio debe ser moderado, porque si es excesivo, lejos de beneficiar, daña. Un exagerado desarrollo de la musculatura se obtiene a expensas del corazón o de los pulmones, y prueba de ello es que casi todos los forzudos acróbatas y atletas mueren tísicos o de afecciones cardíacas.

La falta de ejercicio en unos días no debes tratar de compensarla excediéndote en otros; para ser beneficioso tiene que ser diario, regular y a la medida de tus fuerzas.

Y no olvides que el ejercicio al aire libre es preferible al que se hace en sitios cerrados.

## EL DESCANSO

Tanto el cuerpo como el cerebro necesitan descanso y esparcimiento.

Después de unas horas de trabajo o de estudio hay que buscar en el reposo la recuperación de las fuerzas gastadas.

También el ejercicio es más provechoso cuando se hace no de un tirón, sino con alguna interrupción para descansar a ratos.

El sueño es un gran restaurador de las energías vitales; por consiguiente, necesita el cuerpo un cierto número de horas cada día para dormir. Una noche pasada en vela es perjudicial a la salud, aunque de momento no se note el desgaste.

Procura que de noche entre el aire exterior en tu dormitorio, sin que te dé directamente en la cabeza.

La postura más higiénica para dormir es sobre el costado derecho y con el brazo izquierdo extendido sobre la cadera.

## LA TEMPLANZA

De nada te servirá la más escrupulosa observancia de los preceptos apuntados si no tienes la virtud de refrenar o moderar tus pasiones.

El desenfreno en las costumbres que notarás en la vida de algunos jóvenes les lleva rápidamente a un agotamiento de fuerzas que es una senectud prematura. Evita tú el trato con ciertas cortesanas "que tienen más de corteses que de sanas", como decía el *Licenciado Vidriera*.

Practicando en lo moral como en lo físico la templanza, la sobriedad, la moderación, tendrás una economía y reserva de fuerzas vitales que te procurará una edad madura vigorosa y una vejez serena y reposada.

Y de nuevo te recomiendo que tomes con calma y ecuanimidad las contrariedades de la vida, porque el desasosiego, la angustia y la zozobra corroen el ánimo y lo consumen.

\* \* \*

Tal vez te parezcan las prescripciones que anteceden demasiado numerosas, complicadas y hasta innecesarias.

Por lo general, los jóvenes que están sanos consideran inútil y hasta ridículo tomar precauciones para preservar la salud, porque se figuran que la suya es invulnerable.

A éstos puede sucederles lo que al bravucón cuyo epitafio, después de relatar sus valentías, terminaba con este epigrama:

> Fuí tan bravo que me alabo
> en mi misma sepultura:
> matóme una calentura.
> ¿Cuál de los dos fué más bravo?

Sé prudente; sigue los consejos que dicta la experiencia de muchos hombres y de muchos siglos; adquiere, practicándolos, hábitos de higiene que, en resumen, son: respirar siempre aire puro; usar agua y jabón en abundancia; tomar alimentación sana y sobria; hacer ejercicio moderado, y evitar toda clase de excesos.

Esto por lo que toca a la higiene física; pero hay además la higiene moral, que es complemento de aquélla, pues para llegar a tener "una mente sana en un cuerpo sano", según la expresión de Juvenal, es necesario conservar la mente limpia en un cuerpo limpio.

Así como la higiene corporal hace indispensables el ejercicio y el aseo como preservativos de desarreglos morbosos, así la higiene moral exige la actividad de la mente en el estudio y en la pureza de pensamientos para alejar las enfermedades del alma, como son la ociosidad, la malicia, la envidia, la doblez, la deshonestidad y las malas tentaciones.

Quien dice "higiene" dice comodidad, salud, bienestar y gusto
de vivir. — MARIANO DE CAVIA.

Come poco y cena más poco, que la salud de todo el cuerpo
se fragua en la oficina del estómago... Sé templado en el beber,
considerando que el vino demasiado ni guarda secreto ni cumple
palabra... Sea mesurado tu sueño, que el que no madruga con
el sol, no goza del día. — CERVANTES.

Los cuerpos y aun los ánimos, enternecidos en delicadezas
y regalos, dejan de cobrar las fuerzas naturales que tendrían
si fuesen criados en rudos y honestos ejercicios. — LUIS VIVES.

La regeneración de un pueblo estriba en hacer hombres sanos,
fuertes y buenos. La maldad es tan sólo producto de la dege-
neración orgánica que envilece al ser humano. — DR. M. TOLOSA
LATOUR.

Para el desarrollo de toda facultad hay una condición indispensable: el ejercicio... No hay falta sin castigo; el Universo
está sujeto a una ley de armonía; quien la perturba, sufre. Al
abuso de nuestras facultades físicas sucede el dolor; a los extra-
víos del espíritu siguen el pesar y el remordimiento. — BALMES.

Decididamente, la gimnasia racional y el baño por la mañana dejan en todo el ser una sensación deliciosa y duradera. Aun
cuando os sintáis fuertes y llenos de salud, acostumbraos, sin
embargo, al baño cotidiano y al ejercicio de todos los músculos...
El cuerpo que no se ejercita y remueve cotidianamente en todas
sus partes, lo mismo por dentro que por fuera, entra en la decadencia, es decir, envejece antes de tiempo. — J. P. MÜLLER.

Nadie es más apto que los hombres que se dedican a los
deportes para comprender la ciencia de la higiene y del régimen y para dar a sus hijos una educación sana. — F. SA-
DOLIN.

Vida honesta y arreglada:
usar de pocos remedios
y poner todos los medios
de no apurarse por nada.
La comida moderada;
ejercicio y diversión;
no tener nunca aprensión;
salir al campo algún rato;
poco encierro; mucho trato
y continua ocupación.

DR. LETAMENDI

# Capítulo XXII

# EL LENGUAJE

El lenguaje, como el vestido, debe ser decente y decoroso. — El modo de hablar refleja la educación de una persona.—El tesoro de nuestro idioma.— Debemos todos velar por su pureza. — Extranjerismos y barbarismos que hay que proscribir. — Claridad y brevedad en la expresión de las ideas.

Por su modo de hablar se descubre la condición de una persona. El hombre zafio no puede expresarse con finura, y la persona bien educada no profiere palabras malsonantes.

Procura, pues, que tu lenguaje sea siempre tan pulcro como deben serlo tu traje y tu persona, pues una palabra grosera que pronuncies producirá tan mala impresión en los que te oigan, como si vieran tu rostro embadurnado o tu ropa llena de lamparones.

Y nada digo de las frases indecorosas y las blasfemias que suelen proferir a cada paso algunos muchachos, porque las han oído a hombres mal hablados, quienes, a veces inconscientemente y por la fuerza del hábito, lanzan juramentos y vocablos soeces, creyendo dar así más fuerza a la expresión.

Guárdate de imitarlos, y si por acaso oyeses tales palabrotas en tu hogar, ten el valor moral de corregir al que las use, diciéndole con buenos modales: "A mí me enseñan que no se debe hablar así."

Si vas a una reunión de personas cultas, no oirás a nadie que emplee en la conversación voces ni frases inconvenientes, y si alguno se atreviese a hacerlo sería considerado como un hombre sin educación y un ente indigno de alternar con la buena sociedad.

El hombre fino y bien educado se abstiene de usar blasfemias y locuciones viles, lo mismo delante de hombres que de señoras, lo mismo en los salones de la alta sociedad que en la plaza pública. Y es que no solamente el respeto a los demás, sino el que se debe a sí mismo, su propia dignidad no le permite rebajarse al nivel de un carretero.

Con razón decía Gonzalo de Córdoba que "las honestas y verdaderas palabras dan más substancia que los manjares, y que el caballero no había de tener por ajeno a su dignidad el bien hablar a todos".

¿Sufrirías tú que un compañero, al hablar contigo, te diera, sin motivo alguno, patadas y bofetones? ¿Las darías tú al hablar con otro? ¿No crees que tendría razón de ofenderse y defenderse el que las recibiera? Pues hazte cargo que las blasfemias y frases obscenas son como coces y bofetadas que pega el que habla a la dignidad del que escucha, pero que, en realidad, tienen efecto de retroceso, y dejan muy mal parada la dignidad del mismo que las profiere.

Pero no solamente debes poner empeño en no decir malas palabras, sino que debes esmerarte, además, en hablar bien.

Te ha cabido la suerte de tener por idioma vernáculo el lenguaje más armonioso y expresivo que los hombres han formado. Fué el más rico en voces de cuantos se hablaban en el mundo, cuando se hallaba España en el apogeo de su poderío; y lo fuera aún hoy si otras naciones no le hubiesen arrebatado el cetro de la supremacía en las ciencias y las artes, en la industria y el comercio.

Rico tesoro, de todos modos, es la lengua de Castilla, y ese tesoro es un procomún del que podemos hacer uso lo mismo tú y yo, que todos nuestros conciudadanos. Debemos, por lo tanto, velar por su pureza e integridad, como velaban por el fuego sagrado las vestales romanas. No debemos consentir que habladores y escribidores malandrines y atrevidos nos quiten de tan rico joyel algunas piedras preciosas, para substituirlas con otras artificiales de origen extranjero introducidas "de matute".

No caigas tú en la tentación de hacer lo mismo, ni de usar como moneda legal del lenguaje esas voces y giros de falsa acuñación que circulan entre el vulgo; ni esas otras faltas de peso, esto es, abreviadas, como la *comi* por la "comisaría", la *dele* o la *delega* por la "delegación", la *poli* por la "policía" y otras por el estilo que suelen usar los muchachos y la gente de baja estofa.

En los deportes se ha dado en la flor de usar palabras francesas e inglesas para denotar cosas o actos que podrían expresarse perfectamente con voces castellanas. ¿Acaso "tanto" no puede equivaler al *goal* inglés? ¿Y "zaguero" al *back* del juego de "balón"? ¿Y por qué ha de ser *garage*, que tan mal suena, la "cochera" donde se guardan los coches automóviles? Y una *panne*, ¿no es un plantón? ¿Y por qué, hablando de un aeroplano, no hemos de decir que "se cierne" en lugar de que *planea*? ¿Y "amarar", que significa llegar al mar, en vez de *amarizar*, que tampoco es castellano?

Mucha culpa les cabe a los reporteros, noticieros o gacetilleros de los periódicos en tan lamentable divulgación de voces exóticas y estrafalarias, como por ejemplo, *interview*, que en buen castellano es "entrevista", y con la cual acuñan el estrambótico *interviewar*, teniendo nuestra lengua los más castizos y sonoros de "avistarse" y "personarse".

Y los barbarismos *reprise* y *reprisar* que verás en los carteles y en las revistas de teatros, ¿no tienen acaso equivalentes castellanos de mejor troquel en los vocablos *reestreno* y *reestrenar*?

En los deportes se ha dado en la flor de usar palabras francesas e inglesas

Bien está que se empleen voces extranjeras como *golf*, *tennis*, *cricket*, *ski*, para designar deportes de origen foráneo para los que no tenemos en español equivalencia. Pero cuando la hay, úsala con preferencia a la voz extraña. De lo contrario, iremos perdiendo la poca riqueza que nos queda, que es la del léxico, y de la cual dan muy pobre idea nuestros autorizados diccionarios.

Todos los días verás, no ya los periódicos, sino hasta libros y hasta publicaciones oficiales y académicas, plagados de galicismos y barbarismos que demuestran, o lo mal que se enseña el idioma y la gramática en nuestras escuelas y colegios, o lo pronto que se olvida esa enseñanza. Tan lamentable es la proporción de analfabetos entre nosotros como el número de personas educadas que comete faltas gramaticales.

Algunas usan el verbo "influenciar", copiándolo del francés o del inglés, cuando el verbo español es "influir", y otras hablan de "solucionar" un asunto, verbo que es un flagrante barbarismo. Tú, para hablar con corrección, dirás "resolver", pues este verbo tiene dos acepciones, la "de tomar una resolución" y la de "hallar solución" a alguna duda o problema.

¡Guárdete Dios, si no quieres decir otro barbarismo garrafal, de usar el verbo "presupuestar", que oirás en boca de algunos que tienen el desparpajo de escribir o hablar en público de asuntos económicos, y no saben que "presupuesto" viene del verbo "presuponer", y que no debe decirse ingresos "presupuestados", sino "presupuestos"!

Tampoco debes caer en el error, que cometen incluso algunas personas cultas y hasta buenos escritores, de confundir los casos dativo y acusativo del pronombre femenino, diciendo, por ejemplo: "Ayer tuve carta de mi madre y en seguida *la* escribí y *la* dije..." en vez de "*le* escribí y *le* dije..." No olvides que el caso dativo *le, les*, debe usarse lo mismo para el masculino que para el femenino; mientras que en el acusativo se emplea *le* y *lo, los*, para el masculino, y para el femenino *la* y *las*. Si consultas la gramática de la Academia, verás que dice en una apostilla: "No faltan autores de nota que usan en dativo las formas *la* y *las*, idénticas á las del acusativo. EJEMPLO ES QUE NO DEBE IMITARSE."

*Sendos, sendas* no significan "grandes" o "muchos", como algunos se figuran, sino "uno o una para cada una de dos o más personas"; por ejemplo, "vimos a unos hombres armados de *sendos* garrotes", quiere decir que *cada uno* de esos hombres llevaba *un* garrote.

En una novela leí, con asombro, que uno de los personajes "estaba sentado en el *dintel* de la puerta", y á uno de nuestros buenos oradores le oí decir en un discurso: "al pisar de nuevo el *dintel* del hogar paterno..." ¿Cómo se puede pisar o estar sentado en el dintel, si el *dintel* es la parte superior de la puerta? El novelista y el orador quisieron decir el *umbral*, que es la piedra o escalón que hay en el suelo entre las jambas de la puerta.

Con igual incorrección se dice "pasar desapercibido" por pasar inadvertido; fíjate en que "desapercibido" significa "desprevenido, descuidado".

El hecho de que personas que pasan por ilustradas hagan uso de palabras cuyo verdadero sentido desconocen, me recuerda lo ocurrido con un maestro de pueblo, quien, en una visita que hizo a un colegio de la capital, vió en las paredes varios carteles con sentencias y máximas morales, y habiéndose fijado especialmente en una que decía:

"Procure ser en todo lo posible
el que ha de reprender, irreprensible",

resolvió adoptarla para ponerla en su escuela. Pero la memoria le fué infiel, y trabucando las palabras, sin fijarse en el desatino que resultaba, colgó en la pared el siguiente cartel:

"Procure ser en lo posible
el que ha de corregir, incorregible."

A cada momento oirás decir, y lo han dicho algunos buenos autores, "*bajo* este punto de vista", y también "*bajo* estas bases". Para hablar con propiedad debes decir: "*desde* este punto de vista" y "*sobre* estas bases".

Y ¿qué diremos de la frase "tendrá lugar", que verás todos los días en anuncios, avisos y citaciones de juntas, asambleas y hasta academias? Es un galicismo tan piramiral como la torre Eiffel. Los que lo usan quieren significar que tal acto, reunión o ceremonia "se celebrará", "se verificará", "se efectuará" o "tendrá efecto" (ya ves si tenemos recursos en castellano); pero decir "tendrá lugar" es igual a decir que "tendrá cabida o sitio".

Pero lo que más indigna es el "protestar *de*", en vez de "protestar *contra*", que a diario verás usado en periódicos y discursos y documentos. ¿No saben los que tal dislate sueltan, que dicen precisamente lo contrario de lo que quieren decir? ¿No saben que "protestar *de* un crimen", por ejemplo, significa más bien una aprobación que una detestación del delito? Bien claro lo dice la Gramática de la Academia: "Protestar CONTRA la calumnia." — "Protestar DE la inocencia."

Protestemos, pues, *de* nuestro propósito de hablar y escribir correctamente; protestemos con energía *contra* la perversión que algunos hacen de nuestro idioma.

Otra cosa te recomiendo, y es que tu lenguaje, así oral como escrito, además de ser limpio, puro y correcto, sea claro y preciso. Nada de ampulosidades ni circunloquios. No envuelvas el grano de tus ideas con la hojarasca de palabras superfluas y de innecesarias digresiones.

Sé breve en la expresión de tus conceptos, evitando párrafos largos y complicados en que se ensartan diversas ideas. Como dijo Shakespeare: "la brevedad es el alma del ingenio". (Véase APÉNDICE: "Breves frases célebres.")

Una muestra de lo mucho que puede decirse en pocas palabras nos la da Campoamor en sus *Doloras*, particularmente en las *Memorias de un sacristán*, en que cada verso encierra una sentencia completa (en algunos dos o más), y cada octava describe un cuadro lleno de animación y movimiento.

A no ser entre miembros de la familia, una extensa carta aburre. El millonario Vanderbilt rehusaba leer una carta de negocios que tuviese más de una página. Decía que el asunto de mayor interés puede explanarse en una sola cara de papel.

Y si alguna vez tienes que hablar en público, sé breve también; porque así, si tu discurso es malo o mediocre, no cansará, y si es bueno, quedarán tus oyentes regostados para escucharte otra vez. A los discursos muy latos ha dado el vulgo en llamarlos "latosos".

———

Habla, para que yo te vea. — SÓCRATES.

Las honestas palabras dan indicio de la honestidad del que las pronuncia o las escribe. — CERVANTES.

Muchas palabras no dan prueba del hombre sabio, porque el sabio no ha de hablar sino cuando la necesidad demanda, y las palabras han de ser medidas y correspondientes a la necesidad. — TALES DE MILETO.

Todo home se debe mucho guardar en su palabra, de manera que sea acertada e pensada antes que la diga; ca después que sale de la boca, no puede home facer que non sea dicha. — Alfonso X, "el Sabio".

La manía de hablar siempre y sobre toda clase de asuntos es una prueba de ignorancia y de mala educación, y uno de los grandes azotes del trato humano. — Epicuro.

En la lengua consisten los mayores daños de la humana vida. Cervantes.

Callar es el mejor partido que debe adoptar el que desconfía de sí mismo. — La Rochefoucauld.

Yo me he arrepentido muchas veces de haber hablado; de haber callado, nunca. — Xenócrates.

La brevedad es loable cuando no se dice ni más ni menos de lo necesario. — Quintiliano.

Anda despacio, habla con reposo; pero no de manera que parezca que te escuchas a ti mismo, que toda afectación es mala. — Cervantes.

Escribe como quisieras hablar; habla como piensas. Si te diriges a tus inferiores no emplees lenguaje más grosero que de costumbre; si a tus superiores, no lo emplees más refinado. Sé lo que predicas, y, dentro de la prudencia, predica lo que eres. — Dean Alford.

La palabra refleja nuestra vida interior; revela, por decirlo así, la intimidad de nuestra conciencia; es parte de nosotros mismos que sigue las vicisitudes de nuestro espíritu; y es vigorosa y noble cuando hay vigor y nobleza en nuestras almas, y es inexpresiva y grosera cuando traduce la tosquedad, la pobreza de ideas y sentimientos. — Sanz y Escartín.

Unas cuantas palabras pueden revelar un mundo de ideas; pueden poner de manifiesto todo un estado de ánimo; pueden representar un momento histórico como el resplandor de un relámpago que ilumina un vasto paisaje, dejando ver de repente gigantescas montañas y profundos abismos. — MORRIS.

La noble conversación es hija del discurso, madre del saber, desahogo del alma, comercio de los corazones, vínculo de la amistad, pasto del contento y ocupación de personas. — GRACIÁN.

Las obras de cada uno son pincel de su natural. El hablar obrando, el más excelente lenguaje. Palabras sin verdad, paja sin grano. — ANTONIO PÉREZ.

Los primeros pasos que da un pueblo hacia la barbarie están generalmente marcados por la decadencia de su idioma. — LA ACADEMIA FRANCESA.

# Capítulo XXIII

## ¡SIEMPRE ADELANTE!

La ley del Progreso es universal e ineludible. — Afán de la Humanidad por descubrir lo ignoto. — Hazañas y conquistas del hombre. — Los exploradores españoles. — Reivindicación de España. — Su obra civilizadora en el Nuevo Mundo. — Rasgos característicos de una raza.

Cada día, al nacer, marca el avance de nuestro planeta en su órbita.

Todos los astros del Universo están en marcha y movimiento. Nada permanece quieto. Obedeciendo a una ley divina, todo se agita, todo evoluciona, todo progresa.

Progresar es sencillamente ir adelante: es seguir las leyes naturales que gobiernan la vida. Los hombres se renuevan para que la Humanidad avance.

Si la materia se desenvuelve y desarrolla; si la luz y el calor irradian y envían sus efluvios en incesantes vibraciones a través del éter para inundar el mundo de vida y alegría, ¿cómo no ha de difundirse y espaciarse el espíritu, más sutil y sublimado que aquélla, para lanzarse, en alas del pensamiento, a escudriñar en todos los ámbitos del Universo los principios inmutables de las cosas; para remontarse con el vuelo de la imaginación en perseguimiento de excelsos ideales, o para penetrar con la fuerza intensiva del juicio en los más recónditos arcanos de la

Naturaleza, en busca de la Verdad y del origen de la Vida?

¡Explorar, inventar, descubrir! He aquí los anhelos que hacen palpitar el corazón del género humano. Sin esa inquietud, sin ese afán, sin ese vehemente deseo de conocer lo ignoto no hubiera pasado el hombre de ser un ente vegetativo; no hubiéramos conocido las leyes que rigen el movimiento de los astros; no sabría la química de más elementos que la tierra, el agua, el aire y el fuego; ni se hubiese lanzado Colón a descubrir un nuevo mundo.

Cuando el hombre en la selva enmarañada
de su primera edad, exuberante
como la juventud, despertó preso,
al tender por doquiera la mirada,
debió sentir sobre su frente el peso
de la Naturaleza desbordada...
y Adán caído o transformada fiera
(¿quién su origen conoce?) inventó el hacha,
derribó el árbol, encendió la hoguera,
arrancó al bosque sazonados frutos,
hizo la choza, desgarró el misterio,
mató los monstruos y domó los brutos
tras prolongada y formidable guerra,
erigió la ciudad, fundó su imperio,
surcó la mar y dominó la tierra.
Cuando, por fin, la indócil y salvaje
Naturaleza, a su valor rendida,
templó su furia y le prestó homenaje,
el hombre, en la pujanza de su vida,
cada vez más resuelto, más potente
y más ansioso de extender sus huellas,
clavó en el cielo la pupila ardiente
y el rumbo sorprendió de las estrellas.
¿Quién contuvo sus ímpetus? ¿Qué valla
se resistió a su empuje soberano?

¿En qué indeciso campo de batalla
no logró la victoria por su mano?
Incansable y tenaz en su tarea,
siempre conquistador y siempre activo,
dió vida y forma a su impalpable verbo,
que volaba incorpóreo y fugitivo;
alas resplandecientes a su idea,
valor al débil, libertad al siervo,
y sin tener un punto de desmayo,
arrebató, creciendo en osadía,
a las entrañas de la nube, el rayo,
y el cetro a la infecunda tiranía.

En estos viriles versos sintetiza Núñez de Arce las hazañas y conquistas del hombre. Y en estos otros infunde
alientos a los espíritus apocados y vacilantes:

　　　　　　　　　　　　　　Si a veces
la duda con sus densas lobregueces
nuestro afligido espíritu cautiva,
pronto del yugo le redime y salva
la fe, que surge luminosa y viva
como del seno de la noche el alba.
Mas no la fe que semejante al ave
entre dorados hierros prisionera,
entumecida y tímida, no sabe
ni el vuelo inútil ensayar siquiera;
no la medrosa fe que cuando escucha
la voz del trueno sin vigor se postra,
sino la fe que la tormenta arrostra,
sonda el abismo y con los monstruos lucha.
¡La fe en la Humanidad, a quien Dios guía
siempre a la cumbre, *siempre hacia adelante*
y siempre en busca de la luz!

Sí; esa fe y confianza en sí mismos, ese valor indómito
fué el que empujó, siempre adelante, a los descubridores

de América, a esos colosos de heroico temple que todavía esperan un Homero que cante sus proezas.

Para ellos y para la nación que les dió vida y que, con el rasgo de sublime abnegación de una reina, hizo posible la epopeya, ha querido un sincero escritor norteamericano reivindicar el prestigio y la gloria que merecer supieron y que han tratado de rebajar y obscurecer algunos historiadores.

En su libro *Los Exploradores Españoles* hace su autor, míster Charles F. Lummis, una entusiasta apología de los descubridores de América, y pone de relieve algunos heroicos hechos por ellos realizados, y después de afirmar que todavía está por escribir la verdadera y justa historia de lo que España hizo en América, dice con valentía:

Charles F. Lummis

"A una nación cupo en realidad la gloria de descubrir y explorar la América, de cambiar las nociones geográficas del mundo y de acaparar los conocimientos y los negocios por espacio de siglo y medio. Y esa nación fué España.

"Un genovés, es cierto, fué el descubridor de América; pero vino en calidad de español; vino de España por obra de la fe y del dinero de españoles; en buques españoles y con marineros españoles, y de las tierras descubiertas tomó posesión en nombre de España...

"También fué España la que envió un florentino de nacimiento, a quien un impresor alemán hizo padrino de medio mundo, que no tenemos la seguridad de que él conociese, pero que sí estamos seguros de que no debiera llevar su nombre. Llamar América a este continente en honor de Américo Vespucio fué una injusticia, hija de la ignorancia, que ahora nos parece ridícula; pero de todos modos España fué la que envió el hombre cuyo nombre lleva el Nuevo Mundo.

"Poco más hizo Colón que descubrir la América, lo cual es ciertamente bastante gloria para un hombre. Pero en la valerosa nación que hizo posible el descubrimiento, no faltaron héroes que llevasen a cabo la labor que con él se iniciaba. Ocurrió ese hecho un siglo antes de que los anglosajones pareciesen despertar y darse cuenta de que realmente *existía* un nuevo mundo, y durante ese siglo la flor de España realizó maravillosos hechos. Ella fué la única nación de Europa que no dormía. Sus exploradores, vestidos de malla, recorrieron Méjico y Perú, se apoderaron de sus incalculables riquezas e hicieron de aquellos reinos partes integrantes de España. Cortés había conquistado y estaba colonizando un país salvaje doce veces más extenso que Inglaterra, muchos años antes que la primera expedición de gente inglesa hubiese visto siquiera la costa donde iba a fundar colonias en el Nuevo Mundo, y Pizarro realizó aun más importantes obras. Ponce de León había tomado posesión en nombre de España de lo que es ahora uno de los Estados de nuestra República, una generación antes de que los sajones pisasen aquella comarca. Aquel primer viandante por la América del Norte, Alvar Núñez Cabeza de Vaca, había hecho a pie un recorrido incomparable a través del continente, desde la Florida al Golfo de California, medio siglo antes de que nuestros antepasados sentasen la planta en nuestro país. Jamestown,

Un genovés... vino de España por obra de la fe y del dinero de los españoles

la primera población inglesa en la América del Norte, nc se fundó hasta 1607, y ya por entonces estaban los españoles permanentemente establecidos en la Florida y Nuevo Méjico, y eran dueños absolutos de un vasto territorio más al sud. Habían ya descubierto, conquistado y casi colonizado la parte *interior* de América, desde el nordeste de Kansas hasta Buenos Aires, y desde el Atlántico al Pacífico. La mitad de los Estados Unidos, todo Méjico, Yucatán, la América Central, Venezuela, Ecuador, Bolivia, Paraguay, Perú, Chile, Nueva Granada y además un extenso territorio, pertenecía a España cuando Inglaterra adquirió unas cuantas hectáreas en la costa de América más próxima. No hay palabras con que expresar la enorme preponderancia de España sobre todas las demás naciones en la exploración del Nuevo Mundo. Españoles fueron los primeros que vieron y sondearon el mayor de los golfos; españoles los que descubrieron los dos ríos más caudalosos; españoles los que por vez primera vieron el océano Pacífico; españoles los primeros que supieron que había dos continentes en América; españoles los primeros que dieron la vuelta al mundo. Eran españoles los que se abrieron camino hasta las interiores lejanas reconditeces de nuestro propio país y de las tierras que más al sud se hallaban, y los que fundaron sus ciudades miles de millas tierra adentro, mucho antes que el primer anglosajón desembarcase en nuestro suelo. Aquel temprano anhelo español de *explorar* era verdaderamente sobrehumano. ¡Pensar que un pobre teniente español con veinte soldados atravesó un inefable desierto y contempló la más grande maravilla natural de América o del mundo —el gran Cañón del Colorado— nada menos que tres centurias antes de que lo viesen ojos norteamericanos! Y lo mismo sucedía desde el Colorado hasta el Cabo de Hornos. El heroico, intrépido y temerario Balboa realizó aquella terrible caminata a través del Istmo, y descubrió el océano Pacífico, y construyó en sus playas los primeros buques que se hicieron en América, y surcó con ellos aquel mar desconocido, y ¡había muerto más de medio siglo antes de que Drake y Hawkins pusieran en él los ojos!"

Contrasta después míster Lummis la ferocidad de los salvajes apaches y araucanos con que tuvieron que luchar los exploradores españoles, con la más suave y apacible condición de los pieles rojas que en el norte fueron víctimas de los colonizadores anglosajones, y después de lamentar con indignación la injusticia con que los historiadores y geógrafos ingleses hablan (o no dicen nada) de lo que hicieron los españoles en el Nuevo Mundo, agrega estos párrafos, que, por ser de un autor norteamericano, merecen escribirse con letras de oro:

"No solamente fueron los españoles los primeros conquistadores del Nuevo Mundo y sus primeros colonizadores, sino también sus primeros civilizadores. Ellos construyeron las primeras ciudades, abrieron las primeras iglesias, escuelas y universidades; montaron las primeras imprentas y publicaron los primeros libros; escribieron los primeros diccionarios, historias y geografías, y trajeron los primeros misioneros, y antes de que en Nueva Inglaterra hubiese un verdadero periódico, ya ellos habían hecho un ensayo en Méjico ¡y en el siglo XVII!

"Una de las cosas más asombrosas de los exploradores españoles —casi tan notable como la misma exploración— es el espíritu humanitario y progresivo que desde el principio hasta el fin caracterizó sus instituciones. Algunas historias que han perdurado pintan a esa heroica nación como cruel para los indios; pero la verdad es que la conducta de España en este particular debiera avergonzarnos. La legislación española referente a los indios de todas partes era incomparablemente más extensa, más comprensiva, más sistemática y más humanitaria que la de la

Aquellos primeros maestros enseñaron la lengua española y la religión cristiana a mil indígenas

Gran Bretaña, la de las colonias y la de los Estados Unidos todas juntas. Aquellos primeros maestros enseñaron la lengua española y la religión cristiana a mil indígenas por cada uno de los que nosotros aleccionamos en idioma y religión. Ha habido en América escuelas españolas para indios desde el año 1524. Allá por 1575 —casi un siglo antes de que hubiese una imprenta en la América inglesa— se habían impreso en la ciudad de Méjico muchos libros en *doce* diferentes dialectos indios, siendo así que en nuestra historia sólo podemos presentar la Biblia india de John Eliot; y tres universidades españolas tenían casi un siglo de existencia cuando se fundó la de Harvard. Sorprende por el número la proporción de hombres educados en colegios que había entre los exploradores; la inteligencia y el heroísmo se daban la mano en los comienzos de la colonización del Nuevo Mundo.''

Gonzalo de Córdoba

Con estas copiosas citas de un autor extraño y, por tanto, nada sospechoso, he querido demostrarte, que desciendes de una raza de hombres fuertes, valerosos, intrépidos, sufridos y tenaces, que no se dejaban arredrar por ningún obstáculo y que, enarbolando la bandera de la Patria, iban ganando tierras para engrandecerla, y marchaban siempre adelante, sin cejar ni detenerse en su camino.

Hoy apenas quedan tierras por descubrir y mares por sondear, por más que ofrece el planeta ancho campo de exploración a hombres como Peary, Amundsen y el Príncipe de Mónaco; pero dentro de los confines de la ciencia, de las artes y de la industria puedes hallar todavía mucho que explorar y descubrir si te afanas en buscarlo con entusiasmo, con fe, con ahinco y con perseverancia. (Véase APÉNDICE.)

Persiguiendo otros ideales, puedes todavía, como aquellos héroes del siglo de oro, legar a la posteridad un nombre ilustre y conquistar nuevos lauros para tu Patria.

A este fin debes encaminar y dirigir tus energías. Emprende animoso la tarea y, como dice el citado Núñez de Arce:

"Marcha
con paso firme y corazón resuelto,
sin mirar hacia atrás, ¡siempre adelante!"

———————————

Más quiero buscar la muerte dando tres pasos adelante, que vivir un siglo dando uno solo hacia atrás. — GONZALO DE CÓRDOBA.

Que no han pavor los valientes
ni los non culpables miedo.
ROMANCERO DEL CID

¡Compañeros: seguidme! Aquí va el pendón de Castilla. — HERNÁN PÉREZ DEL PULGAR.

(Nuestros soldados de hoy) son la raza española en todo su brío, flor genial de ayer, tan pura y tan noble como se la vió en el siglo XVII, en el áureo siglo, todo luz, en que la Humanidad se llamó España. — L. ANTÓN DEL OLMET.

Lo cierto es que a todo héroe le apadrinaron el Valor y la Fortuna, ejes ambos de toda heroicidad. — BALTASAR GRACIÁN.

No es valor el no temer la muerte y despreciarla, sino el hacer frente a las grandes desgracias, y no tumbarse en el suelo ni volver el pie atrás. — SÉNECA.

¡Oh, todos nos vemos atropellados alguna vez en la vida! Lo que conviene es levantarse de nuevo y no dar a conocer el daño que se ha recibido. — HENRIK IBSEN.

Un grano de audacia es también importante cordura. — Baltasar Gracián.

Aquel que es grande en sus fechos
suele ser en todo grande.

Romancero del Cid

Pongamos nuestros ojos no en el héroe de un deporte inhumano, sino en el héroe por la ciencia, en el héroe por el progreso. — José Martínez Ruiz *(Azorín)*.

# Capítulo XXIV

# LOS HÁBITOS

Resumen de las doctrinas y consejos expuestos en este libro que puede servir de pauta a un joven para orientarse y emprender el buen camino que ha de conducirle al éxito y a un puesto honroso en la sociedad.

Vamos a entrar un momento en la Real Fábrica de Tapices de Madrid.

En una de sus salas vemos a varios operarios trabajando en los telares de altos lizos. Fíjate en que la urdimbre se compone de hilos verticales que se mantienen *rectos* por tensión. No olvides este detalle de la urdimbre.

Sentado el operario detrás de ésta, va tomando sucesivamente hilos de diferentes colores, que introduce con una canilla por entre los hilos de la urdimbre, siguiendo el dibujo y los matices del modelo que tiene colgado a su espalda y que ve reflejado en un espejo colocado delante de él. Cada vez que cambia de matiz, corta y fija por el revés los cabos sobrantes del hilo que acaba de usar. A medida que va colocando un hilo, lo aprieta con un peine de madera, y cuando tiene ya muchos pasados por la urdimbre, va a examinar la obra por el derecho, y arregla los hilos con una aguja, para seguir exactamente los contornos del modelo que se quiere reproducir.

Para que resulte una hermosa obra de arte conviene

que los matices estén bien armonizados, y si se advierte que una parte queda débil, es preciso deshacerla para darle un tono más vigoroso. Así se elaboran esos magníficos tapices que son tan admirados y se pagan a elevados precios.

Pues bien: de un modo muy parecido se va formando el carácter de una persona. Cada cual es el obrero de su propio tapiz. La urdimbre es la educación, y son sus hilos verticales los principios *rectos* sobre que ha de tejerse la obra.

Y así como se forma el dibujo con hilos de diversos colores que se van entretejiendo, recortando y afirmando, así se labra el carácter con los varios hábitos que se contraen y adquieren durante la juventud. Del esmero que uno ponga en seguir las proporciones del modelo que quiera copiar; del acierto en la selección y combinación de los matices, depende que el tapiz resulte de más o menos mérito y valor como artefacto. Y asimismo el carácter de un hombre, su fisonomía moral, resultará más o menos apreciable y valioso según la semejanza que tenga con un buen modelo o según los hábitos que haya sabido entrelazar con inalterables principios de *rectitud*.

¿Cuáles deben ser esos hábitos? Indicados quedan algunos en los capítulos que preceden; pero de ellos y de otros varios que pueden contribuir, si los adquieres, a hacer de ti no sólo un hombre de carácter, sino también un hombre práctico, previsor, apercibido para las exigencias y menesteres de la vida, me propongo hacer aquí uno a modo de resumen en forma breve y compendiosa.

❋ ❋ ❋

Acostúmbrate a decir siempre la verdad. Quien ama la verdad, ama la justicia. Bajo ningún pretexto digas jamás una mentira. Es un tósigo la mentira que deja su ponzoña al pasar por los labios.

Cuando hables con alguno, mírale a la cara. El no hacerlo acusa falta de sinceridad.

Esmérate en hablar poco y bien. No emplees nunca malas palabras. Por el lenguaje se mide la educación de una persona.

Piensa y medita lo que vayas a decir, y mucho más lo que escribas. La palabra escrita alcanza vida perdurable.

Nunca firmes un papel o documento sin leerlo. Muchos han pagado muy cara, hasta con la vida, esta falta de precaución.

No hagas promesas ni compromisos que no puedas cumplir. La palabra empeñada es prenda de honor: poco lo estima quien no lo redime.

Evita el pedir prestado. No aceptes dinero que no hayas ganado legítimamente. Por nada del mundo te dejes sobornar.

Contrae hábitos de economía. No malgastes dinero, salud, fuerzas ni energía en la juventud, pues todo lo necesitarás en la edad provecta.

No confíes en la suerte para que te saque de apuros. Pon tú mismo los medios y la diligencia para conseguirlo.

No arriesgues dinero en juegos de azar, pues aun cuando ganes, al fin has de perder El juego es una vorágine en que se hunde el que se acerca.

Practica obras de caridad y altruísmo. La más eficaz y más honrosa limosna es procurar trabajo provechoso al indigente.

Aparta el cuerpo y el pensamiento de toda mala tentación, pues es como un poderoso imán que atrae al que se coloca dentro de su radio de acción magnética.

Habitúate a concentrar tu atención en lo que escuches, lo que leas o lo que hagas: es la única manera de estudiar y aprender bien.

Sé ordenado en tus cosas; metodiza el trabajo y te cundirá el tiempo. Sin orden y método en el movimiento de los astros se desquiciaría el Universo.

Combate la pereza como si fuese una culebra que se enroscase en tu cuerpo. Si se apodera de ti, ya no podrás sacudirla. El gran pintor Apeles decía: "No dejo pasar un día sin trazar una línea."

Aficiónate al trabajo y acabarás por enamorarte de él. Ya verás con qué generosidad corresponde a tu cariño.

No pierdas ni un minuto. Considera el tiempo como un capital: no lo malgastes. En un minuto se puede plantar un árbol que dé sombra y fruto, o escribir un pensamiento que haga un bien a la Humanidad.

Nunca dejes para otro día lo que puedes hacer en el acto. "Mañana" no existe. ¿Quién está seguro de ver terminar el día de "hoy"?

Fórmate un ideal y procura cada día hacer algo que te acerque a él. Aspira a ser bueno y respetado antes que poderoso y temido.

No dejes que te ciegue la codicia de obtener riquezas que no hayas ganado, ni la ambición de llegar a un puesto que no hayas merecido.

No seas uno de tantos mendigos de recomendaciones para alcanzar la aprobación en los exámenes. Si quieres buenas notas, gánalas con el estudio y la aplicación.

Prefiere ir solo a verte rodeado de malos compañeros.

Si no puedes hallarlos buenos, rodéate de libros selectos, que son buena compañía.

Ten la virtud de decir "no" al que te proponga una acción mala o deshonesta. Esta breve palabra "no" es un talismán, un conjuro que-ahuyenta a los espíritus malignos.

La pauta del *deber* es una línea recta. Procura seguirla, sin torcer a un lado ni a otro. La *honradez* es su paralela: son dos líneas que por más que se prolonguen nunca llegan a cruzarse.

Ten la firmeza de defender tus derechos; pero no olvides que cada derecho lleva aparejado un deber. Es como una moneda, que tiene cara y cruz.

Respeta los derechos y las opiniones de los demás si quieres que respeten los tuyos. Los individuos en la sociedad son como las ruedas de una complicada máquina: grandes y chicas, todas deben engranar.

Acata las leyes y las ordenanzas: ambas hacen en la sociedad el mismo oficio que el "regulador" del movimiento de una máquina.

Respeta la autoridad y haz que todos la respeten, como personificación de los derechos y deberes de los ciudadanos. En ella están representados los tuyos.

Después de Dios, ama a la Patria sobre todas las cosas; ella engloba tu hogar, tu familia, tus afectos, tu religión, tu idioma, tus intereses, tus recuerdos y tus aspiraciones.

No hables mal de tu Patria y reprende al que tal haga. El hijo que habla despectivamente de su madre es un descastado.

Sé cortés y respetuoso con las mujeres, sea cual fuere su condición. El que se propasa con ellas de palabra o por obra no es un caballero: es un rufián.

Haz de la limpieza un culto. Esmérate por ser limpio en tus pensamientos, en tu lenguaje, en tus actos, en tu persona y en tu vestido. Para tener "la mente sana en un cuerpo sano" es indispensable tener "el alma limpia en un cuerpo aseado".

Observa las reglas de la higiene. La desgracia más grande que puede tener un hombre es perder la salud. Y el que nada hace por conservarla, la pierde.

Aficiónate al campo. La Naturaleza prodiga sus favores al que sabe contemplar y admirar sus bellezas. Ella da salud y alegra la vida; hace pensar y hace sentir.

Si amas la Naturaleza, amarás el Arte, que busca en ella su inspiración. Acostúmbrate a visitar los museos y a contemplar y estudiar los monumentos y los cuadros.

Ten la virtud de decir «no» al que te proponga una acción mala o deshonesta.

No te descorazones por ninguna contrariedad. Desecha el pesimismo. La nube más negra está iluminada por el dorso. El que se pone de espaldas al sol, ve proyectarse su propia sombra.

Nada hagas precipitadamente; no te impacientes; ten

calma y filosofía. Se desvía un río, se horada una montaña, se corta un istmo; pero no de golpe. Todo requiere trabajo y tiempo.

Domina tu voluntad. Al principio la hallarás renuente y refractaria, como la bicicleta cuando se aprende a montar. Pero después ¡cuán fácilmente se maneja!

Si padeces un error, ten la nobleza de confesarlo y rectificarlo. Fuera insensato que siguiese uno andando al notar que se ha equivocado de camino.

No formes juicio de una cosa sin pleno conocimiento de sus detalles. Mal juez sería el que fallase una causa sin oír a ambas partes y sin estudiar el proceso.

Evita la murmuración y la chismografía. Sobre todo, no hables mal de las mujeres, pues, como dice Pitágoras, "tienen muchos títulos a que seamos indulgentes con ellas".

Imita a los jóvenes espartanos, que miraban con veneración a los viejos. Piensa que tú puedes llegar a serlo, y que entonces te mortificaría verte tratado irrespetuosamente.

No hagas nunca objeto de burla la joroba, la cojera u otro defecto físico de una persona. Bastante desgracia es padecerlo. Los defectos morales son los que merecen oprobio y censura, porque ésos puede corregirlos el que los tiene.

Sé morigerado en tus costumbres; sobre todo, en la comida y la bebida. No cometas excesos de ningún género. La Naturaleza castiga toda violación de sus leyes.

Abstente de fumar si aún no has empezado; si has adquirido el hábito, esfuérzate por librarte de esa esclavitud. Está demostrado científicamente que el fumar restringe la capacidad pulmonar y embota las facultades mentales.

Descansa del trabajo o del estudio dedicándote a deportes al aire libre. No hay medicamento reconstituyente que más tonifique y vigorice.

Cumple con tus deberes religiosos; educa tu conciencia en principios de moral cristiana y sigue sus dictados. La conciencia educada es a la par buen consejero y buen juez que rara vez se equivoca.

Demuestra tu agradecimiento al que te haga un beneficio. No dejes de dar gracias a Dios todos los días por lo que de Él recibes: el aire, la luz, la vida, la facultad de pensar y de sentir.

Ten siempre presente que un modo de amar a Dios es amar a sus criaturas; no sólo a nuestros semejantes, sino también a los animales y las plantas. A todos debes tratar con cariño por ser obra del Creador.

Acuérdate de que hay tres cosas que no se obtienen con dinero: el tiempo pasado, la salud perdida y la felicidad. Pero esta última se consigue de balde: basta creerse feliz para serlo.

Destierra el mal humor y el enfado; no seas huraño; procura ser jovial; cultiva la alegría; trata a todos con agrado y con la sonrisa en los labios, y te harás simpático a todo el mundo.

Conserva en la memoria las siguientes reglas de urbanidad y síguelas si has de vivir entre personas. La cortesía y finura son en el trato social como el aseo y pulcritud en el individuo.

No hables en voz muy alta ni gesticules. No disputes ni pretendas imponer tu opinión.

Habla poco y cállate cuando otro hable. El que mucho habla, mucho yerra; y quien sabe escuchar, aprende. Con razón dijo Píndaro que "muchas veces lo que se calla hace más impresión que lo que se dice".

Sé puntual y exacto en acudir a las citas y en cumplir tus compromisos sociales. Nunca te hagas aguardar.

No dejes sin contestar ninguna carta que recibas. El no hacerlo es una falta de cortesía y de educación.

Acostúmbrate a poner la fecha y tu dirección en las cartas que escribas, y tu nombre y domicilio en el sobre: lo primero para ahorrar al que ha de contestarte el buscar o averiguar tus señas, y lo segundo para que en Correos puedan devolverte la carta si no encuentran al destinatario.

También es una falta de urbanidad (aunque muchos no se percatan de ello) el fumar y estarse cubierto en cualquier salón o sala de espectáculos en que hay señoras.

Guarda la mayor compostura en los teatros, "cines" y lugares públicos. Los que alborotan, patean y arman escándalo no son dignos de alternar con personas bien educadas.

En tus juegos y deportes muéstrate siempre afable, y observa las reglas con la mayor corrección. No te ensoberbezcas si ganas, y si pierdes no te enojes. Sin caballerosidad y compañerismo, los deportes degeneran en pendencias.

En la mesa es donde más se manifiesta la educación que uno ha recibido. Come, pues, pausadamente; no sorbas con ruido al tomar la sopa; no masques a dos carrillos; no engullas; no bebas teniendo la boca llena; no uses los dedos en vez del tenedor, y no lleves la comida a la boca con el cuchillo, que todo eso revela mala educación.

Es lamentable que no se enseñe urbanidad y buenos modales en las escuelas y los colegios, y, por lo tanto, te recomiendo que adquieras alguno de los buenos manuales que dan reglas para conducirse en sociedad con corrección y finura.

Tú preferirás, sin duda. que la gente, al hablar de ti, diga que eres un joven muy fino a que te califique de "grosero y mal educado". Pues de ti depende el que diga lo primero en vez de lo segundo.

Para ello bastará que repases con frecuencia este capítulo y te hagas el firme propósito de adquirir como hábitos las reglas de conducta que en él se exponen.

---

Nada hay más fuerte que el hábito. — OVIDIO.

El hábito es casi una segunda naturaleza. — CICERÓN.

¡Cuántas injusticias y maldades se cometen por mero hábito! — TERENCIO.

Lo que está encerrado en el corazón de un niño, como los tiernos pétalos en un capullo, florece después en los hábitos y en las obras de los hombres. — SALOMÓN.

Las diminutas cadenas de los hábitos son generalmente demasiado pequeñas para sentirlas, hasta que llegan a ser demasiado fuertes para romperlas. — DR. JOHNSON.

Cada acción, cada pensamiento, cada sentimiento, contribuye a la educación de la índole, de los hábitos y de la inteligencia, y ejerce una influencia ineludible sobre los actos de nuestra vida. — SAMUEL SMILES.

Es la costumbre o hábito, mientras se forma, como un hilo tenue que nos enlaza sin que lo notemos siquiera; pero cuando ya está formado, es una cadena de hierro que sólo un esfuerzo heroico puede quebrantar. — SANZ Y ESCARTÍN.

Las fuerzas morales son como las físicas: necesitan ser economizadas; las que a cada paso las prodigan, las pierden; los que las reservan con prudente economía, las tienen mayores en el momento oportuno. — BALMES.

La perfección de las costumbres consiste en vivir cada día como si fuera el último. — MARCO AURELIO.

Haz aquello que quieras
haber hecho cuando mueras.

FRANCISCO DE GUZMÁN

Promete poco y cumple mucho. — DEMÓFILO.

El espíritu, como el cuerpo, ha menester un buen régimen, y en este régimen hay una condición indispensable: la templanza. — BALMES.

Todos esos jóvenes de las grandes ciudades que vemos siempre con el cigarrillo en la boca (y, por desgracia, forman legión), cometen lentamente un verdadero suicidio físico, moral e intelectual. — J. P. MÜLLER.

La pérdida de nuestras fuerzas es debida más bien a los vicios de la juventud que a los estragos de los años. — CICERÓN.

Es preciso tener a la vista dos modelos: uno de bondad, otro de malicia; y el hombre será más o menos feliz o desgraciado según más se acerque al uno o al otro. — PLATÓN.

Maestro de sí mismo será quien las faltas ajenas tomare por espejo para evitar o reformar las propias. — NIEREMBERG.

La vida tiene su lado sombrío y su lado brillante; de nosotros depende elegir el que más nos plazca. Podemos aplicar a esa elección toda nuestra voluntad y adquirir así la costumbre de ser felices o desgraciados. — Samuel Smiles.

Desdichado es el que por tal se tiene. — Séneca.

Un corazón alegre hace tanto bien como un medicamento. — Salomón.

*Rudo* es anagrama de *duro; rudeza* de *dureza*, y acaso no hay menos consecuencia de uno a otro en los significados que identidad en las letras. — P. Feijóo.

La descortesía no es un vicio del alma, sino el efecto de varios vicios: de la vanidad, del desconocimiento del deber, de la pereza, de la estupidez, de la distracción, del desprecio a los demás y de la envidia. — La Bruyère.

# DESPEDIDA

Ha terminado mi plática, y tenemos que separarnos para seguir cada cual por su camino. El tuyo te conducirá al mundo, a ese gran mundo que te necesita y que tanto espera de ti.

He querido orientarte con mis advertencias y consejos, porque yo he estado largo tiempo en él y lo tengo explorado y recorrido. Cuanto te he dicho es fruto de mi experiencia y mis observaciones, y este libro puede servirte como guía para que no te extravíes en tus andanzas.

Sigue siempre el camino recto, y nunca te dejes sugestionar por nadie ni influir por nada para torcer o desviarte hacia uno u otro lado. "El camino más corto y fácil para la gloria —ha dicho Sócrates— es el trabajar uno por ser tal como quiere ser juzgado."

Entra en el mundo con pie firme, y ni te alarmes si ves en él confusión, desbarajuste y desorden, ni te dejes deslumbrar por el brillo y oropel de sus decoraciones. "Ve prevenido —dice Gracián—, para que ni te admires de cuanto vieres ni te descontentes de cuanto experimentares."

Apercíbete para sufrir muchas contrariedades, sinsabores, disgustos y hondas penas, pues no ha habido mortal ninguno que se haya visto libre de tribulaciones. Pero sabiendo afrontarlas con valor y defenderte con el escudo de tu fortaleza, no abatirán tu ánimo los rudos golpes de la adversidad. Razón tenía Juan Lorenzo cuando dijo que "aquel es ome sesudo el que ha su conorte segunt la grandez de su pérdida; et sabet que todas las cosas que Dic fizo nacen pequennas e van creciendo, se non los duelos, que son de comienzo grandes e van menguando".

Tal vez en algunos momentos te asalten dudas acerca de la senda que has de seguir al ver en el mundo la fe perdida, la confianza burlada, el honor vendido, la amistad traicionada, la justicia maltrecha, los vicios desenfrenados y la maldad triunfante. Pero yo te conjuro que no pierdas la serenidad, ni la confianza en ti mismo, ni la dulce y confortadora esperanza. Esas lacras flotan en la superficie de la sociedad como la escoria o hez de los metales cuando se funden y purifican. Son pecios o desechos de fracasos o naufragios morales que las olas del mar de la vida escupen y arrojan sobre la playa.

No te dejes arredrar por esas plagas. Piensa que eres otro Sigfrido, armado de una espada mágica e invencible, que es tu rectitud, y guiado por una ave maravillosa, que es tu voluntad, para ir a despertar a la encantadora Brunilda, que es la fortuna, el éxito, la gloria, el bello ideal que persigues. Y piensa que tú solo, con esa arma y ese guía seguro, podrás vencer y destruir a cuantos dragones, como Fafner, y a cuantos enanos, como Mime, te salgan al encuentro para amedrentarte y hacerte desistir de tu empresa.

Muchos hombres malos encontrarás en el mundo, es cierto; pero esos bullen, se agitan, meten ruido, y por esta razón se notan más. El novelista ruso Fedor Dostoyewski, después de convivir algún tiempo con los infelices deportados a Siberia, estampó esta observación en *La casa de los muertos:* "En todas partes hay malvados; pero aun entre los malos hay algo bueno".

Sí; y por fortuna son muchos los hombres honrados que hay también en todas partes: hombres modestos que trabajan y saben cumplir con sus deberes; hombres que a fuerza de desvelos y de afanes llegan a labrarse una fortuna, crearse una brillante posición social, conquistar un nombre ilustre o una reputación sin tacha; hombres y mujeres altruístas, caritativos, abnegados, que ejecutan obras de misericordia, llegando a veces hasta el heroísmo, y cuyo paso por el mundo es como una sonrisa o un rayo de sol para algunas almas entenebrecidas por el infortunio.

Todos estos hombres buenos, honrados y piadosos forman legión; pero no son vocingleros: trabajan en silencio; no los hallarás entre la multitud turbulenta y levantisca, sino afanosamente ocupados en sus quehaceres, porque saben que con el trabajo se nutre el cuerpo y se ennoblece el alma, y que con la perseverancia se vencen y dominan todas las dificultades.

¡Trabajo, Perseverancia! Estos son los dos talismanes que te harán conseguir cuanto desees, y para que no lo eches en olvido, conserva en la memoria la siguiente fábula que para ti he compuesto y te dedico como recuerdo de esta despedida:

## EL CAUDAL OCULTO

Un labrador a su hijo
un día, al morir, le dijo:
"Quiero legarte un tesoro
que no es plata y que no es oro,
pero vale mucho más.

En aquel terreno yermo
que compré estando ya enfermo,
y que te dejo en legado,
el caudal está enterrado;
busca bien y lo hallarás."

El chico a buscar empieza
removiendo la maleza.
No dejó ni un solo arbusto;
mas, con pena y con disgusto,
el tesoro no encontró.

Pero no cejó en su empeño,
pues se propuso ser dueño
de aquel tesoro valioso,
y con esfuerzo animoso
la tarea prosiguió.

Pensó que era el mejor modo
roturar el campo todo,
pues así descubriría
el joyel de gran valía
que allí el padre fué a ocultar.

Así, empuñando la esteva,
comenzó la labor nueva
con ánimo decidido
de no darse por vencido
hasta el tesoro encontrar.

Dedicado a la labranza,
hacíale la esperanza
redoblar sus energías,
y al cabo de cuatro días
le dió un vuelco el corazón,

al ver que la reja choca
no con una piedra o roca,
sino con un gran cacharro,
una vasija de barro,
que tenía esta inscripción:

*El que de Natura sabe*
*descubrir una señal,*
*aquí encontrará la llave*
*de un riquísimo caudal.*

Saltó el joven de alegría,
pues ya rico se veía.
La vasija hizo pedazos,
y allí dentro, a grandes trazos,
sólo escrito halló un papel.

Con faz descompuesta y grave
buscó y no encontró la llave,
y creyéndose robado
o, cuando menos, burlado,
leyó por fin el cartel:

*Mucho más hondo el caudal se esconde;*
*el que lo quiera encontrar, que ahonde:*
*si profundiza en este lugar*
*tenga por cierto que lo ha de hallar.*

Renacióle la esperanza
de hacer del caudal cobranza,
y poniéndose al trabajo
como si fuese a destajo,
comenzó la excavación.

Y un día tras otro día,
con ardor, fe y energía,
fué cavando, fué cavando,
y el hoyo profundizando
en busca del galardón.

Su trabajo duro y fuerte
recompensó al fin la suerte,
pues vió con gran alborozo
surgir del fondo del pozo
abundante manantial.

Al instante vió aclarado
el misterio del legado.
El agua, sin duda alguna,
era la oculta fortuna,
era su rico caudal.

Con ella cultivar pudo
el campo yermo y desnudo;
ella próvida le trajo
el premio de su trabajo:
riqueza y prosperidad.

Así también el estudio
es de la ciencia el preludio.
La ciencia es pozo muy hondo;
pero el estudio en el fondo
encuentra al fin la Verdad.

Y ahora, ve con Dios. ¡Que Él te bendiga, te guíe y
te ilumine!

# APÉNDICE

## NOTICIAS Y DATOS CURIOSOS E INSTRUCTIVOS

# ADVERTENCIA

Merced a una labor de investigación y selección se han reunido en este APÉNDICE algunos datos curiosos y noticias interesantes que se hallan dispersos en multitud de libros y revistas, facilitando así al joven estudioso la tarea de averiguarlos y aumentar el caudal de sus conocimientos. Para no dar proporciones desmedidas a esta parte de la obra, ha sido preciso limitar así el número como la explicación de las materias que en ella se exponen, con el fin de dar a conocer al lector tan sólo algunas de las grandes y más señaladas invenciones y obras que han producido la inteligencia, el trabajo y la perseverancia de los hombres.

# VARIOS DESCUBRIMIENTOS E INVENCIONES

## GEOGRAFÍA

| DESCUBRIMIENTO | DESCUBRIDOR | Año |
|---|---|---|
| América | Cristóbal Colón | 1492 |
| Costa Firme (Venezuela) | El mismo | 1498 |
| Colombia | Alonso de Ojeda | 1499 |
| Ríos Amazonas y Orinoco | Vicente Yáñez Pinzón | 1499 |
| Brasil | Pedro Alvarez Cabral | 1500 |
| Labrador | Gaspar Corte Real | 1500 |
| uatemala | | |
| Costa Rica | Cristóbal Colón | 1502 |
| Honduras | | |
| Río de la Plata | Juan Díaz de Solís | 1512 |
| Florida | Juan Ponce de León | 1512 |
| Océano Pacífico | Vasco Núñez de Balboa | 1513 |
| Yucatán | F. Hernández de Córdoba | 1515 |
| Méjico | Juan de Grijalva | 1516 |
| Tierra del Fuego | Fernando de Magallanes | 1520 |
| Islas Marianas | El mismo | 1521 |
| Archipiélago Filipino | El mismo | 1521 |
| Vuelta al mundo | Juan Sebastián Elcano | 1522 |
| Perú | Francisco Pizarro | 1524 |
| Cabo de Hornos | García Jofre de Loaysa | 1525 |
| Tejas | Alvar Núñez Cabeza de Vaca | 1528 |
| California | Fortún Jiménez | 1534 |
| Nuevo Méjico | Fray Marcos de Nizza | 1539 |
| Arizona, Colorado y Kansas | F. Vázquez de Coronado | 1540 |
| Chile | Pedro de Valdivia | 1540 |

| | Año |
|---|---|
| Primer mapa de América. Juan de la Cosa | 1500 |
| Primera Geografía de América. Enciso | 1517 |
| Primer libro impreso en América (Méjico) | 1539 |
| Primera Universidad en América (Méjico) | 1545 |
| Primera Catedral en América (Méjico) | 1573 |
| | |
| *Polo Norte* ......... Robert E. Peary | 1910 |
| *Polo Sur* ......... Roald Amundsen | 1911 |

## CIENCIAS, ARTES E INDUSTRIAS

| INVENCIÓN | INVENTOR | Año |
|---|---|---|
| *Acero Bessemer* | Sir Henry Bessemer | 1858 |
| *Acetileno* (gas) | Berthelot | 1862 |
| *Acetileno* producido por carburo de calcio | T. L. Willson | 1888 |
| *Acido carbónico* | Dr. Black | 1757 |
| *Acido clorhídrico* | Priestley | 1772 |
| *Acido fénico* (fenol) | Laurent | 1846 |
| *Acido nítrico* | Raimundo Lulio | 1287 |
| *Acido prúsico* | Diesbach | 1709 |
| *Acido sulfúrico* | Basil Valentine | 1440 |
| *Aeroplanos* | (Véase *Aviación*). | |
| *Aeróstatos* | (Véase *Globos*). | |
| *Aire líquido* | Pictet, en Ginebra, y Caillete, en París | 1877 |
| *Aire comprimido* | Isaac Wilkinson | 1757 |
| *Aire* (Composición del) | Priestley, Scheele, Lavoisier y Cavendish | siglo xviii |
| *Ajedrez* | Bramin Lissa (India) | siglo iv |
| *Algodón pólvora* | Profesor Schoenbeim | 1846 |
| *Almarra* | Eli Whitney | 1793 |
| *Alquimia* | Los egipcios | (?) |

| INVENCIÓN | INVENTOR | Año |
|---|---|---|
| Alto horno | James B. Neilson | 1828 |
| Aluminio | Hans Christian Oersted | 1800 |
| Anemómetro | Wolfins | 1709 |
| Anestesia por cloroformo | Dr. Simpson | 1847 |
| Anestesia por éter | Dr. Morton | 1846 |
| Anestesia por protóxido de ázoe | Humphry Davy | 1800 |
| Anillo de Saturno | Christian Huygens | 1659 |
| Antisepsia en cirugía | Sir Joseph Lister | 1870 |
| Añil artificial | Bayer | 1878 |
| Arado | Los egipcios | (?) |
| Astrolabio | Hiparco (siglo II a. de J. C.) | |
| Astrolabio, aplicado a la navegación | Martín Behaim | 1487 |
| Atomo (Constitución del) | Bohr | 1913 |
| Automóvil | Gottlieb Daimler | 1887 |
| Aviación | (Véase Reseña histórica). | |
| Azúcar en la remolacha | Marggraf | 1747 |
| Bacilos y bacterias | Descubiertos y llamados animálculos por Leuwenhoeck | 1680 |
| Bacilos y bacterias | Reconocidos como patógenos y agentes de infecciones por Pasteur (V. Microbios) | 1875 |
| Barómetro | Torricelli | 1645 |
| Bencina o benzol | Faraday | 1825 |
| Bicicleta | (Véase Velocípedo). | |
| Billar | Los caballeros Templarios trajeron a Europa este juego de Oriente | siglo XII |
| Block-system (Señales) | Cooke | 1843 |
| Bomba de aire | Otto von Guericke | 1650 |
| Botella de Leyden | (Véase Electricidad). | |
| Brújula | (Véase Reseña histórica). | |
| Buque de vapor | (Véase Reseña histórica). | |
| Buque submarino | (Véase Reseña histórica). | |
| Cable submarino | Cyrus W. Field | 1866 |

| INVENCIÓN | INVENTOR | Año |
|---|---|---|
| *Cálculo diferencial* | Newton y Leibnitz | 1684 |
| *Calendario* romano | Rómulo        738 a. de J. C. | |
| *Calendario* cesáreo | Sosígenes        46 a. de J. C. | |
| *Calendario* gregoriano | Gregorio XIII | 1582 |
| *Cámara lúcida* | Dr. W. Hyde Wollaston | 1804 |
| *Cámara obscura* | G. della Porta | 1570 |
| *Campanas* (de iglesia) | San Paulino | 400 |
| *Caucho* | La Condamine | 1735 |
| *Caucho* vulcanizado | C. Goodyear | 1839 |
| *Célula* | R. Hooke | 1667 |
| *Cinematógrafo* | Edison y Eastman | 1897 |
| *Cinematógrafo parlante* | Dr. I. Kitsee | 1905 |
| *Circulación de la sangre* | (Véase *Reseña histórica*). | |
| *Cloroformo* | Dr. J. I. Simpson | 1831 |
| *Cocaína, clorhidrato* | S. P. Percy | 1857 |
| *Coque* | Abraham Darby | 1735 |
| *Cuero* | Los egipcios | (?) |
| *Dactilografía* | Sir Francis Galton | 1892 |
| *Daltonismo* | Dr. John C. Dalton | 1794 |
| *Descomposición de la luz.* | Newton | 1673 |
| *Descomposición del agua* | Cavendish | 1781 |
| *Dinamita* | Alfredo B. Nobel | 1866 |
| *Dínamo* | (Véase *Electricidad*). | |
| *Dirigibles* | (Véase *Globos*). | |
| *Discos fonográficos* | Dr. Emile Berliner | 1888 |
| *Electricidad* | (Véase *Reseña histórica*). | |
| *Electrotipia* | (Véase *Galvanoplastia*). | |
| *Espejos ustorios* | Arquímedes        214 a. de J. C. | |
| *Espectroscopio* | J. von Fraunhofer | 1814 |
| *Estereoscopio* | Dr. Ch. Wheatstone | 1838 |
| *Estereotipia* | William Ged | 1731 |
| *Estereotipia* | Perfeccionada por Stanhope | 1798 |
| *Estetoscopio* | Dr. Laennec | 1815 |
| *Éter* (modo de obtenerlo) | Valerius Cordus | 1540 |
| *Ferrocarril* | (Véase *Reseña histórica*). | |
| *Fonógrafo* | Tomás A. Edison | 1877 |

| INVENCIÓN | INVENTOR | Año |
|---|---|---|
| Forma esferoidal de la Tierra | Newton | 1680 |
| Fósforo en la orina | Brandt | 1669 |
| Fósforo en los huesos | Gahn | 1769 |
| Fósforos de madera | John Walker | 1827 |
| Fosforoscopio | A. E. Becquerel | 1861 |
| Fotografía (Daguerreotipo) | Daguerre | 1700 |
| Fotografía (sobre papel) | Talbot | 1839 |
| Fotografía (placas al colodión) | Scott Archet | 1840 |
| Fotografía (placas secas) | George Eastman | 1860 |
| Fotografía en colores | Propiedad del subcloruro de plata de reproducirlos, Becquerel, 1848; tricromía, Ch. Cros y Ducos du Hauron, separadamente, en 1869; procedimiento interferencial, Lippmann, 1889; placas autocromas, Lumière | 1906 |
| Galvanismo | Luigi Galvani | 1786 |
| Galvanoplastia | Brugnatelli | 1803 |
| Gas del alumbrado | (Véase Luz) | |
| Gas X³ | Sir J. J. Thomson | 1912 |
| Glicerina | Scheele | 1779 |
| Globos aerostáticos | (Véase Reseña histórica). | |
| Grafófono | Graham Bell | 1887 |
| Gramófono | Emile Berliner | 1887 |
| Gravitación universal | Newton | 1667 |
| Guillotina | Erróneamente atribuída a Guillothin. Se usó en Italia e Inglaterra en el siglo XVI. | |
| Helicóptero | Leonardo de Vinci | 1500 |
| Helio | Sir William Ramsay | 1895 |
| Herencia biológica | Mendel | 1865 |
| Hidrógeno | Cavendish | 1777 |

| INVENCIÓN | INVENTOR | Año |
|---|---|---|
| Hidrómetro | Fahrenheit, 1721; Baumé, 1762; Nicholson | 1787 |
| Hipnotismo | Braid | 1841 |
| Hidropatía (sistemática) | V. Priessnitz | 1828 |
| Higrómetro | Saussure | 1783 |
| Homeopatía | Dr. Hahnemann | 1796 |
| Imprenta | (Véase *Tipografía*). | |
| Insulina | Londres | 1916 |
| Kodak (cámara) | George Eastman | 1888 |
| Lámpara de mercurio | Cooper Hewit | 1902 |
| Lámpara de seguridad | Sir Humphry Davy | 1815 |
| Lanzadera mecánica | John Kay | 1733 |
| Laringoscopio | Manuel García | 1855 |
| Lenguaje de sordomudos | Fray P. Ponce de León | 1560 |
| Libro de pergamino | Atalo, rey de Pérgamo, 198 a. de J. C. | |
| Líneas de Fraunhofer | Dr. Wollaston | 1802 |
| Linterna mágica | Atanasio Kircher | 1650 |
| Linotipia | Ottmar Mergenthaler | 1888 |
| Litografía | Aloys Senefelder | 1796 |
| Logaritmos | John Napier | 1614 |
| Luz de gas | William Murdock | 1797 |
| Luz eléctrica, de arco | L. B. Marks | 1876 |
| Luz eléctrica incandescente | Edison | 1878 |
| Luz de mercurio | (Véase *Lámpara*). | |
| Luz de Moore | Mc. F. Moore | 1905 |
| Manganeso | Scheele | 1750 |
| Máquina calórica | Dr. Stirling | 1816 |
| Máquina de coser | Elías Howe | 1845 |
| Máquina de escribir | Lathan Sholes | 1867 |
| Máquina de hilar | James Hargreaves | 1767 |
| Máquina de vapor | (Véase *Vapor*). | |
| Máquina eléctrica | Otto von Guericke | 1647 |
| Métrico (Sistema) | (Véase *Reseña histórica*). | |
| Microbio o vírgula del cólera | Dr. Kock | 1884 |

| INVENCIÓN | INVENTOR | Año |
|---|---|---|
| Microbio de la difteria ... | Klebs y Löffler | 1883 |
| Microbio de la fiebre amarilla | Dr. japonés Hideyo Noguchi .. | 1920 |
| Microbio de la lepra | Gerard Hansen | 1881 |
| Microbio de la parálisis infantil | Dres. Flexner y Noguchi | 1913 |
| Microbio de la rabia | Hideyo Noguchi | 1912 |
| Microbio del tétanos | Nicolaier | 1885 |
| Microbio de la tifoidea ... | Eberth | 1880-1883 |
| Microbio de la tuberculosis | Dr. Koch | 1882 |
| Micrófono | Hughes | 1878 |
| Micrómetro | M. Gascoigne | 1640 |
| Microscopio | Dr. Wollaston | 1806 |
| Muelle espiral de reloj ... | Christian Huygens | 1675 |
| Nitroglicerina | Ascanio Sobrero | 1847 |
| Oftalmoscopio | Hermann Helmholtz | 1851 |
| Ondas hertzianas | Heinrich Hertz | 1888 |
| Ondulación de la luz | Huyghens | 1690 |
| Oxígeno | Joseph Priestley | 1773 |
| Ozono | Schoenbeim | 1839 |
| Palanca | Arquímedes ...... siglo III a. de J. C. | |
| Pan | Ching-Noung ...... 1998 a. de J. C. | |
| Papel | Los chinos | (?) |
| Papiro | Los egipcios | (?) |
| Pararrayos | Benjamín Franklin | 1753 |
| Péndulo (Leyes del) | Galileo | 1583 |
| Penicilina | Alexander Fleming | 1941 |
| Peso específico (Ley del) | Arquímedes ........ s. III a. de J. C. | |
| Pianoforte | Bartolomé Cristófori | 1700 |
| Pila eléctrica | Alessandro Volta | 1799 |
| Platino | Wood (en Jamaica) | 1741 |
| Polariscopio | Christian Huygens | 1679 |
| Polarización | Etienne L. Malus | 1808 |
| Pólvora | (Véase Reseña histórica). | |
| Psicoanálisis | Sigmund Freud | 1910 |

| INVENCIÓN | INVENTOR | Año |
|---|---|---|
| *Quinina*, traída del Perú a España por la | Condesa de Chinchón | 1640 |
| *Radio* | Los esposos Curie | 1898 |
| *Radio* (Vapores de) | Instituto del Rádium, Londres | 1913 |
| *Radioteleiconografía* | F. Bernochi | 1912 |
| *Rayos catódicos* | W. Crookes | 1877 |
| *Rayos X* | Roentgen | 1895 |
| *Reflejos condicionados* | Pawlow | 1925 |
| *Relatividad* (Teoría de la) | Albert Einstein | 1905 |
| *Reloj* | (Véase *Reseña histórica*). | |
| *Segadora mecánica* | Cyrus Mc. Cormick | 1831 |
| *Segadora agavilladora* | Cyrus Mc. Cormick | 1865 |
| *Sellos de correo* | Rowland Hill | 1840 |
| *Semáforo* | Claude Chappe | 1793 |
| *Sextante* | Tyco Brahe | 1550 |
| *Suero antidiftérico* | Iniciado por Behring | 1892 |
| *Suero antidiftérico* | Generalizado por Roux | 1894 |
| *Suero antirrábico* | Pasteur | 1889 |
| *Taquigrafía* | (Véase *Reseña histórica*). | |
| *Telar mecánico* | Edmundo Cartwright | 1785 |
| *Telar mecánico para terciopelo* | Jacinto Barrau | 1857 |
| *Teléfono* | (Véase *Reseña histórica*). | |
| *Telégrafo* | (Véase *Reseña histórica*). | |
| *Telequino* | Leonardo Torres Quevedo | 1903 |
| *Telescopio* | (Véase *Reseña histórica*). | |
| *Televisión* | (Véase *Reseña histórica*). | |
| *Termómetro* | (Véase *Reseña histórica*). | |
| *Tipografía* | (Véase *Reseña histórica*). | |
| *Torpedos* | David Bushnell | 1776 |
| *Trasbordador colgante* | Alberto Palacio (Bilbao) | |
| *Turbina de agua* | Furneyron | 1827 |
| *Turbina de vapor* | Ch. Algernon Parsons | 1884 |
| *Ultramicroscopio* | Siedentopf y Zsigmondy | 1904 |
| *Vacuna anticolérica* | Dr. Jaime Ferrán | 1884 |
| *Vacuna antivariolosa* | Dr. Edward Jenner | 1796 |

| INVENCIÓN | INVENTOR | Año |
|---|---|---|
| *Vacuna antitífica* ............ | Vincent ............................ | 1911 |
| *Vacuna antituberculosa* .. | Dr. Dreyer (Londres) ........... | 1923 |
| *Vanadio* ...................... .. | Del Río ............................ | 1801 |
| *Vapor* ....................... ... | (Véase *Reseña histórica*). | |
| *Velocidad de la luz* ........ | Orlaus Roemer .................... | 1676 |
| *Velocípedo* .................... | Karl von Drais ................... | 1817 |
| *Vidrio* ......................... | Los egipcios ...................... | (?) |
| *Vitaminas* .................... | Su descubrimiento inicial se debe a Hopkins. Diversos investigadores con Funk a la cabeza, que les dió el nombre de vitaminas, han contribuído después a aislarlas y analizar su composición química .......................... | 1906 |
| *Wolfram* (tungsteno) ...... | Hermanos Elhuyar (esp.) ...... | 1783 |
| *Yodo* ......................... . | Courtois ............................ | 1812 |

# Reseña histórica de los grandes inventos

AEROSTACIÓN Y AVIACIÓN. — La fábula mitológica de Dédalo y su hijo Ícaro ya indica lo antiguo que es el anhelo del hombre de remontarse por los aires. Simón Mago, en tiempo de Nerón, se estrelló en Roma tratando de volar de una casa a otra. El naturalista inglés Roger Bacon tuvo idea de un aparato volador movido por alas. A últimos del siglo xv, un matemático italiano, llamado Dante, se elevó por encima del lago Trasimeno, por medio de unas alas sujetas a su cuerpo. Varios han sido los que han hecho parecidas tentativas, y todavía, en 1891, un tal Lilienthal halló la muerte en un vuelo que intentó con alas postizas.

El primero que hizo un estudio científico del vuelo de las aves, para aplicar sus observaciones a la resolución de este problema, fué el gran artista y polígrafo Leonardo Da Vinci, en la segunda mitad del siglo xv, y no sólo dejó varias notas y dibujos referentes a las alas de los pájaros, su funcionamiento y fuerza de propulsión, sino que trazó el proyecto de una máquina voladora, fundado sobre aquellas observaciones. Otro que también científicamente trazó el proyecto de un avión o nave voladora, fué George Cayley, en 1809.

Pero hasta fines del siglo xix no tomó cuerpo e incremento el propósito del hombre de dominar el elemento aéreo, y mucho se debió a los esfuerzos y experimentos que, como aficionado, realizó en París el deportista brasileño señor Santos Dumont con sus globos dirigibles. En la misma época, y en distintos puntos de Europa y los Estados Unidos, algunos mecánicos se ocupaban en la construcción de aviones que recibieron el nombre genérico de *aeroplanos*, dividiéndose en dos grupos: monoplanos y biplanos, según que tuviesen uno o dos pares de alas rígidas.

A los hermanos Wilbur y Orville Wright, de los Estados Unidos, les corresponde la gloria de haber sido los primeros en resolver de un modo práctico el problema. Después se han construído, con tales o cuales modificaciones, multitud de modelos en Europa y en los mismos Estados Unidos, y de este último país procede el primer modelo de *hidroaeroplano*, susceptible de volar y de sostenerse sobre el agua.

Después de los innumerables sacrificios de vidas que costó y sigue costando este invento, pudo afirmarse, en 1913, que era ya un hecho el dominio del aire por el hombre, en vista de los vuelos realizados: a través del Canal de la Mancha por Blériot en 1911; a través del mar Báltico por Thuelin en 1913, y desde San Rafael, en Francia, hasta Túnez, a través del Mediterráneo, por el aviador francés Garros, también en 1913.

Con motivo de la guerra mundial (1914-1918), adquirió gran desarrollo la construcción y empleo de aeroplanos, con los que los aviadores alemanes y aliados hicieron grandes proezas persiguiéndose y destruyéndose unos a otros, a grandes alturas, y valiéndose de los aviones para verificar reconocimientos y bombardeos.

De entonces acá se han construído aparatos de dimensiones gigantescas y los vuelos se han multiplicado hasta adquirir proporciones verdaderamente fantásticas con el prurito de establecer o superar *records* de duración, distancia, altura, velocidad, etc.

Hoy el aeroplano se ha convertido en un vehículo de utilidad práctica para el transporte de viajeros, de correspondencia y aun de determinadas mercancías. De los vuelos a menudo accidentados y relativamente cortos que se llevaron a cabo hasta que terminó aquella guerra, se pasó a los grandes *raids*, cuyos héroes Pelletier, D'Orsay, Arrachard, Franco, Pinedo, Lindberg, Byrd, Costes, Lebrix, Mermoz, Barberán, Balbo, etc., cubrieron de gloria a sus patrias respectivas. Unos y otros realizaron travesías sumamente arriesgadas por lo extensas, ya a través del Océano, ya a través del Sahara, bien cruzando los continentes, bien volando sobre el Polo en varias direcciones, y haciendo etapas de miles de kilómetros. Estableciéronse después en todo el mundo líneas regulares de comunicación entre las principales capitales, así como entre las más apartadas colonias y sus metrópolis respectivas. La guerra mundial de 1939 ha llevado hasta límites inesperados, o por lo menos sorprendentes, el radio de vuelo, la potencia de transporte y la velocidad de los aviones. El arma aérea ha dejado de tener el carácter de arma auxiliar para convertirse en arma substantiva y, en muchas ocasiones, decisiva. Así en los combates terrestres como en los marítimos, el empleo de los aviones altera las concepciones militares tradicionales.

Otros notables progresos de la aviación están representados por el avión sin motor, el *pterodactyl*, el autogiro y el helicóptero. Los aviones sin motor se valen, para volar, solamente de las corrientes atmosféricas, habiéndose llegado a sostenerse así algunos aviadores hasta ocho horas en el aire. El *pterodactyl* o avión sin cola es un aparato rarísimo, de forma parecida a los murciélagos, y puede decirse que, más que volar, revolotea, pues surca los espacios con la nervosidad de las mariposas y sube y baja y gira con inconcebible rapidez. Los modernos aviones de caza se han inspirado en sus principios. El autogiro, debido al ingeniero español La Cierva y calificado por los ingleses como el aeroplano del porvenir, está provisto de unas grandes aspas horizontales, gracias a las cuales se eleva y aterriza verticalmente sin necesidad de mayor espacio que el que ocupa el avión. (Véase: "Dirigibles", "Globos aerostáticos" y "Helicóptero".)

DIRIGIBLES. — Varias tentativas se hicieron en el último tercio del siglo XIX para dar dirección a los globos, utilizando la hélice como propulsor, y se construyeron diversos modelos que no dieron resultado, hasta que, en 1884, un aeronauta francés, Mr. Rénard, fué el primero que logró, en su dirigible *La France,* manejarlo por los aires y hacerlo evolucionar hasta llegar al punto de partida. Se vió resuelto el problema; pero después se ha procurado mejorar el dirigible, hacerlo más sólido y más seguro para que pueda transportar pasajeros. Esto se ha logrado en Alemania con los dirigibles inventados y construídos por el conde Zeppelin, a costa de algunos desastres. Esos dirigibles son más pesados que el aire y están formados por una armazón rígida que sostiene el envoltorio. Pero hace pocos años, el inventor español señor Torres Quevedo ideó y construyó un ingenioso globo trilobulado, teniendo su armazón una viga formada por cuerdas que hace el globo rígido cuando está henchido. Este modelo, que lleva el nombre de *Astra-Torres* porque lo construyó la casa Astra, de París, tiene también grandes ventajas.

Los *records* de los dirigibles oficialmente reconocidos son anteriores a 1914, y han sido sobrepasados con mucho por los dirigibles alemanes. Uno de éstos fué desde Jamboli (Bulgaria) a Khartum (bajo Egipto), recorriendo, entre ida y vuelta, más de 7.000 kilómetros y permaneciendo varios días en el aire. No han alcanzado una altura superior a la de los globos esféricos, ni una velocidad superior a la de los aeroplanos, pero la gran estabilidad que ofrecen los dirigibles representa una positiva ventaja para el transporte de viajeros. Como modelo de este género de naves aéreas se cita el alemán *Graf Zeppelin,* de 130 pies de largo, 42 de alto y 28 de ancho, capaz para ciento cincuenta pasajeros y más de doscientas toneladas de carga. La vuelta al mundo que realizó este dirigible en agosto de 1929 empleando —en tres etapas— veintiún días, siete horas y cuatro minutos, sentó definitivamente la posibilidad de establecer las proyectadas líneas aéreas entre Europa y América. Pero el progreso de los aparatos más pesados que el aire —los aviones— parece relegar al olvido tales proyectos.

GLOBOS AEROSTÁTICOS. — El descubrimiento del gas hidrógeno por Cavendish, en 1766, y la ligereza de dicho gas comparada con la densidad del aire atmosférico, hicieron posible la elevación de globos llenos de aquel gas. Sin embargo, tal vez por desconocer sus propiedades no hicieron uso de él los hermanos Montgolfier, fabricantes de papel, vecinos de Lyón, cuando en 1783, delante de una atónita muchedumbre, elevaron un inmenso globo de tela, forrado de papel, cuyo peso era de 500 libras, por la acción del aire enrarecido dentro del globo, mediante la combustión de paja que ardía debajo del boquete. Algunos meses después, valiéndose de igual método de rarefacción, M. Pilatre de Rozier y el marqués D'Arlandes fueron los primeros aeronautas que se arriesgaron a hacer una ascensión en globo, llegando a una altura de 3.000 pies. Poco después, en el mismo año, los señores Charles y Robert emplearon el gas hidrógeno para elevarse en un globo en París en presencia de seiscientos mil espectadores. Desde entonces se han hecho numerosas ascensiones empleando dicho gas, y en ellas se han obtenido muchos datos utilísimos para la ciencia, pues se ha llegado hasta alturas increíbles que han permitido hacer interesantes observaciones físicas, meteorológicas y fisiológicas. Pero como los globos navegaban sin rumbo fijo, a merced de las ráfagas atmosféricas, no tardó el hombre en buscar el modo de gobernar su dirección, y de ese afán provino la invención de los dirigibles.

AIRE LÍQUIDO. — Se obtuvo por primera vez en ensayos de laboratorio, en 1877, y casi al mismo tiempo, por Cailletet, en París, y Pictet, en Ginebra. Pero el procedimiento industrial para obtener aire líquido se debe a C. v. Linde, el cual sacó patente en junio de 1895.

El aire atmosférico se convierte en líquido por medio de una potente compresión que lo lleva a una elevada presión de unas doscientas atmósferas, y después de refrigerado hasta la temperatura ordinaria, se le deja expansionar hasta la presión ordinaria.

El punto de ebullición del aire líquido, es decir, la temperatura a la cual pasa de nuevo a gas, es de 191° C. bajo cero. La composición del aire líquido depende del procedimiento empleado para su obtención. Por todos los procedimientos se obtiene, sin embargo, un aire más rico en oxígeno y argón que el atmosférico.

El aire líquido no puede guardarse en recipientes cerrados, porque la constante evaporación del mismo produce un volumen de aire gaseoso ochocientas veces superior al del aire líquido, de modo que se crea una presión de ochocientas atmósferas, capaz de hacer estallar el recipiente.

El aire líquido templa los metales blandos. Una espiral de plomo, después de sumergida en aire líquido, adquiere temporalmente el temple y la elasticidad del acero. Una campanilla de plomo suena, después de sumergida en aire líquido, como si fuese de plata.

El gas acetileno en contacto con el aire líquido se solidifica, formando un cuerpo duro que, aplicándole una llama, se enciende y arde lentamente como una bujía. Varias substancias químicas cambian radicalmente de color en contacto con el aire líquido.

Los objetos de goma y los vegetales, al sumergirlos en aire líquido, adquieren rigidez y fragilidad, hasta el punto de que per presión o golpeándolos se quiebran o desmenuzan como el vidrio.

Por su riqueza en oxígeno aviva las combustiones; así un cigarro encendido, al sumergirlo en aire líquido, arde rápidamente, produciendo proyecciones de chispas a modo de fuegos artificiales.

Las aplicaciones industriales principales del aire líquido son la obtención del oxígeno y la fabricación de explosivos.

El aire líquido permite una evaporación fraccionada de los distintos gases de que se compone, ya que cada uno de ellos tiene distinto punto de ebullición; y así, en aparatos parecidos a los de destilación y rectificación de alcoholes, se obtiene el oxígeno y el nitrógeno.

Para barrenos en minas y canteras se emplean cartuchos rellenos de algodón impregnado de aire líquido, los cuales se hacen estallar por medio de una chispa eléctrica, como los de dinamita, teniendo sobre éstos la ventaja de una superior fuerza explosiva y de que los gases, producto de la explosión, son sólo aire atmosférico muy rico en oxígeno y, por lo tanto, sin efectos nocivos en trabajos de túneles y minas.

Además, esos cartuchos, al cabo de unas horas, al evaporarse el aire líquido, se hacen inofensivos, pudiéndose así evitar su uso para malos fines.

ANESTESIA Y ASEPSIA. — A estos dos procedimientos debe la cirugía los grandes progresos que está haciendo desde el siglo xix. La anestesia era ya conocida en los tiempos de Hipócrates, y en la China en los primeros siglos; y se practicaba por la compresión de los miembros y mediante ciertos medicamentos, como la mandrágora y la cicuta.

Posteriormente, para producir la anestesia general del cuerpo, emplearon los doctores Bedoes y Humphry Davy, en 1790, el gas protóxido de nitrógeno por inhalación, método que adoptó en 1864 el dentista Colton, de Nueva York, para la extracción de muelas sin dolor a noventa y siete mil cuatrocientas veintinueve personas en trece años. El cloroformo y el éter se han empleado después para producir la insensibilidad general; si bien el primero es peligroso en las operaciones a personas cardíacas, y el segundo lo es igualmente en los que padecen alguna afección en las vías respiratorias. La observación de que las hojas de coca insensibilizaban la lengua de los indios que las mascaban, permitió a S. P. Percy, en 1857, producir el clorhidrato de cocaína, con el cual comienza la historia de la anestesia local, que tantos beneficios ha reportado a la humanidad doliente. En 1884, el doctor K. Holler, de Viena, descubrió que el antedicho preparado producía la anestesia de la conjuntiva y la córnea, y desde esa fecha ha hecho grandes progresos la cirugía oftálmica.

Para evitar algunos inconvenientes de la cocaína, se han hecho otros preparados como la holocaína, la eucaína y la novocaína, que por ser la mejor es la que actualmente más se emplea.

La antisepsia primero, y la asepsia después, han sido grandes auxiliares de la cirugía para disminuir de un modo notable la mortandad de los operados. El doctor inglés Lister, en 1865, fué el primero en adoptar medidas antisépticas por medio de pulverizaciones de ácido fénico para destruir las bacterias y microbios que causan la infección de las heridas. Posteriormente se ha considerado más conveniente evitar las infecciones esterilizando las manos, los instrumentos del operador, así como los vendajes y todo cuanto se ponga en contacto con las heridas; y con este fin se ha inventado el "autoclave", donde se guardan los instrumentos a una temperatura muy elevada.

BRÚJULA. — Esta importantísima invención que el descubrimiento del imán en época remota hizo posible, permitió al hombre lanzarse a navegar por mares ignotos sin perder su orientación, y gracias a ella pudieron intrépidos marinos descubrir varias regiones del globo. Ahora bien: ¿quién inventó la brújula? Acerca de este punto difieren los autores. Unos dicen que tuvo origen en la China y que el viajante veneciano Marco Polo, que fué gobernador en la India, la trajo de allí a Europa el año 1925. Otros atribuyen la invención al italiano Flavio Gioja, ciudadano de Amalfi, a principios del siglo XIV. Los franceses, que todo lo quieren para su nación, se adjudican el invento de la brújula fundándose en que la dirección del norte se señala en ella con una flor de lis y que un poeta francés *Guyot de Provins*, del siglo XII, ya se refirió al imán y a su virtud de indicar el norte.

Pero antes que Marco Polo volviese de la India y de que naciese Flavio Gioja, ya el polígrafo español Raimundo Lulio, que nació en Mallorca el año 1235, demostró conocer la brújula, pues en su obra *De contemplatione*, publicada en 1272, se encuentran estos pasajes: "Así como

la aguja imantada se dirige naturalmente al norte...";
"como la aguja marina dirige al piloto durante su navegación..."

Y con anterioridad a esa publicación, decía el rey sabio Alfonso X, en su inmortal libro de las *Partidas* (años 1260 a 1262) : "E bien así como los marineros se guían en la noche oscura por la aguja que les es medianera entre la piedra e la estrella, e les muestra por do vayan..."

Si la aguja fué inventada por el emperador chino Hoang Ti, 2968 años antes de nuestra Era, según afirma un escritor, Víctor Levasseur, que halló la noticia en un libro chino, o si la tal brújula no era otra cosa que una figurita giratoria e imantada que, puesta en la parte delantera de unos carros, indicaba el sud, como parece que usaron unos embajadores en la Cochinchina, son puntos que nadie ha podido aclarar hasta la fecha. Se dice también que Vasco de Gama, cuando viajó por el mar de la India, encontró que todos los pilotos indígenas se valían de agujas magnetizadas para orientarse.

No hay duda, pues, que la brújula es una invención muy antigua, por más que de algunos siglos acá haya tenido en su forma algunas modificaciones. El descubrimiento de la variación magnética de la aguja lo hizo Colón en 1492.

BUQUES DE VAPOR. — De cartas escritas por Blasco de Garay desde Barcelona, en 1543, dando cuenta del ensayo de un ingenio de su invención para hacer andar los buques, se deduce que éste no era movido por vapor, y es por lo tanto infundada la leyenda que le atribuye la aplicación de esta fuerza a la navegación. Los primeros que hicieron experimentos fueron: Papi en 1707; Jonathan Hull en 1736; William Henry en 1763; D'Auxiron y Périer en 1775; el marqués de Jouffroy en 1783; James Rumsey y John Fitch en 1786; Miller, Taylor y Symington en 1789. Todos estos experimentos, poco satisfactorios, se hicieron en varios puntos de Francia, Inglaterra y los Estados Unidos, hasta que por fin Robert Fulton, asociado con Livingston, logró resolver el problema en 1807 construyendo un vapor de ruedas, el *Clermont,* que navegó con éxito por el río Hudson, desde Nueva York a Albany, o sea una distancia de 230 kilómetros, a razón de 5 millas por hora. El primer vapor que cruzó el Atlántico fué el *Savannah,* construído por John Stevens, que salió de Savana en 1808 y llegó hasta Rusia, tocando en Inglaterra. Regresó de San Petersburgo a Nueva York, sin escalas, en veintiséis días. La aplicación de la hélice a los buques, en substitución de las ruedas, fué debida a Ericsson en 1837. Poco tiempo después todos los vapores adoptaron este medio de propulsión, habiendo llegado a conseguir algunos transatlánticos un andar medio de 27 millas por hora.

Desde 1921, en los Estados Unidos y el Japón se vienen haciendo ensayos de la llamada *propulsión eléctrica,* que, como su nombre indica, es sencillamente la aplicación de la electricidad al movimiento de las hélices. Pero el medio de propulsión que hasta la fecha ha dado mejores resultados es el del motor de petróleo de combustión interna. Los buques de este nuevo tipo, aunque todavía siguen recibiendo por antonomasia el nombre de *vapores,* son designados más propiamente con el de *motonaves.* Para adoptar el motor de petróleo, apenas ha tenido que modificarse la arquitectura naval, de tal modo, que algunos buques antiguos han substituído con extraordinaria facilidad las máquinas de vapor por motores Diesel.

BUQUE SUBMARINO. — En el último tercio del siglo XIX Narciso Monturiol, en Barcelona, e Isaac Peral, en Cádiz, hicieron ensayos con submarinos de su invención, que sin duda hubieran llegado a perfeccionar si hubiesen contado con suficientes recursos para proseguir sus experimentos. En 1883 se construyó en Estocolmo el submarino *Nordenfelts,* que con varias modificaciones navegó con éxito en 1887. Gustave Zedé lanzó al agua, en Francia, su *Gymnote* en 1888. El de Isaac Peral hizo un viaje a prueba en 1889. J. P. Holland, de Nueva York, inventó un modelo que, modificado, aceptó el Almirantazgo inglés en 1900.

La importancia y eficacia de los buques submarinos para el ataque en alta mar quedaron plenamente demostradas durante la guerra mundial (1914-18), en que Alemania construyó y lanzó al agua, desde sus astilleros de Kiel, un gran número de buques sumergibles que recorrieron los mares y echaron a pique, no tan sólo buques de guerra de sus enemigos aliados, sino también muchísimos buques mercantes que traficaban en el Atlántico y el Mediterráneo; entre ellos el gran vapor trasatlántico *Lusitania*, en su viaje de Nueva York a Inglaterra, y el *Essex*, que hacía la travesía del Canal de la Mancha, pereciendo en ambos siniestros gran número de pasajeros. Tenían dichos submarinos un extenso radio de acción, hasta el punto de que el mayor de ellos, el *Deutschland*, salió de Bremen para Heligoland el 14 de junio de 1916, permaneciendo nueve días en dicha isla, de donde salió el 23 de junio, y después de muchas peripecias, que en un libro y en forma novelesca relata su capitán Koenig, llegó a Baltimore (Estados Unidos) el 9 de julio, causando gran asombro a los norteamericanos.

En cumplimiento de los términos del armisticio, entregó Alemania a los aliados ciento treinta y siete submarinos, no incluyéndose en este número, tres que se perdieron en la travesía de Alemania a Inglaterra.

En la actualidad, prestan servicio en todas las marinas de guerra multitud de submarinos de excelente construcción.

CINEMATÓGRAFO. — Un juguete conocido hace más de un siglo con el nombre de zootropo y de kinetoscopio (que consistía en una caja cilíndrica con varias aberturas a su alrededor por las cuales, haciendo girar rápidamente el cajón, se veían en su interior figuras pintadas que parecían tener movimiento) fué el precursor del cinematógrafo, prodigiosa invención que todo el mundo conoce, debida al famoso inventor norteamericano, míster Thomas A. Edison, a fines del siglo xix, el cual probablemente se inspiró en el fenómeno óptico que presentaba el referido juguete.

Se ha generalizado hasta tal punto esta invención como espectáculo teatral, que es innecesario describir los innumerables asuntos que se prestan a la impresión de películas: sólo diremos que, si muchos de ellos son perniciosos y reprochables, otros, en cambio, son sumamente beneficiosos para la divulgación de conocimientos útiles y para la enseñanza en las escuelas. En los Estados Unidos el Gobierno muestra tal interés en la aplicación de este invento a la instrucción pública, que el Departamento de Economía comercial de Wáshington ha distribuído por todo el país carretes con muchísimos millones de metros de películas en que se exhiben diversos procedimientos de producción, así en la industria como en la agricultura (laboreo de tierras, siembra y recolección de granos, cultivo de árboles frutales, cría de ganados, etc.), obteniendo, industriales y agricultores, un gran beneficio de tales exhibiciones, por cuanto la experiencia ha demostrado que se aprende mucho más fácilmente con la vista que con el oído.

Debido principalmente al carácter espectacular que ha adquirido el cinematógrafo, se han introducido en él, además del perfeccionamiento fotográfico, varios maravillosos inventos, tales como la aplicación de los colores (cine tecnicolor), la reproducción de los sonidos (cine sonoro) y más modernamente la percepción del relieve (cine en relieve), invento este último que está todavía perfeccionándose.

CIRCULACIÓN DE LA SANGRE. — Este descubrimiento se atribuye universalmente al médico inglés William Harvey, quien explanó el sistema de la circulación en un libro que publicó en 1628, con el título de Exercitatio Anatómica de Motu Cordis et Sánguinis in Animálibus; pero en el mismo libro reconoce que debe su descubrimiento al profesor Fabrizio, su catedrático de medicina en la Universidad de Padua, el cual, en 1574, había demostrado la existencia de repliegues valvulares en las venas de las extremidades.

Pero el primero que concibió una idea exacta de la circulación fué el médico aragonés Miguel Servet, el cual la expuso en un libro titulado *Syrupórum Universa Ratio,* publicado en 1537. Siguióle Colombo, quien desarrolló algo más aquella idea, y después un médico naturalista italiano, Andrea Cesalpino, en su primera obra, publicada en 1571 con el título de *Spéculum Artis Médicæ Hippocráticum,* estampó este concepto: "Porque en los animales vemos que el sustento es llevado por las venas al corazón como a un laboratorio, y adquiriendo en él su perfeccionamiento es dirigido por la energía que se desarrolla en el corazón para distribuirlo por las arterias en todo el cuerpo." Cesalpino murió en Roma el mismo año en que Harvey, que acababa de recibir el grado de doctor, salió de Italia.

(Lo que antecede apareció en la primera edición de HACE FALTA UN MUCHACHO. Posteriormente y gracias a una nota del traductor de la obra de Camilo Flammarion *Dios en la Naturaleza,* se ha encontrado un libro publicado en Burgos, en el año 1532, titulado: *Libro de albeitería,* en el cual (capítulo 94) su autor, que era un veterinario llamado Francisco de la Reina, describió el movimiento circulatorio de la sangre del modo siguiente:

"Si te preguntaren por qué razón cuando desgobiernan un caballo de los brazos o de las piernas sale la sangre de la parte baja y no de la parte alta, responde para que se entienda esta cuestión: "Habéis de saber que las venas capitales salen del hígado y las arterias del corazón: y estas venas capitales van repartidas por los miembros de esta manera: en ramos y miseraicas, por las partes de fuera de los brazos y piernas, y van al instrumento de los cascos (vasos), y de allí se tornan estas miseraicas a infundir por las venas capitales, que suben desde los cascos por los brazos a la parte de dentro. Por manera que la sangre anda en torno y en rueda por los miembros, y unas venas tienen por oficio de llevar el nutrimiento por las partes de fuera y otras por las partes de dentro, hasta el emperador del cuerpo, que es el corazón, al cual todos los miembros obedecen."

Como se ve, el albéitar español Francisco de la Reina descubrió y explicó la circulación de la sangre algunos años antes que Miguel Servet y con un siglo de anterioridad .l citado libro del doctor inglés Harvey.)

ELECTRICIDAD. — Los fenómenos eléctricos de algunos cuerpos, especialmente del ámbar, que en griego se llama *electron,* voz de la que se deriva el nombre que se ha dado a esa misteriosa fuerza, eran conocidos de los antiguos, pues los describió Tales de Mileto, seis siglos antes de nuestra Era, y posteriormente Teofrasto y Plinio. Hacia fines del siglo XVI fué cuando el doctor Gilbert y Robert Boyle, en Inglaterra, empezaron a estudiar seriamente dichos fenómenos, y de ahí puede decirse que datan los orígenes de esta ciencia, que hoy trata de la electricidad en sus dos fases: la estática y la dinámica. Como el objeto de esta reseña histórica es sólo hacer constar los autores y las fechas de algunos inventos relacionados con la electricidad, y éstos son muchos, sólo citaremos brevemente los más importantes.

Otto von Guericke inventó la primera máquina eléctrica, consistente en una esfera de azufre, en 1647; la de disco de cristal que, modificada, se usa hoy día, la inventó Ramsden en 1760. El mismo Guericke descubrió el fenómeno de la inducción eléctrica. Stephen Gray reveló en 1736 la conducción de la electricidad por un alambre. Kleist inventó en 1745 la botella de Leyden. En 1750 M. Romas inventó en Francia la cometa eléctrica, que en 1752 utilizó Franklin para sus experimentos, que le sugirieron la invención del pararrayos. Luigi Galvani, en 1786, descubrió la electricidad dinámica que lleva el nombre de galvánica. Alessandro Volta inventó la pila eléctrica en 1799. La pila seca inventada por Deluc en 1809 fué mejorada por Zamboni en 1812. Oersted descubre en 1819 que una aguja imantada se coloca en ángulo recto con una corriente eléctrica. El físico francés Ampère inventó el galvanómetro en 1820, y formuló la ley referente al sentido en que circula una corriente. En 1827 enunció el físico alemán Ohm, hijo de un cerrajero, la fórmula matemática conocida por ley de Ohm, que se refiere a la intensidad de la corriente en relación con la potencia y la resistencia. Faraday, hijo de un herrero inglés, inventó en 1831 el voltímetro y contribuyó con sus estudios al conocimiento de los fenómenos y leyes de la inducción eléctrica. Pila galvánica inventada por Daniell en 1836. Morse inventa el telégrafo en 1842. Antonio Pacinotti en 1862 da a conocer su anillo inducido. Werner Siemens y sir Charles Wheatstone descubren en 1866, casi al mismo tiempo y separadamente, el principio de la autoexcitación. El año siguiente ambos explican ante la *Royal Society* de Londres el funcionamiento de una dínamo. En 1870 funciona la primera dínamo de Gramme, que, modificada en 1882, es la más generalizada hoy día y ha permitido la creación y desarrollo de muchas industrias. Invención del teléfono de Bell en 1873 y de la bujía de Jablochkoff en 1876. Lámpara incandescente de Edison en octubre de 1878, perfeccionada por Swan en 1892. Hertz descubre las ondas electromagnéticas en 1887. Corrientes de alta frecuencia Arsenio d'Arsonval, 1892. (Véase *Telegrafía sin hilos.*)

FERROCARRIL. — La invención del ferrocarril, como muchas otras, no puede, en realidad, atribuirse a un solo individuo. La han hecho posible, en la forma en que hoy se conoce, varios otros inventos que se han ido perfeccionando y combinando. Así, por ejemplo, el perfeccionamiento de la máquina de vapor por Watt hizo que en 1759 el doctor Robinson llamase la atención de aquel ingeniero sobre la posibilidad de construir un coche movido por fuerza de vapor. Un oficial del ejército francés, Nicolás José Cugnot, hizo el primer ensayo con buen éxito en 1769. Watt obtuvo en 1784 una patente de invención de un carro locomóvil para caminos. En años subsiguientes, Oliver

Evans, en los Estados Unidos, y William Symington, en Inglaterra, construyeron carros locomóviles con notables mejoras. Entonces se pensó combinar esas máquinas con los rieles para facilitar la tracción. Eran conocidos los rieles y estaban en uso en muchas minas de Inglaterra para los tranvías en que se transportaba el carbón. Desde 1672 se habían empleado rieles de madera; en 1738 se adoptaron por primera vez los de hierro. Unos mineros ingleses adoptaron máquinas de vapor para sus tranvías en el año 1802. Un ingeniero norteamericano, John Stevens, publicó en 1812 un folleto describiendo las ventajas que reportaría un ferrocarril, y pronosticando que sobre rieles podría adquirirse una velocidad de 100 millas por hora. Y, por último, Jorge Stephenson, adoptando y combinando varios detalles inventados por otros, construyó en 1814 el primer tipo de locomotora, que desde entonces causó tan grande revolución en el modo de viajar como en el transporte de mercancías.

FONÓGRAFO. — Después de muchos experimentos, el famoso inventor norteamericano míster Thomas Alva Edison produjo en su laboratorio de Menlo Park, en el año 1877, el prodigioso aparato que llamó "Fonógrafo", por medio del cual se reproducía con toda exactitud la voz humana o cualquier otro sonido. Consistía el aparato en un diafragma al que iba adherido un punzón que, siguiendo los movimientos vibratorios que producían en el diafragma las ondas sonoras de la voz o de cualquier instrumento, trazaba un surco sobre un cilindro rotatorio movido por un mecanismo de reloj. La reproducción de los sonidos así impresionados en el cilindro se obtenía por un procedimiento inverso; es decir, haciendo que el punzón del diafragma recorriese el surco trazado en el cilindro, transmitiendo al diafragma vibraciones iguales a las que le habían causado las ondas sonoras dirigidas sobre él por medio de una bocina. Posteriormente se ha modificado el aparato substituyendo el cilindro por un disco giratorio, y a esta nueva invención se le ha dado el nombre de "gramófono". Recientemente se ha perfeccionado el aparato haciendo innecesaria la bocina para oír distintamente los sonidos, llamándose *gramola* el nuevo aparato. La impresión eléctrica de los discos ha contribuído muchísimo a la nítida emisión de los sonidos. El último progreso del fonógrafo es la creación de los discos de celuloide, cuya sonoridad en nada difiere de los de pasta.

FOTÓFONO. — En presencia del famoso inventor Edison, y en uno de sus laboratorios de Schenectady (Estado de Nueva York), se exhibió ante un numeroso público, el 18 de octubre de 1922, un ingenioso aparato que lleva el nombre de "Fotófono Mallo" y cuyo objeto es fotografiar la voz humana y cualquier otro sonido, reproduciéndolo después con asombrosa exactitud. Consiste el invento en un espejito sumamente diminuto y delicado que vibra a impulso de las ondas sonoras que sobre él se dirigen por medio de una bocina. Dicho espejito refleja un rayo luminoso que recibe de un foco de luz eléctrica, sobre una película fotográfica que delante de él se desenrolla y pasa entre dos carretes.

La vibración del rayo luminoso proyectado sobre la película la impresiona con trazos irregulares, que corresponden a las modulaciones de los sonidos. Una vez revelada la película, se obtiene la reproducción de los sonidos haciendo pasar aquélla por delante de un aparato eléctrico sumamente sensible que desarrolla una fuerza electromotriz, la cual varía en intensidad según el grado de luz que sobre ella actúa a través de la película. De este aparato forma parte una ingeniosa combinación de tubos al vacío que responden a las variaciones de la luz que reciben, con una velocidad que sólo puede compararse con la de la misma luz o con la de las ondas hertzianas a través del espacio. Por lo tanto, cuando la película se desenrolla continuamente por delante de dicho aparato eléctrico, éste genera una corriente que corresponde con exactitud a las ondas sonoras transmitidas, y poniendo en comunicación dicha corriente con un teléfono, ya sea de los usuales, ya sea de los de altavoz, éstos reproducen fielmente aquellos sonidos.

FOTOTELEGRAFÍA. — El señor Hemof Petersen, jefe del servicio radiotelegráfico de Cristianía, descubrió, en enero de 1921, un procedimiento de fototelegrafía instantánea.

La nueva invención se basa en el empleo de una corriente alternativa, en lugar del sistema de corriente continua que se utiliza actualmente. Con este nuevo invento el trabajo quedará en adelante notablemente simplificado, y dieciséis operadores serán bastantes para efectuar un trabajo que necesita ahora de ciento diecisiete operadores.

El nuevo sistema elimina las posibilidades de error, y reproduce con una precisión fotográfica, a una distancia prácticamente ilimitada, la escritura de caracteres cualesquiera, dibujos, fotografías, etc. Por ejemplo, gracias al nuevo sistema, un periódico de Nueva York podrá reproducir una columna entera de un periódico de París o de Londres en menos de diez minutos.

HELICÓPTERO. — Este aparato, llamado a ser de gran utilidad para la aviación, fué ideado en el año 1500 por el gran pintor y polígrafo Leonardo Da Vinci según unos manuscritos encontrados en Milán. Ese invento consistía en un tornillo vertical que giraba rápidamente sobre su eje, lo cual hacía que se elevase en el aire.

En 1768, Paucton expuso la posibilidad de un aparato fundado en el mismo principio del helicóptero. Durante los siglos XVIII y XIX fueron varios los hombres que se dedicaron a resolver el problema de la aviación (véase *Aviación*). En el siglo XX hicieron nuevos experimentos con el helicóptero Breguet y Cornu, en 1907; y, por último, en julio de 1919, el marqués de Pescara, ingeniero argentino residente en España, hizo en Barcelona unas pruebas muy satisfactorias con un helicóptero de su invención, el cual consiste en un mástil vertical que sirve de eje a dos hélices compuestas cada una por doce palas que giran en sentido contrario, merced a un juego diferencial. Entre otras ventajas de este aparato hay la muy importante de necesitar muy poco espacio para la elevación y el aterrizaje, por lo cual opinan muchos que el vuelo que se haga con helicóptero será el vuelo del porvenir.

MÉTRICO (SISTEMA). — La gran diversidad de pesos y medidas de que se valía el comercio para sus operaciones en diferentes comarcas y países, hizo pensar en la conveniencia de unificarlos, reduciéndolos a una expresión común a todos, con lo cual se facilitarían grandemente los cálculos para el intercambio de productos. Al efecto, se inició en Francia, en el año 1795, un cambio radical, que se propagó luego a varios otros países, mediante la adopción del *metro* como base de un sistema de pesos y de medidas de longitud, de superficie y de capacidad para sólidos y para líquidos. Fué, pues, un acto de importancia y trascendencia universal la determinación del *metro* como medida fija y constante de la que dependían todas las demás. Para lograrlo se midió trigonométricamente un arco de meridiano entre Dunquerque (Francia) y Barcelona (España), que comprendía 10° de latitud, y se cotejó con otras mediciones verificadas en el Perú y en Suecia, con el fin de deducir de esos datos la longitud del cuadrante de meridiano, que pasa por París. De este modo se llegó a obtener la longitud exacta del *metro*, que es una *diezmillonésima* parte de un cuadrante meridional de la Tierra, esto es, del Ecuador al Polo, y se tomó dicho metro como unidad de un sistema decimal. En casi todas las naciones de Europa y de América, excepto Inglaterra y los Estados Unidos, se ha adoptado oficialmente el sistema métrico decimal.

PÓLVORA. — La invención de esta substancia explosiva (compuesta de azufre, polvo de carbón vegetal y salitre), que tantos estragos ha causado a la humanidad, se atribuye a un monje alemán llamado Bertoldo Schwarz, en el año 1330; pero es muy probable que él diese a conocer la composición de la pólvora, que hallaría tal vez descrita en alguno de los manuscritos que se conservaban en los monasterios. El caso es que investigadores eruditos, entre ellos un tal Rziha, han encontrado en varios autores antiguos referencias al empleo de una substancia explosiva para disparar piedras, bombas, granadas y cohetes, en siglos anteriores al xiv, como puede verse por este extracto de una larga lista cronológica.

Siglo i. — Según tradición, los chinos habían adquirido de la India el conocimiento de la pólvora.

Siglo iii. — Según Meyer, Julio Africano describió la preparación de la pólvora.

Siglo vii. — Calinico de Heliópolis enseñó a los bizantinos a componer el "fuego griego", que era una especie de pólvora.—Los árabes usaron armas de fuego contra la Meca, habiendo aprendido su manejo en la India.

Siglo ix. — El emperador León hizo uso de las armas de fuego. Marco Graco (en un manuscrito que se conserva en la Universidad de Oxford) describió una composición de una libra de azufre, dos de carbón y seis de salitre.—León, filósofo y astrónomo, hizo cohetes para uso del ejército.

Siglo xi. — El rey Salomón, de Hungría, bombardeó a Belgrado con cañones.

Siglo xiii. — Los tártaros emplearon "cañones de fuego" contra los chinos.—Don Jaime el Conquistador arrojó sobre Valencia bombas que estallaban. Sevilla fué bombardeada con artillería. Un monje de Colonia, Alberto el Magno, inventó las bombardas. Rogelio Bacon, filósofo y naturalista inglés, describió las cualidades explosivas del salitre y la producción de "rayos y truenos" con sus compuestos.

Siglo xiv. — Anteriores al pretendido descubrimiento del monje Schwarz, ocurrieron los siguientes hechos: Año 1303. Esta fecha está grabada en un antiguo cañón que se halla en el arsenal de Amberg, en Baviera.—1308. Los españoles, mandados por Guzmán el Bueno, atacaron a Gibraltar con artillería.—1311. Enrique VII bombardeó a Brescia con "cañones tonantes".—1312. Los árabes atacaron a Baza con cañones.—1327. Ataque de Martos con artillería.

RELOJ. — Desde muy antiguo tuvo el hombre necesidad de medir el tiempo. En la *Biblia* se citan *relojes de sol* que idearon y usaron los caldeos y babilonios. Los egipcios introdujeron el *reloj de agua* o *clepsidra*, cuya invención se atribuye a Ctesibio en el siglo iii a. de J. C. El *reloj de arena* data del principio de la Era cristiana. Después se pensó substituir la fuerza del agua de las clepsidras por unas pesas que hacían mover las ruedas, y aunque esta invención se atribuye a varios, desde Arquímedes (220 a. de J. C.) hasta el abate Wallingford (1326), el primero que realmente construyó un *reloj de ruedas y pesas* que marcaba bien las horas fué el alemán Henry de Vick, por encargo del rey Carlos V de Francia en el año 1370. Tres siglos después, gracias a la invención de Galileo, construyó Christian Huygens el primer *reloj* de péndulo en 1656. Pero antes se fueron modificando algunas piezas del mecanismo, especialmente los escapes, que se han hecho de diversas formas. La substitución de las pesas por un muelle hizo posible reducir el tamaño del mecanismo y adaptarlo a una forma manual. De ahí vino la construcción en la ciudad de Nuremberg, en 1542, de unos relojes de forma ovoide, que se llamaron "huevos de Nuremberg" y se llevaban colgados del cuello. Después fueron reduciéndose en tamaño hasta convertirse en *relojes de bolsillo*. Sucesivas modificaciones en el mecanismo, desde el Mayor Holmes, en 1665, hasta míster Harrison, en 1726, dieron como resultado ese instrumento de precisión indispensable a los navegantes que ha recibido el nombre de *cronómetro*.

TAQUIGRAFÍA. — En Grecia fué Xenofonte el primero que usó una escritura abreviada para tomar sus notas.

En Roma, un esclavo de Cicerón, llamado Tirón, ideó unos signos para tomar apuntes rápidos de los discursos de aquel orador, signos que se llamaron tironianos. En Inglaterra y Francia se adoptaron por varios, en el siglo XVIII, otros signos más o menos complicados por la estenografía, mereciendo general favor el sistema del escocés Samuel Taylor en 1786. En la misma Inglaterra, en 1837, publicó Isaac Pitman una obra en que exponía un nuevo sistema de taquigrafía basado en los sonidos de las palabras, al cual se dió el nombre de *Fonografía*, y se generalizó en la Gran Bretaña y los Estados Unidos.

El creador en España, a principios del siglo XIX, de un sistema de taquigrafía, que ha sido la base de cuantas modificaciones se han hecho después, fué don Francisco de Paula Martí.

TELÉFONO. — El principio fundamental del teléfono era conocido hace mucho tiempo, y se utilizó para la construcción de unos juguetes con los cuales podían dos personas hablarse a distancia por medio de un cordelillo cuyas extremidades pasaban por unos diafragmas de piel que cubrían dos cajitas cilíndricas. La invención del telégrafo eléctrico hizo concebir la posibilidad de transmitir la voz humana por un alambre. El primero en exponer esta idea y un proyecto para llevarla a la práctica fué el telegrafista francés Charles Bourseulle en 1854; pero su proyecto no se ejecutó. Philip Reis exhibió en Francfort, en 1861, un teléfono eléctrico que transmitía sonidos parcialmente articulados. Otro aparato algo más perfecto dió a conocer Elisha Gray en 1873. Pero estaba reservado a Alexander Graham Bell el honor de producir el teléfono perfeccionado que ahora se usa en todo el mundo, por más que posteriormente han inventado otros aparatos los norteamericanos A. E. Dolbear, G. M. Phelps y Thomas A. Edison. El de este último, por vibrar el diafragma contra un disco de carbón, produce sonidos más intensos y sirve principalmente para hablar a largas distancias, como pueden hoy verificarlo dos personas entre Madrid y París y entre Nueva York y Londres.

TELÉFONO SIN HILOS. — El descubrimiento por Hertz de las ondas eléctricas que llevan su nombre, hizo posible el asombroso invento de Marconi de la telegrafía sin hilos, y el no menos portentoso de la telefonía sin hilos, debido a su compatriota Ricardo Moretti, quien logró en 1912 transmitir la palabra hablada a distancia sin necesidad de alambres conductores. En 1913 quedó establecida la comunicación telefónica sin hilos entre Alemania y Austria.

Posteriormente, y en pocos años, ha hecho notables progresos la radiotelefonía, adquiriendo su utilización un gran desarrollo, como se verá por los datos siguientes:

1915. — Por primera vez y con gran asombro del mundo se transmitieron despachos de viva voz por el teléfono sin hilos, desde Wáshington a San Francisco de California; desde París a Nueva York, y desde este puerto al de Honolulu, o sea a una distancia de unos 7.000 kilómetros.

1914-18. — Durante la guerra mundial se utilizó la radiotelefonía para dirigir muchas operaciones militares y los movimientos de los aeroplanos.

1920. — Adquiere gran desarrollo en los Estados Unidos la transmisión de mensajes radiotelefónicos desde varias estaciones difusoras y en los años subsiguientes éstas establecen servicios públicos de transmisión sin alambres de toda clase de noticias, cotizaciones de bolsa, pronósticos del tiempo, funciones dramáticas, conciertos, óperas, conferencias, sermones, etc., publicándose diariamente en los periódicos los programas de servicios de las diversas estaciones. Todo esto ha dado pie a la creación de nuevas industrias con la fabricación de múltiples aparatos y sus accesorios para la radiación y transmisión a domicilio de dichos servicios.

1922. — El número de las antedichas estaciones en los Estados Unidos alcanzó la cifra de 546. Pasaban de dos millones los subscriptores a ese servicio, y calculando en 75 dólares el promedio del coste de cada aparato, resulta que el público invirtió la suma de 150 millones de dólares en este invento.

En España las primeras pruebas de esta portentosa invención se hicieron el 14 de marzo de 1918, con los aparatos que se instalaron a bordo de los vapores *R. Lulio* y *Jaime I*, de la línea de Barcelona a Mallorca; pudiéndose oír perfectamente en las estaciones telefónicas de tierra las palabras que se transmitían desde aquellos vapores en alta mar. En la actualidad la radio se ha popularizado hasta el punto que no hay hogar medianamente acomodado que carezca de aparato receptor.

TELÉGRAFO ELÉCTRICO. — Se atribuye la invención del telégrafo eléctrico al pintor norteamericano Samuel Finley B. Morse, pero mucho antes que él habían hecho experimentos con aparatos de varios sistemas algunos físicos notables de diversos países. A mediados del siglo XVIII lograron transmitir choques eléctricos por medio de alambres a una legua de distancia los físicos ingleses Stephen Gray y sir William Watson. Desde este punto data la génesis de la telegrafía eléctrica. En el año 1748 hizo Franklin, en Filadelfia, algunos experimentos para transmitir señales, como también los hizo Lesage en Ginebra el año 1774. Ante la Academia de Ciencias de Barcelona leyó don Francisco Salvá, en 1795, una memoria acerca de la aplicación de la electricidad a la telegrafía, acompañándola de un aparato de su invención. Por disposición de Carlos IV, y por recomendación del Príncipe de la Paz, se hicieron varios ensayos con dicho aparato entre Madrid y Aranjuez en los años 1797 y 1798. Hasta entonces se había utilizado la electricidad estática, única que se conocía, pero el descubrimiento en 1800 de la electricidad química y el empleo de baterías debidos a Volta, abrieron un nuevo campo a la telegrafía. Uno tras otro fueron aportando nuevos descubrimientos, invenciones y aplicaciones: Sommering, en 1809; el profesor Coxe, en 1810; Oersted, en 1819; Schweiger y Arago, en 1820; Ampère, en 1821; Sturgeon, en 1825; Henry, en 1829; Faraday, en 1831; Daniell, inventor de la pila galvánica, en 1836; Steinheil, en 1837, y por último Morse, el cual presentó en dicho año al público su sistema, que por ser una mejora y una simplificación de los conocidos hasta entonces, le dió fama universal. La primera línea telegráfica del sistema Morse se inauguró el año 1844 entre Wáshington y Baltimore. Aun hoy está muy generalizado su sistema y su alfabeto de líneas y puntos. Antes se empleaba un alambre para cada signo alfabético, lo cual hacía muy costosa y complicada la instalación. En 1849 inventó Rain un aparato receptor que automáticamente marcaba los signos transmitidos. Casi al mismo tiempo, House y Hughes presentaban otro aparato que, en tiras de papel y también automáticamente, imprimía el mensaje con letras romanas. Desde entonces se han hecho otras modificaciones y mejoras, siendo una de las más importantes el aparato que permite transmitir ocho telegramas, o sea cuatro cruzados con otros cuatro, por un solo alambre al mismo tiempo.

TELÉGRAFO SIN HILOS. — Como queda dicho, el conocimiento del fenómeno eléctrico de las ondas hertzianas hizo concebir al electricista italiano Guglielmo Marconi la posibilidad de transmitir señales a distancia, haciendo servir las mismas ondas de conductores, y después de muchos experimentos logró inventar unos aparatos compuestos de antenas y de instrumentos transmisores y receptores, mediante los cuales pudo, en 1896, comunicarse con señales del alfabeto Morse a una distancia de algunos metros. Estaba hecho el prodigioso descubrimiento. Después lo fué perfeccionando, y hoy no sólo le es posible a un buque en alta mar comunicarse con tierra, sino que por las estaciones radiotelegráficas ya establecidas pueden transmitirse mensajes alrededor del mundo sin necesidad de alambres.

TELÉGRAFO SUBMARINO. — El citado Salvá fué el primero que en 1797 aseguró la posibilidad y esbozó el proyecto de enviar telegramas de Barcelona a Mallorca por medio de alambres sumergidos en el Mediterráneo. Morse fué el primero que puso en práctica el telégrafo submarino, tendiendo un alambre desde Nueva York a la cercana isla del Gobernador en 1842, que a poco fué arrancado por el ancla de un buque. Entre Dover y Calais se tendió otro en 1850. El descubrimiento de la aplicación del caucho como materia aisladora facilitó la colocación y el buen funcionamiento de un cable trasatlántico entre Europa y América en 1865, después de haber fracasado un ensayo que se hizo en 1858 y que costó nueve millones de francos. El cable que tendió en 1865 el emprendedor míster Cyrus W. Field, a bordo del vapor *Great Eastern*, tenía 3.517 kilómetros de largo, y costó su confección y colocación quince millones de francos.

TELESCOPIO. — Como un invento suele provenir de otro, el telescopio nació del anteojo o catalejo que inventaron en 1608 dos ópticos holandeses, Lippensheim y Metius. Galileo vió uno de esos anteojos en Venecia en el año 1609, y en seguida tuvo la idea de modificarlo y construyó uno de su invención que le permitía estudiar los astros, y a ése se le llamó "telescopio". Posteriormente han ido modificándolo e introduciendo en él ciertas mejoras los astrónomos Rheita, Keplero, Campani, Hevelius, Huyghens, Newton y otros. Han llegado a hacerse telescopios que agrandan de manera asombrosa la imagen de las estrellas y planetas, hasta verse los confines del Universo. Hay dos clases de telescopios: los de refracción, que sólo contienen lentes, y los de reflexión, que además de lentes tienen espejos. Este último sistema, inventado por Newton y modificado por Huyghens, es el que actualmente se emplea en los grandes observatorios. (Véase: "Los mayores telescopios", pág. 386).

TELEVISIÓN. — Este moderno invento se ha confundido con frecuencia con otros inventos similares. Una cosa es la visión instantánea e inmediata por medio de ondas y a través de cuerpos opacos de un objeto o una escena situados a distancia y otra es la transmisión de fotografías por medios radiotelegráficos.

Lo primero es la *televisión* propiamente dicha, y lo segundo es la *telefotografía*.

Los primeros ensayos de televisión se deben principalmente a May, sabio telegrafista inglés, que en 1873 observó la variación de resistencia eléctrica que experimenta el selenio bajo la acción de la luz. Esencialmente, la televisión se produce por ligerísimas vibraciones luminosas que, gracias a pilas o placas fotoeléctricas, son reflejadas por los innumerables puntos que componen el objeto visto. Pero, en realidad, el problema no está todavía resuelto, por cuanto en la proyección de los objetos necesita la vista humana dos dimensiones, y, hasta ahora, sólo se ha hallado el modo de proyectar una sola dimensión, que es lo que ha conseguido la radiotelefonía con el sonido, en el cual todos los instrumentos de una orquesta se funden en una sola vibración, llegándose a formar la melodía tras una sucesión más o menos complicada de vibraciones. Hasta ahora ha sido fácil convertir en un solo impulso eléctrico el total de luz reflejada por un objeto, pero no se ha encontrado aún el modo de descomponer ese impulso eléctrico en millares de proyecciones para reproducir simultáneamente todos los puntos de vibración luminosa de la imagen que se quiere transmitir por televisión.

Por esta dificultad de proyección son todavía deficientes los resultados obtenidos con los numerosos y complicados procedimientos que han utilizado los sabios (Baird, Jenkins, Bell, Alexanderson, Dauvilliers, Berlín-Holweck, etc.). Sin embargo, no creemos que esté muy lejos el día en que se descubrirá el receptor visual que haga con nuestra vista lo mismo que hacen con nuestro oído el altavoz de radio y el auricular telefónico. Es más, la anhelada fusión de la radiotelefonía con la televisión parece cada día más inminente, con lo que al mismo tiempo se podrá ver y oír a una persona situada a muchos quilómetros de distancia.

TERMÓMETRO. — Los primeros que idearon mostrar de un modo visible los cambios de temperatura fueron Drebbel, en Holanda, en 1605, y Sanctorius, en Italia; pero los instrumentos que construyeron eran muy toscos e inexactos. Boyle y unos académicos de Florencia los mejoraron y les agregaron la graduación, que era bastante deficiente. Hooke y Newton hicieron modificaciones. Römer fué el primero en adoptar el mercurio y la graduación conocida por de Fahrenheit, por haber sido éste el constructor de los termómetros así modificados. Celsio y Réaumur, en Francia, adoptaron dos graduaciones distintas, designando ambos con un cero el punto que marcaba el mercurio al helarse el agua, y con 100° Celsio y con 80° Réaumur el punto de ebullición del agua. Por esta razón el termómetro con la graduación de Celsio se denomina "centígrado", y es el que se usa en España y otros países latinos; y en los países del norte el de graduación "Fahrenheit", que marca 32° en el punto de hielo del agua dulce y 212 en el de ebullición del agua en condiciones normales. La escala de Fahrenheit data del año 1714; Réaumur ideó la suya en 1730, y Celsio la del centígrado en 1742. Para hacer la conversión de grados de Fahrenheit a centígrados, se restan 32 de los primeros, se multiplica el resto por 5 y se divide por 9. Para la operación inversa de centígrados a Fahrenheit se multiplican los primeros por 9, se divide el producto por 5 y se agregan 32.

TIPOGRAFÍA. — Es éste uno de los más importantes descubrimientos y tal vez el que mayores beneficios ha aportado a la humanidad. Un noble de Maguncia, Juan Gutenberg, es universalmente reconocido como el inventor del arte de imprimir, por más que otras ciudades y otros individuos, como Coster, de Harlem; Juan Faust, o Fust, de Maguncia, y Pedro Schöffer, pretendieron la prioridad en el invento de este arte. Pero realmente fué Gutenberg el primero que empleó tipos fundidos, una prensa de imprimir y otros accesorios en la ciudad de Estrasburgo en 1438, y después se trasladó a Maguncia, donde hizo sociedad con Faust en 1450 para seguir practicando ese arte. De esa fecha, pues, en que se imprimieron los primeros libros, data la invención de la tipografía; por más que el uso de bloques de madera o de metal para estampar caracteres se conociese ya en la China en los primeros siglos, y después en Italia y en España para tejidos y para naipes.

VAPOR. — La fuerza expansiva del vapor era conocida de Hero de Alejandría, doscientos cincuenta años antes de la Era cristiana, y aquel filósofo la demostró con varios aparatos ingeniosos, entre ellos la *eolípila*. Pero hasta principios del siglo XVII no aparece en la historia ninguna referencia a otra aplicación de esa fuerza. En 1615, Salomón de Caus indica la posibilidad de elevar agua por medio del vapor. En 1663, el marqués de Worcester pone en práctica esa idea, construyendo una bomba en Vauxhall, cerca de Londres. Denis Papin, en 1690, inventa en Francia una máquina de pistón y además la válvula de seguridad. Thomas Newcomen, John Cawley y el capitán Thomas Savery, en 1705, construyen en Inglaterra la primera máquina de balancín, combinando varias piezas inventadas por Savery. En 1713, el muchacho Humphrey Potter inventa el modo de que las válvulas se abran y cierren automáticamente. James Watt, al hacer en Glasgow algunas reparaciones en una máquina modelo de Newcomen, inventó varias importantes modificaciones en 1765, y en 1784, con nuevas mejoras, produjo la máquina de vapor perfeccionada que ha sido adoptada universalmente y que tanto ha contribuído al progreso y desarrollo de la navegación y de la industria (véase *Buques de vapor*). Posteriormente, en el siglo XIX, otros inventores han producido máquinas y calderas de varios sistemas, siendo dignas de mencionarse la máquina condensadora de alta presión de Corliss, así como las de doble, triple y cuádruple expansión, y las calderas tubulares de Babcock y Wilcox, inventadas unas y otras en los Estados Unidos y adoptadas en todos los países.

# Las grandes obras de la Humanidad

Las siete maravillas de la antigüedad eran:

1. **Las Pirámides de Egipto.** — Cerca de Menfis, a orillas del Nilo, subsisten aún las tres, construídas respectivamente en tiempo de los reyes Cheops, Cefrenes y Mencheres, y servían de tumbas para los monarcas. La de Cheops, que es la mayor, tiene 138 metros de altura y 227 metros en cada lado de la base. Trabajaron en ella trescientos sesenta mil hombres durante veinte años.

2. **Los jardines colgantes de Babilonia.** — Hízolos construir Nabucodonosor para solaz de su esposa, la reina Amytis, que sentía nostalgia por las montañas y bosques de la Media, donde nació. Eran unas terrazas construídas unas sobre otras y sustentadas por grandes arcos, y en ellas había muchos árboles y flores. De una a otra terraza se subía por anchas escalinatas, y la terraza inferior formaba un cuadro de 122 metros de lado.

3. **El Mausoleo de Halicarnaso.** — Para honrar la memoria de su esposo Mausolo, rey de Caria, hizo construir su viuda, la reina Artemisa, un soberbio monumento en el siglo IV antes de la Era cristiana. Tenía de largo 34'5 metros por 28'5 de ancho, con un peristilo de treinta y seis columnas de 18'3 metros de alto. La parte superior era una pirámide truncada, que tenía una cuadriga por

remate. La altura total del monumento era de 42'7 metros, y estaba adornado con hermosas estatuas y relieves.

4. **El templo de Diana en Efeso.** — Construyóse en el siglo VI antes de la Era cristiana, y tardó en terminarse doscientos veinte años. Tenía de largo 129'6 metros por 67 de ancho, y lo sostenían ciento veintisiete columnas de mármol de Paria de 18'3 metros de alto y de una sola pieza. Fueron las primeras de capitel jónico. Estaba el templo suntuosamente decorado con pinturas de Parrasio y Apeles y esculturas de Praxíteles, Scopas y Timarete, primera escultura de que hay noticia. Un pastor, Eróstrato, para inmortalizar su nombre, pegó fuego a este templo.

5. **El Coloso de Rodas.** — Era una estatua de bronce, obra de Cares, discípulo de Lisipo, que empleó doce años en construirla, tres siglos antes de la Era cristiana. Tenía 32 metros de alto y costó 300 talentos (más de un millón y medio de pesetas). Erigióse a horcajadas sobre la entrada de una dársena, en el puerto de Rodas. Fué derribada por un terremoto.

6. **La estatua de Júpiter.** — En el siglo V antes de la Era cristiana, tuvo el escultor Fidias el encargo de construir una colosal estatua de Júpiter en Olimpia, cerca de Elis. La hizo criselefantina, esto es, de oro y marfil. Estaba el dios sentado en un trono que tenía engastadas muchas piedras preciosas. En la mano derecha sostenía una figura de la Victoria, de oro y marfil, y en la izquierda tenía un cetro de oro y piedras preciosas. El manto era de oro macizo. La estatua tenía 18'3 metros de alto.

7. **El faro de Alejandría.** — El arquitecto Sostrato construyó en el siglo III, antes de Cristo, y a la entrada del puerto de Alejandría, una torre de mármol blanco que servía de faro a los navegantes. Tenía varios pisos, con co-

lumnas, balaustradas y galerías, todo primorosamente labrado. Costó 800 talentos (más de cuatro millones de pesetas).

## LAS MARAVILLAS DE LA EDAD MEDIA

Algunos han clasificado con este nombre las siete grandiosas obras que a continuación se describen, por más que dos o tres de ellas datan de épocas anteriores a la Edad Media.

1. **Las catacumbas de Alejandría.** — Se calcula que tienen cuatro mil años de existencia. Están excavadas en la sierra cercana a Tebas, la cual, en una inmensa extensión, está minada de galerías y nichos que servían para dar sepultura a los muertos. Es sumamente interesante para los arqueólogos el sinnúmero de jeroglíficos, pinturas al fresco y esculturas que adornan las paredes de dichas galerías y que representan de modo asombroso todas las manifestaciones de la vida activa, profesiones, artes y oficios de Egipto, y se ven también reproducidos los muebles y juguetes de aquella época. Había cuarenta y siete galerías destinadas exclusivamente a la sepultura de los reyes tebanos.

También son notables, aunque en menor grado, las catacumbas de Roma y de Nápoles, como asimismo las de París, que tienen un área de tres millones de metros cuadrados, y contienen unos tres millones de esqueletos.

2. **La muralla de China.** — Gigantesca defensa y baluarte contra las invasiones de los tártaros, construída doscientos quince años antes de la Era cristiana. Su longitud es de 2.500 kilómetros; en algunos puntos tiene más de 9 metros de alto, y su anchura da paso a seis jinetes. De trecho en trecho tiene torres de 12 metros de alto.

3. **Las "Stonehenge" o Piedras colgantes.** — Esta curiosísima antigüedad está situada en la llanura de Salisbury, condado de Wiltshire, en Inglaterra, y consiste en una serie de ciclópeas piedras que deben de pesar de 10 a 70 toneladas cada una, colocadas de tres en tres (dos erguidas y una atravesada sobre ellas a modo de dintel) y formando dos óvalos, dentro de dos círculos, y estos últimos rodeados por un terraplén de unos 4'5 metros de alto. Hay ciento cuarenta de estas enormes piedras, y se supone que era donde los sajones celebraban sus conciliábulos y coronaban a sus reyes. Debajo de algunas piedras se han encontrado cacharros y monedas del tiempo de los romanos, lo cual destruye la leyenda de que esas piedras son antediluvianas.

4. **El Coliseo de Roma,** o "Anfiteatro de Flavio", como lo llamaban los romanos. Empezó su construcción el emperador Vespasiano y la terminó su hijo Tito, en el año 80. Cubre una superficie de más de dos hectáreas, y en sus gradas podían sentarse ochenta mil espectadores. Su forma es elíptica, y sus ejes mayor y menor tienen 187'57 metros y 155'5 metros respectivamente. Las dimensiones de la arena son de 85'7 metros por 53'6 metros. Tenía el Coliseo cuatro pisos, y su altura era de 50 metros. En ese recinto contemplaba el pueblo de Roma las luchas de los gladiadores y el martirio de los cristianos que entregaban a las fieras. Sólo queda del Coliseo una parte en pie, que da idea de sus grandes y bellas proporciones.

5. **La torre inclinada de Pisa.** — Este campanario es notable únicamente por su inclinación, pues se desvía unos 5 metros de la perpendicular. No es tan alto como el campanile de Cremona, ni como la Giralda de Sevilla, pues su altura es de 53 metros, y aquéllos tienen 120 y 106 metros respectivamente. La torre de Pisa tiene ocho pisos, y en cada uno hay un balcón o galería circular que proyecta dos metros. Se sube por trescientos treinta escalones

al campanario, y de sus campanas la mayor pesa 5'454 kilogramos. Fué construída el año de 1174.

6. **La torre de porcelana de Nankin.** — Estuvo en construcción desde el año 1413 al 1432. Era toda de porcelana y de forma chinesca, octogonal, con nueve pisos, y en cada uno había una galería saliente con balaustradas, cornisas y campanillas. Tenía 8 metros de alto. Fué destruída en una rebelión.

7. **La mezquita de Santa Sofía.** — Fué templo cristiano que fundó Constantino en el año 325, y lo reedificó Justiniano en el año 532. En poder de los mulsumanes la ciudad, Mohamed II transformó el templo en mezquita en el año 1453. Tiene 106 metros de largo, y el ancho, en la cruz, 72 metros. La altura de la cúpula es de 55 metros. El piso es de mosaico. Hay sesenta y dos columnas de jaspe verde, procedentes del templo de Diana, en Efeso, y sus nueve puertas son de bronce macizo, con preciosos altorrelieves.

## OTRAS GRANDES CONSTRUCCIONES

**El Escorial.** — Fué conceptuado este monasterio como la "octava maravilla". Mandólo edificar Felipe II en 1563, en cumplimiento de un voto a San Lorenzo por la victoria obtenida sobre los franceses en la batalla de San Quintín. En conmemoración del martirio de aquel santo, se dió al edificio la figura de unas parrillas vueltas hacia arriba. La parte que se reservó Felipe II como habitación forma el mango de las parrillas y representan los pies las cuatro torres de las esquinas. Hállase situado el monasterio —que es a la vez soberbio mausoleo de reyes, pues en él están sepultados el emperador Carlos V, su hijo Felipe II y todos sus regios sucesores en el trono de España— en la villa del Escorial de Arriba, que lleva el nombre de

Real Sitio de San Lorenzo. Los arquitectos que trazaron esa suntuosa fábrica de piedra berroqueña y estilo grecorromano fueron Juan B. de Toledo y su discípulo Juan de Herrera. Algunos escritores franceses quisieron usurparles la gloria atribuyendo el trazado a un arquitecto francés; pero si esa treta no prosperó, en cambio, más tarde lograron los soldados de Napoleón despojar al monasterio de El Escorial de mucha riqueza artística.

Es el edificio de forma rectangular, de 227 metros de largo por 177 de ancho, y contiene la magnífica iglesia, de imponentes proporciones, con su amplio coro elevado; la sacristía, que es una capilla; el pabellón que fué palacio de Felipe II; el panteón de los reyes, de mármol, jaspe y bronce; el espacioso de los infantes, con numerosos sepulcros de mármol blanco; una grandiosa biblioteca con estanterías de maderas finas llena de códices antiguos y raros y preciosos manuscritos salvados a la rapiña de los franceses; el convento con su claustro, que rodea un vastísimo patio; la iglesia vieja, que es una gran capilla, y por último infinidad de salas, patios, galerías y corredores, formando todo un inmenso conjunto que encierra notabilísimas obras de arte en pintura, escultura y tapices, y riquísimas joyas y vestuario. Con decir que las ventanas interiores y exteriores suman dos mil seiscientas ochenta y ocho; que hay catorce puertas y ochenta y seis fuentes, y que algunos de los dinteles y jambas de las puertas son bloques de piedra que hubo que transportar de la cantera en grandes carretas tiradas por cuarenta parejas de bueyes, se tendrá una idea de las proporciones y grandiosidad de ese edificio.

**La Alhambra de Granada.**—Este soberbio palacio, que fué a la vez fortaleza de los moros —como indica su nombre, *Kal-al-hamrah*, que en arábigo significa "el castillo rojo"—, es universalmente considerado como una maravilla del arte árabe. Comenzó a construirlo Ibn-al-Ahmar en el año 1248, y lo terminó su nieto, Mohamed II, en 1314; pero Yusuf I fué el que más contribuyó a su decorado, que aun hoy, después de seiscientos años, se conserva en buen estado. Los techos y paredes de las diversas salas, alcobas y galerías están adornados con infinidad de yeserías, tracerías, alicatados y arabescos policromos, y las bóvedas con artesonados de estalactitas, siendo el conjunto de un efecto sumamente elegante, risueño y pintoresco. La fortaleza, que comprendía toda la cumbre de una colina y podía contener cuarenta mil hombres, fué en gran parte derruída por los franceses durante la invasión, quienes hicieron volar ocho de las torres y se proponían demoler el alcázar, que es hoy el monumento de España más admirado por los turistas.

**El templo de Borobodo.** — En la isla de Java, situado en una eminencia, se halla el templo de Borobodo, que es un inmenso edificio de siete pisos que forman terrazas en sus cuatro costados, por el estilo de los jardines elevados de Babilonia, y en el centro se eleva una gran cúpula, rodeada de otras setenta y dos de menor tamaño. Las dimensiones de este grandioso templo son de 190 metros en cada costado y 30 de altura. Todos los muros están cuajados de estatuas y de ornamentación, y los viajeros que lo han visitado afirman que el inmenso trabajo y la asombrosa pericia que revelan las pirámides de Egipto resultan insignificantes cuando se comparan con los que implica este maravilloso edificio. Su construcción data de muchos siglos, sin que se pueda precisar la fecha.

**Los sepulcros de Ipsambul.** — Ipsambul, o Abu Sambul, es un lugar de la Nubia, en la margen izquierda del Nilo, notable por los vastos sepulcros de reyes egipcios, formados por grandes recintos cortados en la roca y adornados con varias estatuas de tamaño colosal, cuya altura no baja de 20 metros. Uno de esos colosos mide de hombro a hombro unos 8 metros, y su cara tiene de largo más de 2. Uno de los recintos, labrado en la roca, tiene 60 metros de largo, y lo adornan varias pilastras con estatuas de 9 metros de altura, que representan a Osiris. Los muros están decorados con pinturas y relieves que representan figuras y batallas.

## LAS GRANDES CATEDRALES

Son muchas, y algunas muy grandiosas, las iglesias erigidas por la cristiandad en todo el mundo; pero aquí sólo tenemos espacio para describir las más imponentes.

**La Basílica de San Pedro.** — Descuella sobre todas por su tamaño y magnificencia la que es Sede pontificia, la suntuosa Basílica de San Pedro en Roma, en cuyos planos, construcción y decorado intervinieron, entre varios arquitectos y artistas, los grandes genios Rafael y Miguel Angel, durante los ciento setenta y seis años que duraron las obras, desde que el Papa Nicolás V hizo poner los cimientos del nuevo templo, en 1450, donde estaba la Basílica que Constantino hizo levantar en el terreno que guardaba los restos de San Pedro, hasta que, terminada la soberbia catedral, la dedicó el Papa Urbano VIII, el 18 de noviembre de 1626.

Las dimensiones de este templo monumental son 188 metros de longitud interior; 136 la del crucero; ancho de la nave central, 23'75 metros; de las laterales, 10'50; altura de la nave central, 46'50 metros; de las naves laterales, 14'33. La cúpula tiene 58'87 metros de diámetro, por 136'65 de altura desde el piso hasta el remate.

No es posible dar una idea de la suntuosidad de esa Basílica. Sólo viéndola puede apreciarse la grandiosidad y belleza de sus proporciones; de las ciento cuarenta y cuatro columnas del interior; de las veintiséis del pórtico; de las treinta y ocho de la sacristía; de los treinta altares con lienzos de Rafael, con estatuas de los grandes escultores y con adornos de célebres artistas y exquisitos decoradores.

**Las catedrales de Italia.** — Además de la gran Basílica descrita, hay en Italia otras magníficas catedrales, sobresaliendo en grandiosidad la de Florencia, cuya inmensa cúpula, mayor que la de San Pedro, sirvió de modelo a Miguel Ángel para la de aquella Basílica, y la catedral de Milán, conocida por *il Duomo,* de estilo gótico platteresco, la cual, por sus dimensiones y riquezas de ornamentación, sus cincuenta y dos columnas de mármol blanco de 21 metros de altura, y sus cuatro mil quinientas estatuas e imágenes, es el templo más suntuoso, después del de San Pedro.

**Las catedrales de España.** — Una de las más renombradas en Europa, por su arquitectura gótica y las notabilísimas obras de arte que atesora, es la catedral de Burgos, construída el año 1221. Hermosa también y rica en reliquias y en lienzos de Murillo y otros insignes pintores es la de Sevilla, la mayor de España, con su famosa Giralda, torre de 106 metros de alto, erigida el año 1000. Notables y dignas de visitarse son las catedrales de Toledo, León, Santiago, Segovia, Salamanca, Avila, Zamora, Oviedo y Tarragona. Curiosísima y muy interesante por su antigüedad y su arquitectura árabe es la mezquita, hoy catedral de Córdoba, empezada por Abderramán el año 770 y terminada por su hijo Hixem en 795. Es un cuadrilongo de 189 metros de largo por 134 de ancho. Tiene diecinueve naves, formadas con arcos sostenidos por ochocientas cincuenta columnas de jaspe de distintas clases, con bases y capiteles variados.

**Otras catedrales de Europa.** — Las de Chartres, Amiens y Reims, en Francia, son consideradas como joyas del arte arquitectónico, y notable es también la de Nuestra Señora, de París. La de Colonia es una de las más imponentes de Alemania. Lo es igualmente la de Estrasburgo, con su campanario de aguja de 143 metros de alto. Hay en Inglaterra varias catedrales muy antiguas que también llaman la atención por las vastas dimensiones de sus naves, que pasan de 150 metros de longitud, como son la de Cantorbery, la de Lincoln, la de Westminster, la de Salisbury y la de York.

Por último, en Méjico construyeron los españoles, en 1573, una hermosa catedral, la primera en América, que se terminó en 1667. Tiene su nave más de 150 metros de longitud por 128 de ancho, y es un edificio imponente que causa admiración a los viajeros.

## LOS GRANDES ACUEDUCTOS

Los primeros acueductos los hicieron los persas y los hebreos. En tiempo de los romanos se hicieron obras notables de esta clase; veinticuatro acueductos suministraban a Roma 28 millones de pies cúbicos de agua todos los días. El acueducto Martia, que tenía 61 kilómetros de longitud, corría por encima de siete mil arcos. El Anio tenía 101 kilómetros de largo y algunos de sus arcos 40 metros de altura. Los incas del Perú, para regar sus tierras, habían construído acueductos que tenían centenares de kilómetros de longitud, y por medio de túneles atravesaban los Andes.

Maravillosa muestra de esta clase de obras que construían los romanos es el acueducto de Segovia, anterior a la época cristiana, que servía para conducir el agua de la Fuenfría a la ciudad en una extensión de 16 kilómetros. Consérvanse todavía en muy buen estado y son admiración de los turistas los ciento setenta magníficos arcos que forman la parte principal, en el centro de la ciudad, alcanzando tres de ellos la altura de 28 metros, y es lo más notable de su construcción el estar sobrepuestos los grandes sillares sin argamasa ni ligamento alguno.

Uno de los acueductos modernos más notables es el que conduce a Nueva York el agua del lago artificial de Croton, formado en el embalse del río de ese nombre, a 65 kilómetros de aquella ciudad. Otro embalse de 213 metros de longitud y de capacidad de 11.350 millones de litros de agua se construyó después para aumentar el suministro de agua; pero el crecimiento de la ciudad de Nueva York ha hecho necesario un suministro mucho mayor, y con ese fin se ha construído un nuevo acueducto que, partiendo de las montañas Castkill, a unos 160 kilómetros de distancia, conduce el agua a dicha ciudad, salvando el río por medio de un sifón de cerca de un kilómetro de largo, que pasa por debajo del caudaloso Hudson atravesando roca viva a una profundidad de 300 metros, obra que, por las dificultades vencidas, supone un gran esfuerzo de ingeniería.

El mayor sifón del mundo está situado en Los Angeles, Estado de California. Empezaron los trabajos de preparación en 1906, la obra en 1908 y habrá durado unos siete años. La toma de agua se hace a 1.271 metros sobre el nivel del mar; corre por un canal a cielo abierto de 36 kilómetros; después por un canal de cemento de 60 kilómetros; baja luego por la fuerza de gravedad a una distancia de 280 kilómetros, en la que hay ciento cincuenta y un túneles, muchos sifones y una larga serie de conductos cuyos diámetros varían de 2'22 m. a 3'03 m. El túnel más largo es de 8 kilómetros y atraviesa la cresta granítica de Coast Range. El sifón más notable eleva el agua a una altura de 263 metros. El costo de la obra se presupuso en 125 millones de pesetas.

El depósito más grande de agua potable que se conoce lo inauguraron el año 1913 los reyes de Inglaterra en Chinford, al este de Londres. Su perímetro es de 7 kilómetros; el río Lea le suministra 115 millones de hectolitros y su cabida es suficiente para suministrar durante doce días toda el agua necesaria para los seis millones de habitantes que cuenta Londres con sus arrabales.

Los grandes canales .

**El canal de Suez.** — El proyecto del moderno canal a
través del istmo de Suez, para facilitar el paso de los buques desde el Mediterráneo al mar Rojo, partió de Napoleón el Grande durante su invasión de Egipto. Pero
muchísimos siglos antes que él, esto es, 1300 años antes
de la Era cristiana, ya se le ocurrió a uno de los Faraones,
Sesostris, construir un canal desde un ramal del Nilo hasta el mar Rojo, que al principio sirvió para regadío y que,
algunos siglos más tarde, lo hizo prolongar Ptolomeo Filadelfo hasta darle una longitud de unos 148 kilómetros
y poner en él algunas esclusas. Ese canal fué obstruído
varias veces por la arena y vuelto a abrir por Trajano y
después por un general del califa Omar, hasta que por fin
lo hizo destruir el califa Almanzor en el año 767 de nuestra Era.

En 1854, un ingeni ro francés, Fernando de Lesseps,
obtuvo del virrey de Egipto, Said Bajá, una concesión a
favor de una Compañía por espacio de noventa y nueve
años para construir un canal navegable a través del istmo,
desde Tineh hasta Suez. Organizóse la Compañía en 1858
con un capital en acciones de 200.000.000 de francos, que
en 1867 fué necesario ampliar con un empréstito de otros
100 millones. Las obras duraron once años. El canal tiene,
de un extremo a otro, 160 kilómetros de largo; pero una
cuarta parte de esa longitud consiste en lagos naturales
que aquél atraviesa. La mayor anchura del canal es de
unos 100 metros, y en algunos puntos de 60 en la superficie y de 20 en el fondo, siendo la profundidad de 8 metros. El canal se inauguró oficialmente, con gran solemni-
dad, el 17 de noviembre de 1869, pasando por él cincuenta
buques de un mar a otro. En 1871 utilizaron el canal setecientos sesenta y cinco buques, entre ellos sesenta y tres
buques de guerra. Por esta vía se acortan considerable-

mente los viajes de Europa a las Indias y otros puntos de Asia, que antes se hacían por el Cabo de Buena Esperanza.

**El canal de Panamá.** — Ni los franceses ni los norteamericanos han sido los primeros en intentar esa grande obra. Ya en tiempo de los Reyes Católicos (1515) se buscó una línea acuática a través del istmo. El emperador Carlos V en 1534, en cédula real, pidió "pintura de las tierras, montes, etc., presupuesto de la obra y del tiempo en que podría hacerse con toda diligencia, como cosa que tanto interesa". Pero las guerras en Europa distrajeron la atención de los asuntos de América y aquel canal no pasó de ser un intento.

Pero el éxito alcanzado con la construcción del canal de Suez hizo pensar de nuevo en la conveniencia de construir otro que pusiese en comunicación el océano Atlántico con el Pacífico, y en el año 1870 envió el Gobierno de los Estados Unidos dos Comisiones de ingenieros a reconocer el terreno en los istmos de Darién, en Nicaragua, y de Tehuantepec, en Méjico, para determinar cuál de las dos vías presentaba menos dificultades y ofrecía mayores ventajas. Después de varios estudios y no pocos gastos se abandonó la idea de construir el canal por esos dos istmos, y entonces M. de Lesseps y otros ingenieros franceses trazaron el proyecto de un canal por el istmo de Panamá y formaron una Compañía por acciones para llevarlo a cabo. Se invirtieron en las obras muchos millones; pero el fracaso era inevitable, y entonces el Gobierno de los Estados Unidos compró a los franceses y al Gobierno de Panamá la concesión en 250 millones de francos, y el día 4 de mayo de 1904 se hicieron cargo los ingenieros civiles norteamericanos de las obras del canal. A los ingenieros civiles sucedieron los militares con mejor éxito, y, por fin, el día 10 de octubre de 1913, el Presidente de los Estados Unidos, oprimiendo un botón eléctrico, a una distancia de 3.000 kilómetros y con una carga de veinte toneladas de dinamita, hizo saltar el último obstáculo que quedaba en el canal para que en él se juntasen las aguas del Atlántico con las del Pacífico. Se abrió a la navegación en 1914.

Este canal, que representa un esfuerzo colosal de ingeniería, tiene unos 72 kilómetros de uno a otro extremo: su anchura es desde la mínima de 90 metros hasta la máxima de 300, y la menor profundidad de 12'5 metros. Como su parte más elevada está a 25 metros sobre el nivel del mar, para llegar a ella tienen que remontar los buques tres esclusas por una vertiente y descender otras tantas por la otra vertiente. Un buque de regular tonelaje emplea unas diez horas en ir de un océano a otro, y uno de mayor porte once horas. Para terminar las obras fué preciso excavar 225.231.379 yardas cúbicas de tierra. El presupuesto total de esta costosa obra, incluyendo el desembolso pagado a la Compañía francesa y a la República del Panamá, es de 375 millones de dólares, o sea en pesetas 1.875.000.000.

**El canal de Cuba.** — Con motivo de la apertura del canal de Panamá, resucitó en Cuba el proyecto de construir un canal a través de la isla, con lo cual se facilitaría a los buques el paso hacia el del istmo y se acrecentaría el valor del territorio cubano más próximo al proyectado canal. Ya en 1767 el Gobierno de España, en un real decreto, se refiere al proyecto de un canal para acortar la navegación entre los puertos de la costa del norte y los del sur de la Isla de Cuba, y después, en varias ocasiones, se trató de llevar a cabo ese proyecto, que mereció la aprobación del sabio Alejandro Von Humboldt, el cual visitó el sitio donde debía construirse. Puede predecirse ahora que no pasarán muchos años sin que ese proyecto se convierta en una realidad. El canal se abrirá desde Cárdenas hasta la bahía de los Cochinos: no tendrá esclusas, y su coste se presupone en 450 millones de pesetas.

**Canal navegable del Estado de Nueva York.** — Es una importantísima obra de ingeniería. Pone en comunicación fluvial los grandes lagos de Norteamérica con el Atlántico, desde el Ontario, el Oswego y el Erie hasta el río Hudson. Su longitud total es de 434 millas, pasando por más de cincuenta ciudades y aldeas. El trabajo de excavación, movimiento de tierras y obras de hormigón que se ha hecho en la construcción de este canal es igual a las tres cuartas partes del que requirió el canal de Panamá; no obstante de que su longitud es diez veces mayor y su costo de 108 millones de dólares, aproximadamente: una tercera parte de lo que costó el gran canal interoceánico. Se abrió al servicio público en toda su extensión durante el año 1915.

LAS GRANDES INSTALACIONES HIDROELÉCTRICAS

En los Estados Unidos es donde la transmisión de energía eléctrica ha tenido mayor desarrollo, merced a sus grandes ríos y saltos de agua. Una inmensa presa de agua del Mississipí, en el Estado de Iowa, permite conducir una fuerza de 200.000 caballos a San Luis, 272 kilómetros. Una fábrica de aluminio, que produce 20 millones de kilogramos anuales, obtiene de la catarata del Niágara una fuerza de 140.000 caballos. De la misma catarata se transmite flúido eléctrico para alumbrar varias ciudades del Canadá, por medio de una red de 605 kilómetros que conduce 514.000 caballos de fuerza.

En España hay una central hidroeléctrica en Molinar, que obtiene del río Júcar una fuerza de 30.000 caballos y los transmite a Valencia (80 kilómetros), Alcoy (80 íd.), Cartagena (160 ídem) y Madrid (240 kilómetros), con una tensión de 66.000 voltios. Y en Cataluña se ha llevado a cabo el proyecto grandioso de aprovechar los saltos de agua de la vertiente meridional de los Pirineos y cuenca del Ebro para transmitir fuerza eléctrica a Barcelona y otras poblaciones industriales de la región, con lo que se surte de flúido a fábricas, ferrocarriles, tranvías y alumbrado.

Los grandes puentes

Poco interés ofrecen por su magnitud o por su construcción los puentes de la antigüedad de que hay memoria, por no entrar en ellos otro material que la madera. El primero de piedra hízolo construir Escipión en Roma sobre el Tíber, 125 años antes de J. C. De piedra eran también y muy notables el puente de Salamanca sobre el Tormes, de época muy remota, y el de Córdoba, que mandó construir Julio César sobre el Guadalquivir.

Sería larga la enumeración de los puentes de alguna importancia construídos en la Edad Media, y limitaremos esta reseña a algunas obras modernas notabilísimas desde el punto de vista técnico, así por la combinación de los materiales empleados, como por el sistema de construcción que permite las mayores luces de sus arcos.

Los puentes colgantes se emplearon por vez primera en América, y en primer término figura el de Nueva York a Brooklyn, que descansa sobre cuatro cables de alambres de acero de 406 milímetros de diámetro, que penden de dos torres de 81'75 metros de altura, siendo la luz entre ellas de 486'48 metros. La longitud del puente desde un arranque a otro es de 1.804 metros y su ancho de 26, con un viaducto central, dos vías férreas, dos para tranvías y dos para coches y carros. Costó 22.400.000 dólares. Se construyó en 1870 por el ingeniero míster Roebling, autor de otro notable puente de hierro para el ferrocarril que pasa frente a la catarata del Niágara, y cuya luz es de 250 metros, con una resistencia de 12.000 toneladas.

Hay en Nueva York otros puentes colgantes de importancia, siguiendo al de Brooklyn el de Williamsburg, sobre la misma ría del Este. Su luz central es de 487'70 metros. Comprende seis vías férreas y dos pasarelas. Se terminó en 1903. Costó 14.000.000 de dólares, esto es: unos 70 millones de pesetas.

No lejos del anterior y sobre la misma ría se inauguró en 1909 otro gran puente colgante más ancho que los citados, con una luz central de 448 metros. Tiene dos pisos: en el primero una carretera central, dos vías férreas y dos pasarelas, y en el superior cuatro líneas de tranvías. Costó 26.000.000 de dólares.

Del último tercio del siglo XIX data un nuevo sistema de puentes llamados "de contrapeso" (en inglés *cantilever*), y un ejemplo muy interesante de este tipo es el del río Forth, cerca de Edimburgo, que tiene tres curiosos estribos de contrapeso con dos luces centrales de 521 metros cada una. Se inauguró en 1890 y costó 3.000.000 de libras esterlinas.

Otro notable puente *cantilever* es el que va de Nueva York a la Isla Larga, con estribo en la isla de Blackwell. Tiene cinco tramos, cuyas luces son de 143, 360, 192, 300 y 140 metros respectivamente, con vía férrea doble, dos líneas de tranvías eléctricos, dos pasarelas y una carretera. La parte metálica pesa 48.000 toneladas. Costo total: 21.000.000 de dólares.

Desde que se ha perfeccionado la construcción de cemento y hormigón armado, se ha utilizado, de poco tiempo a esta parte, dicho material para levantar puentes, y su empleo se extiende rápidamente. El mayor puente construido con este material es el de Roma sobre el Tíber. La luz del arco, sin embargo, sólo tiene 100 metros.

## LOS TÚNELES MÁS LARGOS

Entre las obras notables de ingeniería que para la construcción de vías férreas se han llevado a cabo en los últimos años, merecen citarse los siguientes túneles:

El del *Ferrocarril Trasandino*, de Valparaíso a Buenos Aires, que perfora los Andes a una altura de 3.660 metros sobre el nivel del mar, quedó abierto en 1910 y tiene de largo 8.045 metros.

El del ferrocarril de cremallera que asciende al *Jungfrau*, en Suiza, abierto en 1912; longitud, cerca de 9.700

metros. Esta obra admirable de ingeniería permite el acceso a la cima de este nevado monte, que tiene una elevación de 4.170 metros sobre el nivel del mar.

El de *Gunnisson*, en el Estado del Colorado (Estados Unidos), abierto en 1909; longitud, 9.654 metros.

El de *Alberg*, que perfora los Alpes desde Langen a San Antón; abierto en 1884; longitud, 10.860 metros.

El del *Monte Cenis*, que va de Francia a Italia por debajo del Col de Frejus; abierto en 1871; longitud, 12.872 metros.

El de *Loetschberg*, a través de los Alpes en Oberland, Suiza, terminado en 1911; longitud, 14.883 metros.

El de *San Gotardo*, a través de los Alpes, en Suiza, entre Goschenen y Airolo; abierto en 1881; longitud, 15.003 metros.

El del *Simplón*, que perfora este monte de la cordillera de los Alpes; abierto en 1905; longitud, 20.112 metros.

En España, el de *Canfranc*, en el Pirineo aragonés, bajo el puerto de Somport; abierto en 1928; longitud, 7.875 metros.

Es digno de notarse que los ingenieros Favre, Brand y Guyer-Zeller, que construyeron respectivamente los túneles del San Gotardo, del Simplón y del Jungfrau, murieron antes de ver terminada su obra.

También son dignos de nota, aunque de menos longitud que los anteriores, los túneles construídos, uno por debajo del río Támesis, en Londres, de milla y media de largo; tres por debajo del río Hudson en Nueva York, de unos dos kilómetros de largo cada uno, y tres por debajo de la ría del Este, también en Nueva York, de varias longitudes; todos ellos conectan con otros túneles que, por debajo de la urbe, atraviesan la isla de Manhattan en diversas direcciones para el movimiento de trenes.

Con igual objeto, y al par de la metrópoli norteamericana, están Londres y París completamente minados por túneles que se extienden en varias direcciones por muchos kilómetros, en los cuales es constante el servicio de trenes subterráneos, siendo en Londres tan profundos esos llamados *tubos,* que para bajar desde la calle a las estaciones donde se detienen los trenes, hay ascensores de gran cabida en los que suben y bajan los viajeros. Madrid y Barcelona han construído también ferrocarriles subterráneos que facilitan notablemente las comunicaciones urbanas.

## Las grandes estaciones ferroviarias

Hubo una época en la Edad Media en que el arte arquitectónico se reducía a la construcción de iglesias, monasterios, castillos y fortalezas, pues mientras unos hombres se pasaban la vida rogando a Dios, los demás se entretenían en matarse unos a otros.

Hoy la industria, el comercio, las artes, el turismo, dan abundante ocupación a la arquitectura con la edificación de colosales fábricas, almacenes, lonjas, museos, hoteles, teatros y esas vastas, grandiosas, modernísimas estaciones ferroviarias, que han venido a substituir los antiguos paradores de diligencias.

Muchas páginas requeriría la descripción minuciosa de las inmensas y bien dotadas estaciones de Europa y América, tales como la de San Lázaro y la del Quai d'Orsay, en París; la de Waterloo, en Londres; la de Francfort y Dresde, en Alemania, y las de Nueva York, Boston, Washington y San Luis, en los Estados Unidos.

El último tipo de estación terminal, por sus gigantescas proporciones y su enorme tráfico, es la Gran Central de Nueva York, construída en lugar de la grandiosa que antes existía, y que ya resultaba exigua, sin que las obras de excavación y edificación interrumpiesen por un solo instante el movimiento de trenes. La solución de este problema resultó un prodigioso esfuerzo de ingeniería, porque fué preciso quitar el gran tinglado, excavar más de 18 hectáreas a una profundidad de 14 metros; colocar las columnas y vigas de acero macizo (60.000 toneladas) que habían de sostener los tres pisos de la estación y el peso de los trenes; construir el magnífico edificio que contiene las salas de espera, las de embarque y desembarque, las de equipajes, restaurante, oficinas de la Compañía y servicios de toda clase para el público, incluso el de tranvías, que parten de la misma estación para diversos puntos de la ciudad, y colocar 32 millas de rieles (51 kilómetros) en el gran patio y dentro de la estación; construir viaductos por encima de las vías para unir las calles transversales que cortaba el ferrocarril; y todo esto, sin que se entorpeciese el tráfico y servicio de trenes, es realmente maravilloso.

Además del que está a nivel de la calle donde se halla situada la grandiosa sala de espera para cinco mil personas, hay tres pisos subterráneos, desde donde salen y adonde llegan los trenes, en secciones separadas para evitar la confusión de viajeros. La sala destinada a la llegada de viajeros tiene cabida para ocho mil personas y la de salida para quince mil. Ambas salas comunican con los andenes.

La superficie total, contando la de los pisos subterráneos, es de 28 hectáreas. Hay dentro de la estación cuarenta y seis vías, de las cuales treinta tienen andenes, y todo está previsto y dispuesto para un movimiento máximo de doscientos trenes por hora y para el embarque de setenta mil viajeros en igual tiempo.

Por el siguiente cuadro comparativo de las mayores estaciones del mundo se verá la magnitud de la descrita:

| ESTACIONES | Superficie Hectáreas | Número de vías | Kilómetros de vías | Número de andenes |
|---|---|---|---|---|
| Gran Central (Nueva York) ... | 28 | 46 | 32 | 30 |
| Pensilvania (Nueva York) ... ... | 11 | 21 | 25 | 11 |
| San Luis (Estados Unidos) ... | 5 | 32 | 8 | 10 |
| Boston (Estados Unidos) ... ... | 4 | 32 | 24 | 19 |
| Washington (Estados Unidos) .. | 6 | 29 | — | 13 |
| Waterloo (Londres) ... ... ... ... | 4 | 18 | — | — |
| San Lázaro (París) ... ... ... ... | 5 | 31 | 5'6 | 14 |
| Francfort ... ... ... ... ... ... | 5 | 18 | — | 9 |

Será también una de las mayores del mundo la nueva de Leipzig, en construcción. Comprenderá veintiséis vías paralelas, con catorce andenes para viajeros y trece para mercaderías, recubiertos por seis imponentes tinglados metálicos de 200 metros de amplitud. La fachada principal tiene 298 metros de largo.

## LOS PUERTOS DE MÁS TRÁFICO

En punto a movimiento marítimo, Londres y Nueva York han venido disputándose la primacía, que ya se inclina a favor del segundo puerto, adonde concurren las grandes líneas trasatlánticas. Las grandes obras hechas en la prolongación de los espolones del río Hudson, permiten que atraquen a ellos a un tiempo quince colosales vapores de más de 300 metros de eslora.

Las dársenas del puerto de Hamburgo se extienden en las orillas del Elba en una longitud de 8 kilómetros.

El área de agua de los diques y dársenas de Liverpool es de 242 hectáreas, y la longitud de los muelles en las orillas del Marsey es de unos 60 kilómetros.

Al terminar el siglo xix, el orden de importancia de los principales puertos del mundo, en razón al tonelaje de los buques entrados, era como sigue: Londres, Hamburgo, Nueva York, Amberes, Cardiff, Liverpool, Constantinopla, Singapoore, Marsella, Génova.

Diez años más tarde, en 1910, cambió el orden en esta disposición, indicando las cifras millones de tonelaje entrado: Nueva York, 13'4; Londres, 13'1; Amberes, 12'6; Hamburgo, 11'4; Hong-Kong, 10; Rotterdam, 9'2; Liverpool, 7'5; Singapoore, 7; Marsella, 6'7.

Los colosos del mar

**Acorazados.** — En 1906 la marina inglesa sorprendió al mundo lanzando al agua el acorazado *Dreadnought*, que obtuvo fama de ser el tipo de buque de guerra más formidable que se había conocido. Desplazaba 17.900 toneladas; calaba 27 pies; su potencia era de 27.500 caballos de vapor, y costó 9 millones de libras esterlinas.

Pero en nuestra época la meta alcanzada tarda poco en quedar atrás. Después del *Dreadnought*, la propia Inglaterra botó nuevos acorazados de mayor tonelaje y de más poderosa artillería: los *Super dreadnought*; las demás marinas imitaron su ejemplo. La competencia se hizo tan viva y sobre todo tan costosa, que las potencias trataron de reducirla mediante pactos internacionales. Mas poco antes de estallar la guerra de 1914, rotos ya los compromisos, Francia, Italia, Inglaterra y el Japón construyeron acorazados de 35.000 toneladas, a los que han seguido los de 40.000, que a su vez serán eclipsados por los de 45.000.

**Vapores trasatlánticos.** — La competencia comercial entre las diversas empresas navieras que tienen líneas de vapores dedicadas al tráfico de pasajeros y mercancías entre Europa y los Estados Unidos, ha hecho que aquéllas rivalicen en el tamaño, lujo y comodidades de sus respectivos buques, así como en la rapidez con que éstos verifican sus viajes.

Cuando en 1859 salió a navegar el vapor *Great Eastern*, de ruedas, cinco chimeneas, siete palos, 207 metros de eslora y 24.000 toneladas de arqueo, fué grande el asombro que produjo en el mundo por sus descomunales dimensiones. Aquel ensayo no tuvo éxito, pero este inmenso buque, que no sirvió para transportar viajeros, se utilizó algunos años más tarde para tender el cable submarino entre Inglaterra y los Estados Unidos. La aplicación de la hélice a la propulsión de los buques y los adelantos en arquitectura naval han permitido, desde entonces, construirlos de mayores dimensiones, y éstas han ido creciendo progresivamente, como se verá por la siguiente lista de algunos tipos de vapores trasatlánticos:

| Año | VAPOR | Eslora Metros | Desplazamiento Toneladas |
|---|---|---|---|
| 1899 | *Oceanic* ... ... ... ... ... ... | 213'5 | 31.590 |
| 1907 | *Adriatic* ... ... ... ... ... ... | 221'4 | 40.790 |
| 1907 | *Lusitania* ... ... ... ... ... | 249'9 | 45.000 |
| 1910 | *Olympic* ... ... ... ... ... ... | 269'1 | 66.000 |
| 1912 | *Imperator* ... ... ... ... ... | 274'5 | 70.000 |
| 1913 | *Vaterland* ... ... ... ... ... | 289'7 | — |
| 1935 | *Normandie* ... ... ... ... ... | 299 | 83.423 |
| 1936 | *Queen Mary* ... ... ... ... | 297 | 81.235 |
| 1939 | *Queen Elisabeth* ... ... ... | | 85.000 |

Hace algunos años, el arquitecto naval sir William White predijo la posibilidad de construir vapores de 305 metros de eslora (1.000 pies ingleses), y mucho se van acercando las modernas construcciones.

También se ha progresado en la rapidez de los viajes. En el año 1856 el vapor *Persia*, de la línea Cunard, hizo la travesía de Europa a América en nueve días, una hora y cuarenta y cinco minutos, marcha que causaba entonces gran asombro. Desde el año 1888, la travesía desde Queenstown (Irlanda) a Nueva York (Estados Unidos), o sea un recorrido de 2.800 millas, se ha hecho en menos de seis días, y los vapores que han verificado viajes más rápidos son los siguientes:

| Año | VAPOR | LÍNEA | TIEMPO | | |
|---|---|---|---|---|---|
| 1891 | *Majestic* ... ... | White Star ... ... ... | 5 d. | 18 h. | 8 m. |
| 1891 | *Teutonic* ... ... | Idem ... ... ... ... ... | 5 | 16 | 31 |
| 1892 | *City of Paris* ... | American ... ... ... | 5 | 14 | 24 |
| 1893 | *Campania* ... ... | Cunard ... ... ... ... | 5 | 12 | 7 |
| 1894 | *Lucania* ... ... | Idem ... ... ... ... ... | 5 | 7 | 23 |
| 1908 | *Lusitania* ... ... | Idem ... ... ... ... ... | 4 | 15 | 0 |
| 1910 | *Mauretania* ... | Idem ... ... ... ... ... | 4 | 10 | 41 |
| 1935 | *Normandie* ... | Cᵉ. Transatlantique | 4 | 3 | 0 |

Para dar una idea del lujo y las comodidades que hacen de esos buques unos verdaderos palacios flotantes, bastará la breve enumeración de las que tenía uno de ellos, el *Titanic*, que tuvo un fin desastroso en su primer viaje a Nueva York, por haber chocado contra un enorme témpano de hielo, yéndose a pique con mil trescientos pasajeros el 15 de abril de 1912.

Además de sus elegantes cámaras, lujoso comedor, camarotes con camas, sala, baño y retrete, había cuarenta salas de baño, una piscina de natación, veinte salones de peluquería, cuatro salones para fumar, ocho salas de juego, tres bibliotecas con 30.000 volúmenes, un periódico a bordo, con dos ediciones en inglés, alemán y francés; servicios de teléfono y radiografía, y un café restaurante al aire libre.

El *Normandie* y el *Queen Mary* han superado todas estas maravillas, no sólo en cantidad, sino en calidad.

## LAS GRANDES FÁBRICAS

La fábrica de fundición de Krupp en Essen, Alemania, establecida en 1810, es seguramente la mayor del mundo. Sus fundiciones, fábricas y talleres son inmensos. Trabaja con un capital de nueve millones de libras esterlinas y da ocupación a treinta y cinco mil operarios. Se dedica preferentemente a la fabricación de cañones.

La fábrica de jabón de Lever Brothers Ltd. en Port Sunlight, Inglaterra, ocupa 93 hectáreas de terreno, es decir, 39 para fábrica y 54 para colonias obreras, jardines, campos de deportes, etc. Capital autorizado: 14.000.000 de libras. Producción: 4.000 toneledas de jabón por semana. Desde el punto de vista social es una fábrica modelo.

Las diversas fábricas y talleres que la empresa industrial Siemens-Schuckert tiene en Nonnendam, Charlottenburg, Lichtenberg y Nürenberg (Alemania), ocupan una superficie total de 711.200 metros cuadrados. Construyen toda clase de aparatos eléctricos, dínamos, motores, instalaciones para energía y para alumbrado, automóviles, teléfonos, cables, etc. Tienen oficinas sucursales y representantes en las principales ciudades de las cinco partes del globo; su capital, incluso reservas, es de 247.958.500 marcos y da empleo a 80.400 personas.

Importantísimas son también la *Pullman Company*, constructora de vagones-palacios, *sleeping* y *restaurants*, y la *National*, fabricantes de cajas registradoras, ambas en los Estados Unidos. Una y otra emplean muchos miles de obreros, con los cuales han formado colonias dotadas de hogares, escuelas, hospitales, iglesias, bibliotecas y parques de recreo.

Aunque en más modesta escala, pero dotada igualmente de casas de vivienda, comercios, fondas, cooperativa de consumo, iglesia, teatro, ateneo, hospital, escuelas, etc., todo en beneficio de sus cuatro mil y pico de obreros, existe en Cataluña, a pocos kilómetros de Barcelona, la Colonia Güell, que ocupa una extensión de 36 hectáreas, y en ella están enclavadas la fábrica y numerosos talleres propiedad de los señores Güell y C.ª, en los que se elaboran panas y veludillos iguales a los mejores que se producen en el extranjero. El autor de este libro ha visitado la fábrica y ese lindo pueblo de doscientas casitas vistosas y modernas, y puede afirmar que tanto la fábrica, por su maquinaria y los adelantos en aquélla introducidos, como la agrupación de obreros, por sus costumbres, la administración de sus intereses y las comodidades y beneficios de que gozan, hacen de la Colonia Güell una institución modelo que puede compararse ventajosamente con las mejor organizadas del extranjero.

## LOS GRANDES MUSEOS Y PINACOTECAS

Desde muy antiguo fueron los hombres aficionados a reunir obras de arte, como lo demuestran las descripciones que hacen los historiadores griegos y romanos de las preciosidades artísticas que contenían los templos de Apolo en Delfos y de Juno en la isla de Samos, así como la vasta Acrópolis de Atenas con su maravilloso Partenón. Fueron esos soberbios edificios verdaderos museos en el sentido que hoy tiene esta palabra, pues la voz *museo*, derivada de *musa*, la inventó Tolomeo Filadelfo para designar la Academia que fundó en Alejandría, con una riquísima biblioteca, donde se congregaban los hombres más sabios de su época para discutir asuntos de ciencias, artes y literatura.

Hoy entendemos por museo el lugar donde se exhiben colecciones de obras de arte de todas clases, así pictóricas, como escultóricas, de mobiliario, orfebrería, bronces, medallas, etc. Los museos más vastos, más completos y que más joyas de arte atesoran, son el del Louvre, en París; el del Vaticano, en Roma, y el Británico *(British Museum)*, en Londres.

Hay otros llamados museos que con más propiedad debieran llamarse *Pinacotecas* o Galerías de cuadros, puesto que en ellos predominan las colecciones pictóricas, y entre ésos descuella el del Prado, de Madrid, con valiosísimos ejemplares del Ticiano, Rubens, Rafael, Velázquez, Murillo, Ribera, el Greco, Goya y otros grandes maestros.

Importantísimas también por los numerosos cuadros de gran valor artístico que contienen son las Galerías de Florencia, la *National*, de Londres; la del *Kaiser Friedrich*, de Berlín; la Pinacoteca de Munich y la de Dresde.

En otro orden es muy notable, por su magnitud y los numerosos y curiosísimos ejemplares de animales, plantas y minerales que contiene, el Museo de Historia Natural de Nueva York.

## LAS GRANDES BIBLIOTECAS

Las más notables de la antigüedad que citan los historiadores son la que fundó Tolomeo en Alejandría en el tercer siglo anterior a la Era cristiana y que llegó a contener 700.000 volúmenes; la del Cairo, con 1.600.000, y la de Córdoba, con 400.000.

Las bibliotecas públicas de Europa más ricas en libros son las que se expresan a continuación, con el año de su fundación en la primera columna, siguiendo el número en cifras redondas de tomos impresos, y luego el de manuscritos que contenían al finalizar el siglo XIX y que han aumentado desde entonces:

| BIBLIOTECA | Año | Tomos | M. S. |
|---|---|---|---|
| Nacional de París ... ... ... ... | 1350 | 2.000.000 | 150.000 |
| Museo de Londres ... ... ... ... | 1753 | 1.100.000 | 60.000 |
| Imperial de San Petersburgo . | 1714 | 1.100.000 | 35.000 |
| Real de Munich ... ... ... ... | 1660 | 900.000 | 22.000 |
| Real de Berlín ... ... ... ... ... | 1650 | 700.000 | 15.000 |
| Imperial de Viena ... ... ... ... | 1440 | 600.000 | 20.000 |
| Real de Copenhague ... ... ... | 1550 | 550.000 | 25.000 |
| Real de Dresde ... ... ... ... ... | 1555 | 500.000 | 3.000 |

En España, las más notables son la Biblioteca Nacional, fundada en 1712 por Felipe V, que contiene cerca de 1.000.000 de tomos impresos y 20.000 manuscritos; la del Palacio Real, con 100.000 volúmenes impresos y 5.000 manuscritos; la de Simancas, repleta de curiosos documentos históricos, y la del Escorial, con miles de libros y manuscritos raros.

Las bibliotecas más modernas, instaladas en soberbios edificios de mármol construídos ex profeso, son las de Wáshington y Nueva York, en los Estados Unidos. Costó la primera cerca de 7.000.000 de dólares y se inauguró en 1897. El área total de sus varios pisos es de 326.195 pies ingleses cuadrados; contiene 1.891.729 tomos impresos y manuscritos y 90 kilómetros de anaqueles con capacidad para 2.600.000 volúmenes.

La nueva Biblioteca de Nueva York, en la que se han reunido las de Astor, Lenox y Tilden, se abrió al público en 1911. El suntuoso edificio que ocupa es un rectángulo de 119 por 82 metros. El gran salón de lectura mide 91'5 metros de largo por 24'5 de ancho, con asientos para setecientos sesenta y ocho lectores. Hay además salitas espe-

ciales con asientos para otros trescientos lectores. Los estantes miden en su longitud 1.018 kilómetros, con cabida
para 3.000.000 de tomos.

## LOS MAYORES TELESCOPIOS

Los mayores telescopios de refracción son: en Europa,
el del Observatorio de Meudon, cerca de París, y, en América, el del Observatorio de Lick, California, que tiene 914
milímetros, y el del Observatorio de Yerkes, en, Wisconsin,
que tiene un metro de diámetro y una distancia focal de
18'4 metros.

Los mayores telescopios de reflexión son: el de París,
que tiene un espejo reflector de 1'20 metros; el de Mel-
bourne, Australia, con espejo de 1'20 metros; el de lord
Rosse, en su castillo de Birr, Irlanda, cuyo espejo es de
1'80 metros de diámetro y la distancia focal de 16'47; y
en los Estados Unidos el del Observatorio de Mount Wil-
son, en California, que tiene un espejo de 2'50 metros;
se mueve por electricidad y sus distancias focales pueden
variarse hasta 45'75 metros, y el gigantesco "Hale" de
Monte Palomar (California), con espejo de 5 metros; la
parte móvil pesa 580 toneladas, y está instalado en una
cúpula de 40 metros de diámetro, que alcanza a 1.000 toneladas de peso; en su construcción se invirtieron doce
años (1936-48) y más de seis millones de dólares, sufraga-
dos por el Instituto Rockefeller.

## LOS MÁS ALTOS EDIFICIOS

Algunos propietarios de la ciudad de Nueva York, co-
diciosos de aumentar sus rentas, vieron en la invención del
ascensor un medio de sacarle más producto a sus bienes
inmuebles, y utilizando asimismo la invención del entra-
mado y armazón de vigas y pies derechos de acero, que
permitía construir casas de muchos pisos, comenzaron a

edificarlas de diez, de doce, de catorce y hasta de veinte, con asombro de aquellos ciudadanos, quienes, al ver la desmedida altura que iban alcanzando aquellos edificios, los bautizaron con el nombre de *sky-scrapers* (rascacielos).

Establecida la competencia, no tardó la fiebre de la codicia y el afán de notoriedad en ir aumentando el número de pisos y por ende la altura de las casas, y hoy son muchos los edificios de aquella urbe descomunal que pasan, no ya de veinte, sino de treinta pisos. He aquí algunos de los más altos, con el nombre del propietario, el número de pisos y sus alturas respectivas, todos ellos dotados de varios ascensores que funcionan continuamente con una velocidad vertiginosa:

| | | | | |
|---|---|---|---|---|
| Helderberg. ... ... ... ... | 30 | pisos, | 410 | pies ingleses |
| Evening Post ... ... ... ... | 32 | " | 385 | " " |
| Bankes' Trust ... ... ... | 39 | " | 359 | " " |
| Singer Co. ... ... ... ... | 42 | " | 638 | " " |
| Metropolitan Life ... ... | 50 | " | 700 | " " |
| Woolworth ... ... ... ... | 55 | " | 750 | " " |
| Crysler ... ... ... ... ... | 77 | " | 1046 | " " |
| Empire State ... ... ... | 102 | " | 1248 | " " |

# NOTAS CURIOSAS

LAS NUEVE MUSAS (página 74)

Según antiguas tradiciones explicadas por varios autores griegos, no había acuerdo respecto del número, los nombres y el origen de las Musas, pues una leyenda, según Pausanias, decía que eran tres: Melete, Mneme y Aœde; otra, según Arato, que eran cuatro, y algunos poetas las tenían por hijas del Cielo y de la Tierra.

Pero posteriormente se convino en aceptar la versión que eran nueve; que eran hijas de Júpiter y Mnemosina, diosa de la memoria; que eran oriundas de Pieria en Macedonia, según Hesíodo, y que tenían su forestal y consagrada residencia en el Monte Helicón, término de la cordillera del Parnaso.

Los nombres de las Musas y las respectivas artes que simbolizaban eran:

Calíope, nombre que significa "hermosa voz": era la inspiradora de la poesía épica. Se la representaba con una corona de laurel en una mano y descansando la otra sobre tres libros rotulados *Ilíada*, *Odisea* y *Eneida*. Fué madre de Orfeo.

Clío, que significa "Fama", era la Musa de la Historia. Se la pintaba joven, con túnica blanca, coronada de laurel, con una trompeta en la mano derecha y en la izquierda un libro, en que estaba inscrito el nombre de Herodoto.

**Euterpe**, que significa "deleitable", cultivaba la música. Iba coronada de flores y tocaba la tibia o doble flauta.

**Erato**, la "amorosa", era la que inspiraba la poesía lírica y erótica. Llevaba en la mano una lira, y orlaba sus sienes una corona de mirto y rosas.

**Talía**, la "floreciente", llamábase así porque además de la comedia tenía a su cargo la horticultura. Por esta razón se la representaba coronada de hiedra, símbolo de la poesía jocosa, con una careta grotesca en una mano, y en la otra un manojo de ramas verdes.

**Melpómene**, Musa de la tragedia, era de aspecto grave; cubría su cabeza un negro velo; llevaba en una mano un puñal, y a sus pies se veía una corona y un cetro.

**Polimnia**, la dotada de "gran memoria", era a que inspiraba la elocuencia a los oradores, y fué inventora de la armonía. Adornaba su cabeza una diadema de perlas y piedras preciosas, simbolizando la riqueza de la erudición. Se la representa en el acto de perorar y a su lado tiene un libro con la palabra *Suadere* (persuadir).

**Terpsícore**, como su nombre indica en griego, se "deleitaba en la danza". Iba coronada de plumas, simbólicas de su ligereza, y en actitud de bailar, acompañándose con una cítara.

**Urania**, la "celeste", se ocupaba en el estudio de los astros. Ceñía su frente una diadema de estrellas, y señalaba un globo con un puntero.

## LOS SIETE SABIOS DE GRECIA (página 225)

Con el dictado de "los sabios de Grecia" han pasado a la Historia los nombres de siete esclarecidos varones que florecieron en distintas ciudades de Grecia, en el siglo VI antes de la Era Cristiana. Para honrar su memoria se inscribieron sus nombres en el famoso templo de Apolo, en Delfos, y, debajo de cada nombre, la máxima o sentencia que mejor caracterizaba la doctrina de cada uno de esos filósofos. Sus nombres, las ciudades en que residieron y los aforismos respectivos, son:

Solón, de Atenas: "Conócete a ti mismo."

Quilón, de Esparta: "Considera el fin."

Pitaco, de Mitilene: "Aprovecha la ocasión. No pierdas tiempo."

Bías, de Priene: "Casi todos los hombres son malos."

Periandro, de Corinto: "Nada es imposible para el trabajo."

Cleóbulo, de Lindos: "Evitad los excesos."

Tales, de Mileto: "En la confianza está el peligro."


## Mammón y Pluto (página 236)

Mammón era el dios de las riquezas entre los sirios, como lo era Pluto entre los griegos. Esos nombres significaban "riqueza" en las respectivas lenguas. Entre los antiguos paganos había la creencia de que Pluto tenía un reino en las entrañas de la tierra, en la península Ibérica, por la abundancia de preciosos minerales que de ellas se extraían. No debe confundirse a Pluto con Plutón, que era el dios de los infiernos. De la raíz griega *pluto* se ha formado en castellano la palabra "plutocracia", con que se designa la preponderancia de los ciudadanos opulentos en el gobierno de una nación.


## Los premios Nobel (página 245)

Al morir, en 1896, el químico sueco Alfredo B. Nobel, inventor de la dinamita, dejó una fortuna de unos 45 millones de francos para la creación de un fondo, cuyos intereses anuales han de repartirse en cinco partes iguales entre las personas que en mayor grado hayan contribuido "al bien de la Humanidad", en los siguientes ramos: física, química, medicina o fisiología, literatura idealista, sociología y pacifismo.

Hasta ahora sólo tres premios han sido adjudicados a españoles: uno, de la sección de Medicina, en 1906, al sabio histólogo doctor Ramón y Cajal, y otro, en 1904, al eminente dramaturgo y divulgador de la ciencia don José Echegaray, por su producción literaria. Este premio fué adjudicado en dos partes: una mitad al señor Echegaray, y otra al poeta provenzal Federico Mistral. El tercero se adjudicó íntegro, en el año 1922, al reputado escritor y comediógrafo don Jacinto Benavente.

## LA INSTITUCIÓN CARNEGIE (página 245)

Durante muchos años, míster Carnegie hacía personalmente los donativos destinados a la fundación de bibliotecas en diversos pueblos; pero como eso implicaba una labor muy improba, ideó crear una institución, que se organizó en Nueva York el 10 de noviembre de 1911, y de la cual fué elegido él presidente, con el objeto de mantener un fondo de 25 millones de dólares (125 millones de pesetas) y emplear los intereses y réditos del mismo en fomentar y difundir la educación del pueblo de los Estados Unidos por medio de auxilios y donativos a las escuelas técnicas, a los institutos de ciencias, a las bibliotecas, a la publicación de obras útiles, a premiar la virtud y el heroísmo, etc. Para establecer el fondo, míster Carnegie donó a la institución la cantidad antes citada, en obligaciones, a la par, de la gran Acería que él supo llevar a un alto grado de prosperidad y que fué la fuente de su inmensa fortuna.

# FRASES CÉLEBRES

## (página 28.)

ARQUÍMEDES (saliendo del baño al descubrir la ley de la densidad de los cuerpos): *Eureka* (Lo encontré). —(Para demostrar la potencia de una palanca): *Dadme un punto de apoyo y moveré el mundo.*

BÍAS (a uno que, al verle huir de Priene, se extrañó de que no salvase sus bienes): *Todo lo llevo conmigo.*

TEMÍSTOCLES (a Euribíades, cuando en una discusión levantó éste un palo): *Pega, pero escucha.*

DIÓGENES (al preguntarle Alejandro qué podía hacer por él): *Apártate y no me quites el sol.*

ALEJANDRO el Grande (cuando al morir le preguntaron a quién dejaba el imperio): *Al más digno.*

LEÓNIDAS (cuando le avisaron que las flechas de los persas eran tan numerosas que ocultaban la luz del sol): *Mejor, así pelearemos a la sombra.*

HERNÁN CORTÉS (al preguntarle Carlos V quién era): *Soy un hombre que ha dado más provincias a vuestra alteza que ciudades le dejaron sus antepasados.*

CÉSAR (al pasar el Rubicón para dirigirse a Roma): *Ya está echada la suerte.* — Para notificar a Roma su triunfo sobre Farnaces en el Ponto): *Vine, vi, vencí.*

BRENO (al poner su espada como contrapeso en la balanza con que se pesaba el oro para el rescate de Roma): *¡Ay de los vencidos!*

NERÓN (moribundo): *¡Qué gran artista pierde el mundo!*

TITO VESPASIANO (al recordar que en todo el día no había hecho una buena obra): *Amigos, he perdido este día.*

ATILA (envanecido por sus triunfos al frente de los Hunos) : *Soy el azote de Dios. Donde sienta mi caballo las patas, no vuelve a nacer la hierba.*

DUGUESCLIN (colocando a don Enrique de Trastamara encima de su hermano don Pedro cuando luchaban en el suelo) : *Ni quito ni pongo rey; pero ayudo a mi señor.*

PADILLA (a Juan Bravo cuando marchaban al suplicio) : *Ayer fué día de pelear como caballeros; hoy lo es de morir como cristianos.*

FERNANDO EL CATÓLICO (irritado porque el rey moro de Granada se negaba a pagar tributo) : *Yo arrancaré uno a uno los granos de esa Granada.*

AIXA (a su hijo Boabdil, que lloraba al abandonar Granada) : *¡Llora como mujer, ya que no has sabido defender tu reino como hombre!*

GONZALO DE CÓRDOBA (cuando en la batalla de Ceriñola una chispa hizo volar un polvorín) : *¡Buen ánimo, amigos míos! ¡Esas son las luminarias de la victoria!*

CARDENAL CISNEROS (mostrando desde un balcón soldados y cañones a los magnates que le preguntaban con qué poderes mandaba) : *Esos son mis poderes.*

FRANCISCO I (al dar cuenta a su madre de la batalla de Pavía) : *Todo se ha perdido menos el honor y la vida.*

FELIPE II (al saber el desastre de la flota) : *Yo envié la Armada a pelear contra los ingleses y no contra los elementos.*

FRAY LUIS DE LEÓN (al reanudar sus clases en la cátedra después de cuatro años de prisión) : *Decíamos ayer...*

CORREGGIO (al ver un cuadro de Rafael) : *También yo soy pintor.*

ENRIQUE IV (al abjurar el protestantismo para asegurarse en el trono de Francia) : *París bien vale una misa.*

GALILEO (al verse forzado a abjurar su teoría respecto del movimiento de la Tierra) : *Y, no obstante, se mueve.*

LUIS XIV (cuando alguien le hablaba del Estado) : *El Estado soy yo.*

LUIS XV con MADAME POMPADOUR (al reconvenirla por sus derroches) : *Después de nosotros, el diluvio.*

MADAME ROLAND (al ser conducida a la guillotina): *¡Libertad! ¡Cuántos crímenes se cometen en tu nombre!*

NAPOLEÓN I (a sus soldados en Egipto): *Desde la cúspide de estas pirámides cuarenta siglos os contemplan.*

NELSON (a sus marinos al comenzar el combate de Trafalgar): *Inglaterra espera que cada hombre cumplirá con su deber.*

ALVAREZ DE CASTRO (a un jefe de avanzada que en el sitio de Gerona le preguntó adónde se retiraría si se viera obligado por los franceses): *¡Al cementerio!*

MÉNDEZ NÚÑEZ (en el combate del Callao): *España quiere más honra sin barcos, que barcos sin honra.*

# ÍNDICE DE AUTORES

## cuyas máximas y pensamientos se citan en esta obra

*Después del nombre sigue el lugar del nacimiento, con los años del natalicio
y de la muerte, profesión del autor y páginas en que se cita.*

# ÍNDICE

impreso en impresora publimex, s.a.
calz. san lorenzo 279-32
del. iztapalapa - 09880 méxico, d.f.
mil ejemplares y sobrantes